Las indómitas

Seix Barral Los Tres Mundos

Elena Poniatowska
Las indómitas

Diseño portada: Estudio la fe ciega / Domingo Martínez
Fotografía de portada: Photo Stock / Marka
Fotografías en páginas interiores:
© 2016, Sinafo, Conaculta-INAH-Mex, Inv. 336047, Inv. 6985 (pp. 250,
    253, abajo)
© 2016, *El Universal*, Fotógrafo: Jorge Núñez (p. 251, abajo)
© 2016, Procesofoto / Archivo *Proceso* (p. 258, arriba)
© 2016, *La Jornada*, Fotógrafo: José Antonio López (p. 258, abajo)
© 2016, *La Jornada*, Fotógrafo: Roberto García (p. 261)
© 2016, *La Jornada*, Fotógrafo: Jesús Villaseca (p. 262)
© 2016, *La Jornada*, Fotógrafo: José Carlo González (p. 262)
Cortesía de la autora: pp. 246, 247, 253 (arriba), 254 (arriba), 255 (abajo),
    256 (arriba), 257 (© Héctor García); 248, 249 (© Colección Gustavo
    Casasola); 251, 252, 254, 255, 256, 259, 260
Ilustraciones en páginas interiores: cortesía de la autora

© 2016, Elena Poniatowska
c/o Schavelzon Graham Agencia Literaria
www.schavelzon.com

© 2016, Editorial Planeta Mexicana, S.A. de C.V.
Bajo el sello editorial SEIX BARRAL M.R.
Avenida Presidente Masarik núm. 111, Piso 2
Colonia Polanco V Sección
Deleg. Miguel Hidalgo
C.P. 11560, Ciudad de México
www.planetadelibros.com.mx

Primera edición: octubre de 2016
ISBN: 978-607-07-3691-9

Impreso en los talleres de Litográfica Ingramex, S.A. de C.V.
Centeno núm. 162-1, colonia Granjas Esmeralda, Ciudad de México
Impreso y hecho en México - *Printed and made in Mexico*

PRÓLOGO

Por tierra y por mar

Por tierra y por mar siguió Elena Poniatowska a estas indómitas *Adelitas*. Muy joven se trepó al tren del periodismo calzada con una canana de preguntas y —¡vaya puntería!— casi siempre dio en el blanco descabezando a uno que otro catrín descuidado; luego escribió cuentos, novelas, ensayos y poemas con un estilo propio que en el campo de batalla de la literatura no tiene parangón.

A Josefina Bórquez la conoció cerca de Morazán y Ferrocarril de Cintura y la siguió hasta donde «México se va haciendo más chaparrito». Obstinada, acudió cada miércoles a la cita pactada y ni Satán —el temible Can Cerbero de la vecindad— logró apartarla de su propósito: entrevistar a la soldadera y conocer a la mujer. Así convirtió a Josefina Bórquez en Jesusa Palancares y nos regaló una de las figuras más entrañables de nuestras letras. Después de los desamparados protagonistas de Revueltas y de los fantasmales de Rulfo, ningún otro personaje del siglo XX mexicano me ha conmovido tanto como Jesusa Palancares: «¡Qué padre vieja, Dios mío! No tiene a nadie en la vida y a la única persona que la visita es capaz de mandarla al carajo».

Por tierra y por mar siguió las huellas de esas mujeres anónimas que acompañaron a sus Juanes en la lucha armada y a las que nadie prestó atención. Elena desgranó una a una sus historias para ofrecérnoslas como tributo: «Miren, estas también nos dieron patria».

Por tierra y por mar siguió a Nellie Campobello, la única mujer dentro de la literatura de la Revolución, y, como el Tobías bíblico (aquel judío piadoso que se encargaba de honrar los cadáveres), la ubicó en un lugar privilegiado dentro de las letras mexicanas y con ese réquiem nos recordó que Nellie Campobello está a la altura de los novelistas hombres que figuran en el canon oficial.

Por tierra y por mar siguió a Josefina Vicens para hablar de sus dos únicos libros y le arrancó las mejores confesiones sobre José García y Poncho Fernández.

Por tierra y por mar siguió a Rosario Castellanos y nos descubrió a la mujer, a la diplomática y a la escritora a trasluz, porque Elena Poniatowska escribe como si revelara negativos, ¿será por eso que nos identificamos con sus retratos?

Por tierra y por mar siguió a su nana desde niña, desde joven y desde adulta, así como siguió a cada una de las muchachas que pasaron por su casa de *catrina cebada* y escribió un prólogo que más bien es un tratado de la psicología de sirvientas y patronas.

Por tierra y por mar siguió a Alaíde Foppa y no quitó el dedo del renglón hasta saber que a la condición de desaparecida seguía —aunque ya lo presentía— la confirmación de un asesinato.

Por tierra y por mar siguió a doña Rosario Ibarra de Piedra y nos entregó el relato atroz —y con lamentable vigencia— de una madre que no ha cejado en la búsqueda de su hijo (¡cómo nos recuerda doña Rosario a la Pelagia de Gorki!).

Por tierra y por mar siguió a Marta Lamas, la feminista más reconocida de México y Latinoamérica, y nos develó una académica y activista a prueba de bala, digna e indómita Adelita del siglo XXI.

A lo largo de sesenta años de escritura, de ir y venir por los rincones de su país, por tierra y por mar ha seguido Elena Poniatowska a sus entrevistados, a sus personajes, a sus fantasmas, y si fuera necesario treparse a un buque de guerra o a un tren militar, seguro lo hacía porque no hay nada que la detenga cuando se propone algo, porque desde las páginas de *Lilus Kikus* supimos que estábamos ante una narradora extraordinaria, porque *La noche de Tlatelolco* nos confirmó su compromiso con México y los jóvenes y su *Hasta no verte Jesús mío* echó abajo la supuesta brecha entre periodismo y literatura y demostró que quienes menosprecian un oficio en detrimento de otro no han entendido que el ejercicio de ambos es un privilegio de pocos —como ser ambidiestro—, ahí están Roberto Arlt, Rodolfo Walsh, Gabriel García Márquez, Elena Poniatowska. Ahí está Svetlana Alexiévich, la más reciente ganadora del Nobel de Literatura.

Estos ensayos aquí reunidos se resignifican, porque tienen un hilo común, porque dialogan entre sí y porque nos descubren un coro de voces entre lector, ensayista y ensayados, y ese conjunto de tonos nos adentra en el placer de la lectura al que ya nos tiene acostumbrados la autora.

En estos textos, el lector encontrará la miseria, la impotencia, la humillación, pero también el tesón y la entereza, temas todos que atañen a la condición humana, protagonizados por mujeres que se han atrevido a trasgredir, a *ir al frente*, cual Adelitas dispuestas a dejarlo todo en la batalla, ya sea la creación de un sindicato, la lucha por la despenalización del aborto o la búsqueda incansable de un hijo desaparecido.

Después de leer estos ensayos nos queda la utopía de creer que un puñado de palabras puede más que mil injusticias y que, aunque estas líneas jamás lleguen a las Domitilas y Chabelas, tarde o temprano la semilla caerá en tierra fértil para que otras Jesusas, Adelitas, Nellies, Josefinas, Rosarios, Marías, Alaídes, Martas y Elenas tomen la posta y sigan el camino de lucha y entrega que se desprende de estos espléndidos testimonios.

Sonia Peña, agosto de 2016.

1

JOSEFINA BÓRQUEZ

Vida y muerte de Jesusa[1]

Allí donde México se va haciendo chaparrito, allí donde las calles se pierden y quedan desamparadas, allí vive la Jesusa. Por esas brechas polvosas la patrulla ronda todo el día con sus policías amodorrados por el tedio. Se detiene en una esquina durante horas. La miscelánea se llama El Apenitas y uno tiene la sensación de apenas vida, apenas agua, apenas luz, apenas techo, apenas, apenas, apenas. Los guardianes del orden bajan a echarse una *fría*; el hielo ya no es más que agua dentro de las hieleras de Victoria y Superior y en ellas nadan cervezas y refrescos. El cabello de las mujeres se apelmaza en su nuca, batido de sudor. El sudor huele a hombre, huele a mujer, asegún. El sudor de la mujer huele más. El sudor moja el aire, la ropa, las axilas, las frentes. Así como zumba el calor, zumban las moscas. Qué grasiento y qué chorreado es el aire de este rumbo; la gente vive en las mismas sartenes donde fríe las garnachas y las quesadillas de papa y flor de calabaza, ese pan de cada día que las mujeres apilan en la calle sobre mesas de patas cojas. Lo único seco es el polvo y algunas calabazas que se secan en los techos.

Jesusa también está seca. Va con el siglo. Tiene setenta y ocho y los años la han empequeñecido como a las casas, encorvándole el espinazo. Cuentan que los viejos se hacen chiquitos para ocupar el menor espacio posible dentro de la tierra después de haber vivido encima de ella. Los ojos de la Jesusa, en los que se distinguen venitas rojas, están cansados; alrededor de la niña, la pupila se ha hecho terrosa, gris, y el color café muere poco a poco. El agua ya no le sube

---

[1] Este ensayo se publicó por primera vez en *Vuelta*, núm. 24, vol. 2, noviembre de 1978, pp. 5-11, compilado en *Luz y luna, las lunitas*. México: Era, 1994, pp. 37-75.

a los ojos y el lagrimal al rojo vivo es el punto más álgido de su rostro. Bajo la piel tampoco hay agua, de ahí que Jesusa repita constantemente: «Me estoy apergaminando». Sin embargo, la piel permanece restirada sobre los pómulos salientes. «Cada vez que me muevo se me caen las escamas». Primero se le zafó un diente de enfrente y resolvió: «Cuando salga a algún lado, si es que llego a salir, me pondré un chicle, lo mastico bien y me lo pego».

—¿Qué se trae? ¿Qué se trae conmigo?

—Quiero platicar con usted.

—¿Conmigo? Mire, yo trabajo. Si no trabajo, no como. No tengo campo de andar platicando.

A regañadientes, Jesusa accedió a que la fuera a ver el único día de la semana que tenía libre: el miércoles de cuatro a seis. Empecé a vivir un poco de miércoles a miércoles. Jesusa, en cambio, no abandonó su actitud hostil. Cuando las vecinas le avisaban desde la puerta que viniera a detener el perro para que yo pudiera entrar, decía con tono malhumorado: «Ah, es usted». Me escurría junto al perro con una enorme grabadora de cajón; el aliento canino caliente en los tobillos y sus ladridos eran tan hoscos como la actitud de Jesusa.

La vecindad tenía un pasillo central y cuartos a los lados. Los dos «sanitarios» sin agua, llenos hasta el borde, se erguían en el fondo; no eran *de aguilita*, eran tazas y los papeles sucios se amontonaban en el suelo. Al cuarto de Jesusa le daba poco el sol y el tubo del petróleo que queman las parrillas hacía llorar. Los muros se pudrían ensalitrados y, a pesar de que el pasillo era muy estrecho, media docena de chiquillos sin calzones jugueteaban allí y se asomaban a los cuartos vecinos. Jesusa les preguntaba: «¿Quieren un taco aunque sea de sal? ¿No? Entonces no anden de limosneros parándose en las puertas». También se asomaban las ratas.

Por aquellos años, Jesusa no permanecía mucho tiempo en su vivienda porque salía a trabajar temprano a un taller de imprenta en el que aún labora. Dejaba su cuarto cerrado a piedra y lodo; sus animales adentro, asfixiándose; sus macetas también. En la imprenta hacía la limpieza, barría, recogía, trapeaba, escurría los metales y se llevaba a su casa los overoles y, en muchas ocasiones, la ropa de los trabajadores para doblar jornal en su lavadero. Al atardecer regresaba a alimentar a sus gatos, sus gallinas, su conejo; a regar sus plantas, a «escombrar su reguero».

La primera vez que le pedí que me contara su vida (porque la había escuchado hablar en una azotea y me pareció formidable su lenguaje y sobre todo su capacidad de indignación) me respondió: «No tengo campo». Me señaló los overoles amontonados, las cinco gallinas que había que sacar a asolear, el perro y el gato que había que alimentar, los dos pajaritos enjaulados que parecían gorriones, presos en una jaula que cada día se hacía más chiquita.

—¿Ya vio? ¿O qué, usted me va a ayudar?

—Sí —contesté.

—Muy bien, pues meta usted los overoles en gasolina.

Entonces supe lo que era un overol. Agarré un objeto duro, acartonado, lleno de mugre, con grandes manchas de grasa, y lo remojé en una palangana. De tan tieso, el líquido no podía cubrirlo; el overol era un islote en medio del agua, una roca. Jesusa me ordenó: «Mientras se remoja, saque usted las gallinas a asolear a la banqueta». Así lo hice, pero las gallinas empezaron a picotear el cemento en busca de algo improbable, a cacarear, a bajarse de la acera y a desperdigarse en la calle. Me asusté y regresé volada:

—¡Las va a machucar un coche!

—Pues ¿qué no sabe usted asolear gallinas? ¿Qué no vio el mecatito?

Había que amarrarlas de la pata. Metió a sus pollas en un segundo y me volvió a regañar:

—¿A quién se le ocurre sacar gallinas así como así?

Compungida, le pregunté:

—¿En qué más puedo ayudarla?

—¡Pues eche usted las gallinas a asolear en la azotea aunque sea un rato!

Lo hice con temor. La casa era tan bajita que yo, que soy de la estatura de un perro sentado, podía verlas esponjarse y espulgarse. Picaban el techo, contentas. Me dio gusto. Pensé: «Vaya, hasta que algo me sale». El perro negro en la puerta se inquietó y Jesusa volvió a gritarme: «Bueno, ¿y el overol qué?».

Cuando pregunté dónde estaba el lavadero, la Jesusa me señaló una tablita acanalada de apenas veinte o veinticinco centímetros de ancho por cincuenta de largo: «¡Qué lavadero ni qué ojo de hacha! ¡Sobre eso tállelo usted!».

Sacó de debajo de su cama un lebrillo. Me miró con sorna: me era imposible tallar nada. El uniforme estaba tan tieso que hasta agarrarlo resultaba difícil. Jesusa entonces exclamó: «¡Cómo se ve que usted es una rota, una catrina de esas que no sirven para nada!».

Me hizo a un lado. Después reconoció que el overol debería pasarse la noche entera en gasolina y, acto seguido, ordenó:

—Ahora vamos por la carne de mis animales.

—Sí, vamos en mi vochito.

—No, si aquí está en la esquina.

Caminó aprisa, su monedero en la mano, sin mirarme. En la carnicería, en contraste con el silencio que había guardado conmigo, bromeó con el carnicero, le hizo fiestas y compró un montoncito miserable de pellejos envueltos en un papel de estraza que inmediatamente quedó sanguinolento. En la vivienda aventó el bofe al suelo y los gatos, con la cola parada, eléctrica, se le echaron encima. Los perros eran más torpes. Los pájaros trinaban. De tonta, le pregunté si también comían carne. «Oiga, pues ¿en qué país vive usted?».

Pretendí enchufar mi grabadora: casi un féretro azul marino con una bocinota como de salón de baile y Jesusa protestó: «¿Usted me va a pagar mi luz? No ¿verdad? ¿Qué no ve que me está robando la electricidad?». Después cedió: «¿Dónde va a poner usted su animal? Tendré que mover este mugrero». Además, la grabadora era prestada: «¿Por qué anda usted con lo ajeno? ¿Qué no le da miedo?». Al miércoles siguiente volví con las mismas preguntas.

—Pues ¿qué eso no se lo conté la semana pasada?

—Sí, pero no grabó.

—¿No sirve el animalote ese?

—Es que a veces no me doy cuenta de si está grabando o no.

—Pues ya no lo traiga.

—Es que no escribo rápido y perderíamos mucho tiempo.

—Ahí está. Mejor ahí le paramos, al fin que no le estamos ganando nada ni usted ni yo.

Entonces me puse a escribir en un cuaderno y Jesusa se mofaba al ver mi letra: «Tantos años de estudio para salir con esos garabatos». Eso me sirvió porque de regreso a mi casa, por la noche, reconstruía lo que me había contado. Siempre tuve miedo de que el día menos pensado me cortara como a un novio indeseable. No le gustaba que me vieran los vecinos, que yo los saludara. Un día que pregunté por las niñas sonrientes de la puerta, Jesusa, ya dentro de su cuarto, aclaró: «No les diga niñas, dígales putas; sí, putitas, eso es lo que son».

Un miércoles encontré a la Jesusa envuelta en un sarape chillón, rojo, amarillo, verde perico, de grandes rayas escandalosas, acostada en su cama. Se levantó solo para abrirme y volvió a tenderse bajo el sarape, tapada toda hasta la cabeza. Siempre la hallaba sentada frente a la radio en la oscuridad, como un tambachito de vejez y de soledad, pero atenta, avispada, crítica.

¡Dicen puras mentiras en esa caja! ¡Nomás dicen lo que les conviene! Cuando oigo que anuncian a Carranza en el radio le grito: «¡Maldito bandido!». Cada gobierno vanagloria al que mejor le conviene. Ahora le dicen el Varón de Cuatro Ciénegas y yo creo que es porque tenía el alma toda enlodada. ¡Que ahora van a poner a Villa en letras de oro en un templo! ¿Cómo lo van a poner si era un cochino matón robavacas, arrastramujeres? A mí esos revolucionarios me caen como patada en los… bueno, como si yo tuviera huevos. ¡Son puros bandidos, ladrones de camino real amparados por la ley!

Miré el gran sarape de Saltillo que no conocía y me senté en una pequeña silla a los pies de la cama. Jesusa no decía una sola palabra. Hasta la radio, que permanecía prendida durante nuestras conversaciones, estaba apagada. Esperé algo así como media hora en la oscuridad. De vez en cuando le preguntaba:

—Jesusa, ¿se siente mal?

No hubo respuesta.

—Jesu, ¿no quiere hablar?

No se movía.

—¿Está enojada?

Silencio total. Decidí ser paciente. Muchas veces, al iniciar nuestras entrevistas, Jesusa estaba de mal humor. Después de un tiempo se componía, pero no perdía su actitud gruñona y su gran dosis de desdén.

—¿Ha estado enferma? ¿No ha ido al trabajo?

—No.

—¿Por qué?

—Hace quince días que no voy.

De nuevo nos quedamos en el silencio más absoluto. Ni siquiera se oía el trinar de sus pájaros que siempre se hacía presente con una leve y humilde advertencia de «aquí estoy, bajo los trapos que cubren la jaula». Esperé mucho rato desanimada, cayó la tarde, seguí esperando, el cielo se puso lila. Con cuidado, volví a la carga:

—¿No me va a hablar?

No contestó.

—¿Quiere que me vaya?

Entonces hizo descender el sarape a la altura de sus ojos, luego de su boca:

—Mire, usted tiene dos años de venir y estar chingue y chingue y no entiende nada. Así es que mejor aquí le paramos.

Me fui con mi libreta contra el pecho a modo de escudo. En el coche pensé: «¡Qué padre vieja, Dios mío! No tiene a nadie en la vida, la única persona que la visita soy yo, y es capaz de mandarme al carajo».

El miércoles siguiente se me hizo tarde (fue el recanijo inconsciente) y la encontré afuera, en la banqueta. Refunfuñó: «Pues ¿qué le pasa? ¿No entiende? A la hora que usted se va salgo por mi leche al establo, voy por mi pan. A mí me friega usted si me tiene aquí esperando».

Entonces la acompañé al establo. En las colonias pobres el campo se mete a los linderos de la ciudad o al revés, aunque nada huela a campo y todo sepa a polvo, a basura, a hervidero, a podrido, la ciudad se hace un tantito campirana. «Los pobres, cuando tomamos leche, la tomamos recién ordeñada de la vaca, no la porquería esa de las botellas y de las cajas que ustedes toman». En la panadería, Jesusa compraba cuatro bolillos: «Pan dulce no, ese no llena y cuesta más».

De la mano de Jesusa entré en contacto con la pobreza, la *de a deveras*, la del agua que se recoge en cubetas y se lleva cuidando de no tirarla, la de la lavada sobre la tablita de lámina porque no hay lavadero, la de la luz que se roba por medio de *diablitos*, la de las gallinas que ponen huevos sin cascarón, *nomás la pura tecata*, porque la falta de sol no permite que se calcifiquen. Jesusa pertenece a los millones de hombres y de mujeres que no viven, sobreviven. El solo atravesar el día y llegar hasta la noche les cuesta tantísimo trabajo que las horas y la energía se les van en eso que para los marginados resulta tan difícil: ganarse la vida como si la vida fuera una mercancía más, permanecer a flote, respirar tranquilos, aunque solo sea un momento, al atardecer, cuando las gallinas ya no cacarean tras de su alambrado y el gato se despereza sobre la tierra apisonada.

En ese cuartito casi siempre en penumbra, en medio de los chillidos de niños de otras viviendas, los portazos, el vocerío y la radio a todo volumen, los miércoles en la tarde a la hora en que cae el sol y el cielo azul cambia a naranja, surgía otra vida, la de Jesusa Palancares, la pasada y la que ahora revivía al contarla. Por la diminuta rendija acechábamos el color del cielo, azul, luego naranja y al final negro. Una rendija de cielo. Nunca lo busqué tanto, enranuraba los ojos a que pasara la mirada por esa rendija. Por ella entraríamos a la otra vida, la que tenemos dentro. Por ella también subiríamos al reino de los cielos sin nuestra estorbosa envoltura humana.

Al oír a la Jesusa la imaginaba joven, rápida, independiente, áspera, y viví con ella su rabia y sus percances, sus piernas que se entumieron de frío con la nieve del norte, sus manos enrojecidas por tantas lavadas. Al verla actuar en su relato, capaz de tomar sus propias decisiones, se me hacía patente mi falta de carácter. Me gustaba sobre todo imaginarla en el mar, los cabellos sueltos, sus pies desnudos sobre la arena, sorbidos por el agua, sus manos hechas concha para probarlo, descubrir su salazón, su picazón. «¡Sabe usted, la mar es mucha!». También la veía corriendo, niña, sus enaguas entre sus piernas, pegadas a su cuerpo macizo, su rostro radiante, su hermosa cabeza, a veces cubierta por un sombrero de soyate, a veces por un rebozo. Mirarla pelear en el mercado con una placera era apostarle a ella, un derechazo, dale más abajo, una patada en la espinilla, ya le sacaste el resuello, un gancho al hígado, no pierdas de vista su quijada, ahora sí, túpele duro, aviéntales otra, qué tino el tuyo, Jesusa, le diste hasta por debajo de la lengua, pero la imagen más entrañable era la de su figura menuda, muy derechita, al lado de las otras Adelitas arriba del tren, de pie y de perfil, sus cananas terciadas, el ancho sombrero del capitán Pedro Aguilar protegiéndola del sol.

Mientras ella hablaba surgían las imágenes y me producían una gran alegría. Me sentía fuerte de todo lo que no he vivido. Llegaba a mi casa y les decía: «Saben, algo está naciendo en mí, algo nuevo que antes no existía», pero no contestaban nada. Yo les quería decir: «Tengo cada vez más fuerza, estoy creciendo, ahora sí, voy a ser una mujer». Lo que crecía o a lo mejor estaba allí desde hace años era el ser mexicana, el hacerme mexicana; sentir que México estaba dentro de mí y que era el mismo que el de la Jesusa y que con solo abrir la rendija entraría. Yo ya no era la niña de diez años que vino en un barco de refugiados, el *Marqués de Comillas*, hija de eternos ausentes, de viajeros en barco, hija de trasatlánticos, hija de trenes, sino que México estaba dentro; era un animalote adentro (como Jesusa llamaba a la grabadora), un animal lozano y fuerte que se engrandecía hasta ocupar todo el lugar. Descubrirlo fue como tener de pronto una verdad entre las manos, una lámpara que se enciende bien fuerte y echa su círculo de luz sobre el piso. Antes, solo había visto las luces flotantes que se pierden en la oscuridad: la luz del quinqué del guardagujas que se balancea siguiendo su paso hasta desaparecer, y esta lámpara sólida, inmóvil, me daba la seguridad de un ancla. Mis abuelos, mis tatarabuelos, tenían una frase clave que creían poética: «*I don't belong*». A lo mejor era su forma de distinguirse de la chusma, no ser como los demás. Una noche, antes de que viniera el sueño, después de identificarme palabra por palabra con la Jesusa y repasar una a una todas sus imágenes, pude decirme en voz baja: «Yo sí pertenezco».

Durante meses concilié el sueño pensando en la Jesusa; bastaba una sola de sus frases, apenas presentida, para quedarme en blanco. Y veía dentro de mí, como cuando de niña, una vez acostada, oía la noche que crecía. «Sé que crezco porque oigo que mis huesos truenan imperceptiblemente». Mi madre reía. Crecer para mí era de vida o muerte. Mi abuela reía. Ahora, ya crecida, la Jesusa reía dentro de mí; a veces con sorna, a veces me dolía. Siempre, siempre me hizo sentir más viva.

Entre Jesusa y yo, poco a poco nació el cariño prudente, temeroso. Llegaba yo con mi costal de quejumbres de bestezuela mimada y ella me echaba la viga: «Hombre ¿de qué se apura? Tanto cargador que anda por allí».

Minimizar el problema más viejo del mundo: el del amor y el desamor, fue un saludable golpe a mi amor propio. Allí estábamos las dos, temerosas de hacernos daño. Esa misma tarde calentó un té amargo para la bilis y me tendió la quinta gallina: «Tome, llévesela a su mamá para que la haga en caldo». Un miércoles llegué y me dormí en su cama y sacrificó sus radionovelas para cuidarme el sueño. ¡Y Jesusa vive de la radio! Era su comunicación con el exterior, su único lazo con el mundo; nunca la apagaba, ni siquiera hizo girar la perilla para bajar el volumen cuando devanaba los episodios más íntimos de su vida.

Poco a poco fue naciendo la confianza, la querencia, como ella la llamaba, esa que nunca nos hemos dicho en voz alta, que nunca hemos nombrado siquiera. Creo que Jesusa es a quien más respeto después de mi hijo Mane. Nunca, ningún ser humano hizo tanto por otro como Jesusa por mí. Y se va a morir, como ella lo desea, por eso cada miércoles se me cierra el corazón de pensar que podría no estar. «Algún día que venga, ya no me va a encontrar, se topará nomás con el puro aire». Y se me abre el corazón al verla allí sentada en su sillita, o encogida sobre su cama, sus dos piernas colgando enfundadas en medias de popotillo, oyendo su comedia; sus manitas chuecas de tanta lavada, sus manchas cafés en el rostro, llamadas «flores de panteón», sus trenzas flacas, sus suéteres cerrados por un seguro, y le pido a Dios que me deje cargarla hasta su sepulcro.

Cuando viajé a Francia le mandé cartas pero sobre todo postales. Las primeras respuestas que recibía a vuelta de correo eran las suyas. Iba con los evangelistas de la Plaza de Santo Domingo, les dictaba su misiva y la ponía en Correo Mayor. Me contaba lo que ella creía podía interesarme: la venida a México del presidente de Checoslovaquia, la deuda externa, accidentes en las carreteras, cuando en México nunca hablábamos de las noticias de los periódicos. Jesusa siempre fue imprevisible. Una tarde llegué y la encontré sentadita muy pegada a la radio, un cuaderno sobre sus piernas, un lápiz entre sus dedos. Escribía la U al revés y la N con tres patitas; lo hacía con una infinita torpeza. Estaba tomando una clase de escritura por radio. Le pregunté tontamente:

—¿Y para qué quiere aprender eso ahora?

—Porque quiero morirme sabiendo leer y escribir —me respondió.

En diversas ocasiones intenté sacarla:

—Vamos al cine, Jesusa.

—No, porque yo no veo bien… Antes sí me gustaban los episodios, las de Lon Chaney.

—Entonces vamos a dar una vuelta.

—¿Y el quehacer? Cómo se ve que usted no tiene quehacer.

Le sugerí un viaje al Istmo de Tehuantepec para ver de nuevo su tierra, cosa que creí que le agradaría hasta que caí en la cuenta de que la esperanza de algo mejor la desquiciaba, la volvía agresiva. Jesusa estaba tan hecha a su condición, ya tan maleada por la soledad y la pobreza, que la posibilidad de un cambio le parecía una afrenta: «Lárguese. ¿Usted qué entiende? Lárguese le digo. Déjeme en paz». Comprendí entonces que hay un momento en que se sufre tanto que ya no se puede dejar de sufrir. La única pausa que Jesusa se permitía era ese Farito que fumaba despacio a eso de las seis de la tarde con su radio eternamente prendido incluso cuando me hablaba en voz alta. Los regalos los desenvolvía y los volvía a empaquetar con mucho cuidado. «Para que no se maltraten». Así conocí sus muñecas, todas nuevas, intocadas, amarradas a su caja de cartón. «Son cuatro. Yo me las he comprado. Como de niña no tuve...».

Jesusa siempre supo por dónde sopla el viento. Mojaba su índice, lo levantaba en el aire y decía: «Estoy tanteando al viento». Era bonita su figura, su mano en alto, su dedito apuntando al cielo, su cara al aire, midiéndose con los elementos. Luego advertía orgullosa: «Esta noche va a llover». ¡Ay, mi Adelita! En el techo del vagón del tren, la miro guarecerse de la lluvia bajo la manga de hule, porque durante toda la bendita Revolución la caballada anduvo adentro y la gente afuera. Años más tarde, Paula, mi hija de cuatro añitos, habría de cantarle a Jesusa, reivindicando en cierto modo a las *galletas de capitán*, a las perdidas, sinvergüenzas que siguen a los hombres: «Yo soy rielera y tengo a mi Juan./ Él es mi encanto, yo soy su querer./ Cuando me dicen que ya se va el tren:/ Adiós, mi rielera, ya se va tu Juan./ Tengo mi par de pistolas/ con sus cachas de marfil/ para agarrarme a balazos/ con los del ferrocarril».

Elizabeth Salas, en su libro *Soldaderas in the Mexican Military*, cuenta que en 1914, en Fort Bliss y luego en Fort Wingate, entre enero y septiembre fueron encarcelados 3,359 oficiales y soldados, 1,256 soldaderas y 554 niños.

Jesusa pasó a Marfa, Texas, al perder la batalla de Ojinaga y Cuchillo Parado. Iba al lado del capitán Pedro Aguilar, su marido, cargándole el máuser. Combatieron todo el día, siguieron haciendo fuego contra los *jijos de la jijurria*.

La tropa se había dispersado y nosotros seguíamos dale y dale tumbando ladrones como si nada. Yo todavía le tendí el máuser cargado y como no lo recibía volteé a ver a Pedro y ya no estaba en el caballo. Como a las cuatro de la tarde, mi marido recibió un balazo en el pecho y entonces me di cuenta que andábamos solos con los dos asistentes. Lo vi tirado en el suelo. Cuando bajé a levantarlo ya estaba muerto con los brazos en cruz.

Los asistentes perdieron la cabeza, Jesusa decidió dejar el cuerpo de Pedro en un ladito y en la noche les pidió a los gringos una escolta para ir a recogerlo.

> Cuando llegué ya se lo estaban comiendo los coyotes. Ya no tenía manos ni orejas, le faltaba un pedazo de nariz y una parte del pescuezo. Lo levantamos y lo fuimos a enterrar a Marfa, cerca de Presidio, en los Estados Unidos.

Capturados en Presidio los llevaron a Marfa, soldados, niños, mujeres, caballos, burros, perros, pájaros en su jaula, jabón para lavar ropa, impedimenta, todo, y allí levantaron un campamento tan atractivo que los mismos gringos se acercaban a escuchar los corridos y a comer los guisos de las soldaderas. En la noche, en torno a la fogata, se aprendieron de memoria «La cucaracha». Los mexicanos permanecieron tanto tiempo en Estados Unidos que dos gringos se enamoraron de Jesusa y uno le pidió matrimonio. «No, no me caso. Bonita pantomima hago yo tan negra y usted tan güero. Así es que lo desprecié, pero es mejor despreciar a que lo desprecien a uno». El pretendiente resguardaba a los prisioneros.

La tropa se quedó muchísimo tiempo en Estados Unidos, tanto que, según Elizabeth Salas, el gobierno de México recibió la cuenta de 740,653 dólares con trece centavos por la manutención de los soldados y su familia, sus perros y sus pericos, tal y como lo publicó *El Paso Morning Times* el 11 de septiembre de 1914.

Para escribir *Hasta no verte Jesús mío* se me presentó un dilema: el de las malas palabras. En una primera versión, Jesusa jamás las pronunció y a mí me dio gusto pensar en su recato, su pudor; me alegró la posibilidad de escribir un relato sin los llamados «términos altisonantes», pero a medida que nació la confianza y sobre todo a mi regreso de un viaje de casi un año en Francia, Jesusa se soltó, me integró a su mundo, ya no se cuidó y ella misma me amonestaba: «No sea usted pendeja, solo usted se cree de la gente, solo usted se ilusiona que la gente es buena». Algunas de sus palabras tuve que buscarlas en el diccionario de mexicanismos, otras se remontaban al español más antiguo como *hurgamanderas*, *pidongueras* o *bellaco*.

Era bonito que me ordenara: «Usted recapacite», «¿por qué no recapacita?». ¡Qué verbo más padre!: *recapacitar*. También la palabra *taruga*. «No sea taruga». «Ora no se atarugue». Me echó en cara mi ausencia: «¡Allá usted y su interés! Usted vendrá a verme mientras pueda sacarme lo que le interesa, después, ni sus luces. Así es siempre: todos tratan de sacarle raja al otro». Como todos los viejos, me devanaba una larga retahíla de achaques y dolores: sus corvas adoloridas, sus lomos podridos, lo mal que andan los camiones, la pésima calidad de los víveres, la renta que ya no se puede pagar, los vecinos flojos y borrachos. Machacona, volvía una y otra vez sobre lo mismo, sentada, sus dos piernas colgando, había montado su cama en ladrillos: «porque entra el agua». En época de lluvias el agua se metía a los cuartos anegándolos y doña Casimira, la dueña, no se preocupaba por mandar destapar la alcantarilla del patio.

A la portera «rica», la Casimira, Jesusa la padecía como a una enemiga, alguien puesto allí especialmente para fregarla. La dueña era el ejemplo más cercano a las autoridades, «nunca ayudan, al contario, lo quisieran ver a uno tres metros bajo tierra», igualito que don Venustiano Carranza, que se quedó con sus haberes de viuda:

En aquellos años gobernaba el Barbas de Chivo, el presidente Carranza. Raquel me llevó al Palacio, que estaba repleto de mujeres, un mundo de mujeres que no hallaba uno ni por dónde entrar; todas las puertas apretadas de enaguas; atascado el Palacio de viudas arreglando que las pensionaran. Pasábamos una por una, por turno, a la sala presidencial, un salón grande donde él estaba en la silla. Yo ya lo conocía. Lo vi muy cerquita en la toma de Celaya, donde le mocharon el brazo a Obregón. Como fue el combate muy duro, este Carranza iba montado en una mula blanca y echó a correr. Dio la media vuelta y ni vio cuando le tumbaron el brazo al otro. Él no se acordaba de mí, por tanta tropa que ven los generales. Cuando entré, me dice:

—Si estuvieras vieja, te pensionaba el Gobierno, pero como estás muy joven no puedo dar orden de que te sigan pensionando. Cualquier día te vuelves a casar y el muerto no puede mantener al otro marido que tengas.

Entonces agarré los papeles que me consiguió Raquel, los rompí y se los aventé en la cara.

Carranza contribuyó a la orfandad de Jesusa:

Al fin de cuentas, yo no tengo patria. Soy como los húngaros, de ninguna parte. No me siento mexicana ni reconozco a los mexicanos. Aquí no existe más que pura conveniencia y puro interés. Si yo tuviera dinero y bienes, sería mexicana, pero como soy peor que la basura pues no soy nada. Soy basura a la que el perro le echa una míada y sigue adelante. Viene el aire y se la lleva y se acabó todo.

Cada encuentro era una larga entrevista. Me preguntaba cómo le haría Ricardo Pozas con su *Juan Pérez Jolote* y envidiaba su formación antropológica, su pericia. Ese libro fue para mí definitivo, y si de mí dependiera, hubiera casado a Jesusa con Juan Pérez Jolote.

Al terminar me quedé con una sensación de pérdida; no hice visible lo esencial, no supe dar la naturaleza profunda de la Jesusa; ahora pienso que si no lo logré es porque acumulé aventuras, pasé de una anécdota a otra, me engolosiné con la pícara. Nunca le hice contestar lo que no quería. No pude adentrarme en su intimidad, no supe hacer ver aquellos momentos en que nos quedábamos las dos en silencio, casi sin pensar, en espera del milagro. Siempre tuvimos un poco de fiebre, siempre anhelamos la alucinación. En su voz oía la voz de la nana que me enseñó español, la de todas las muchachas que pasaron por la casa como chiflonazos, sus expresiones, su modo de ver la vida, si es que la veían porque solo vivían al día; no tenían razón alguna para hacerse ilusiones.

Estas otras voces de mujeres marginadas hacían coro a la voz principal, la de Jesusa Palancares, y creo que por esto en mi texto hay palabras, modismos y dichos que provienen no solo de Oaxaca, el estado de Jesusa, sino de toda la República, de Jalisco, de Veracruz, de Guerrero, de la sierra de Puebla. Había miércoles en que Jesusa no hablaba sino de sus obsesiones del momento, pero dentro del marasmo de la rutina y la dificultad para vivir hubo momentos de gracia, treguas inesperadas en que sacamos a las gallinas de atrás de su alambrado y las acomodamos en la cama como si fueran nuestras niñas.

Ricardo Pozas jamás abandonó a los indígenas, sobre todo a los chamulas, los tojolabales, los tzeltales, los tzotziles. Fueron su vida, no solo una investigación académica. Ni el doctor en antropología Oscar Lewis ni yo asumimos la vida ajena. Para Oscar Lewis, los Sánchez se convirtieron en espléndidos protagonistas de la llamada *Antropología de la pobreza*. Para mí, Jesusa fue un personaje, el mejor de todos. Jesusa tenía razón. Yo a ella le saqué raja, como Lewis se las sacó a los Sánchez. La vida de los Sánchez no cambió para nada; no les fue ni mejor ni peor. Lewis y yo ganamos dinero con nuestros libros sobre los mexicanos que viven en vecindades. Lewis siguió llevando su aséptica vida de antropólogo norteamericano envuelto en desinfectantes y agua purificada, y ni mi vida actual ni la pasada tienen que ver con la de Jesusa. Seguí siendo, ante todo, una mujer frente a una máquina de escribir.

En las tardes de los miércoles iba yo a ver a la Jesusa y en la noche, al llegar a la casa, acompañaba a mi mamá a algún coctel en alguna embajada. Siempre pretendí mantener el equilibrio entre la extrema pobreza que compartía en la vecindad de la Jesu, con el lucerío, el fasto de las recepciones. Mi socialismo era de dientes para afuera. Al meterme a la tina de agua bien caliente, recordaba la palangana bajo la cama en la que Jesusa enjuagaba los overoles y se bañaba ella misma los sábados. No se me ocurría sino pensar avergonzada: «Ojalá y ella jamás conozca mi casa, que nunca sepa cómo vivo». Cuando la conoció, me dijo: «No voy a regresar, no vayan a pensar que soy una limosnera». Y sin embargo, la amistad subsistió, el lazo había enraizado. Jesusa y yo nos queríamos.

Cuando hube sacado en limpio la primera versión mecanografiada de su vida, se la llevé en un grueso volumen empastado en *keratol* azul cielo. Me dijo. «¿Para qué quiero esto? Quíteme esa chingadera de allí. ¿Qué no ve que nomás me estorba?». Pensé que le gustaría por grandota y porque Ricardo Pozas me contó en alguna ocasión que a Juan Pérez Jolote le decepcionó la segunda edición del relato de su vida publicada por el Fondo de Cultura Económica: «¡Aquella medía una cuarta!» y añoraba la de pastas amarillas del Instituto Nacional Indigenista. En cambio, si Jesusa rechazó la versión mecanografiada, escogí como portada al Santo Niño de Atocha que presidía la penumbra del cuarto para la publicación del libro y, en efecto, al verlo me pidió veinte ejemplares que regaló a los muchachos del taller para que supieran cómo había sido su vida, los muchos precipicios que ella había atravesado y se dieran una idea de lo que era la Revolución.

La dureza de su niñez, el maltrato de la señora Evarista, su madrastra, y la soledad la hicieron desconfiada, altiva, una yegua muy arisca, que esquiva las manifestaciones de cariño. Sin embargo, Jesusa Palancares tuvo su jardín secreto. Dormía en el cuarto de su madrastra pero, como el perro, afuera, en el balcón, y tenía la responsabilidad de abrirles la puerta a los mozos y a las criadas que la señora Evarista encerraba por la noche. Para que no se le hiciera tarde, el aguador la despertaba al ir al río a llenar sus ollas de agua.

Al aguador se le hizo fácil llevar una rama de rosas para despertarme. Me daba con ella en la cara y luego allí me la dejaba. Él se echaba el primer viaje a las cuatro de la mañana. Apenas si alcanzaba el barandal, se paraba abajo, por el lado donde se asomaba la cabeza y colgaba mi pelo, y sentía yo las flores en la cara. Todos los días las cortó y seguro les quitaba las espinas porque yo no sentía más que frescura. Despertaba y adivinaba en el reloj del Palacio que eran las cuatro de la mañana y trataba de verlo a él, que se iba para el río entre sus dos burros a llenar sus ollas, y cuando se me perdía de vista pues yo todo el día andaba trayendo la rama de rosas.

Un día le pregunto yo a Práxedis:

—Oye, ¿quién es ese que me tira una rama de rosas todos los días?

—Ándale, con que eres la novia del burrero… Pues te lo voy a traer.

Una tarde lo llevó; un muchacho como de unos diecisiete años. Tenía sus ojos aceitunados, delgadito él. No platicamos nada. Nomás el mozo Práxedis hizo burla delante del burrero y delante de mí:

—Ándale, ¿cómo no sabía yo que era tu novia, manito?

—No, manito, no. ¿Cómo va a ser mi novia si tú me dijiste que la viniera a recordar? Apenas si le he visto los cabellos desde abajo.

Jesusa rodeó siempre lo suyo de un enorme pudor. La única mención a su vida amorosa fue:

Cuando Pedro andaba en campaña, como no tenía mujeres, allá sí me ocupaba, pero en el puerto no se volvía a acordar de mí. Por allá en el monte, los soldados nos hacían unas cuevas de piedras donde nos metíamos. Él nunca me dejó que me desvistiera, no, nunca; dormía vestida con los zapatos puestos para lo que se ofreciera a la hora que se ofreciera; el caballo ensillado, preparado para salir. Venía él y me decía: «¡Acuéstate!». Era todo lo que me decía: «¡Acuéstate!». Que veía algún movimiento o algo: «¡Ya levántate, prepárate porque vamos a salir para donde se nos haga bueno!». Yo nunca me quité los pantalones, nomás me los bajaba cuando él me ocupaba, pero que dijera yo, me voy a acostar como en mi casa, me voy a desvestir porque me voy a cobijar, eso no; tenía que traer los pantalones puestos a la hora que tocaran: «¡Reunión, alevante!», pues vámonos a donde sea… Mi marido no era hombre que la estuviera apapachando a una, nada de eso, era hombre muy serio.

Ahora es cuando veo yo por allí que se están besuqueando y acariciando en las puertas. A mí se me hace raro porque mi marido nunca anduvo haciendo esas figuretas. Él tenía con qué y lo hacía y ya.

Su pubertad tampoco le dejó una huella indeleble:

Ahora todo se cuentan; se dan santo y seña de cochinada y media. En aquel tiempo, si tenía uno sangre, pues la tenía y ya. Si venía, pues que viniera, y si no, no. A mí no me dijeron nada de ponerme trapitos ni nada. Me bañaba dos o tres veces al día y así toda la vida. Nunca anduve con semejante cochinada allí apestando a perro muerto. Y no me ensuciaba el vestido. No tenía por qué ensuciarme. Iba, me bañaba, me cambiaba mi ropa, la tendía y me la volvía a poner limpiecita. Pero yo nunca sufrí, ni pensé, ni me dolió nunca, ni a nadie le dije nada.

Frente a la política mexicana su reacción fue de rabia y desencanto:

¡Tanto banquete! A ver, ¿por qué el presidente no invita al montón de pordioseros que andan en la calle? A ver, ¿por qué? Puro revolucionario cabrón. Cada día que pasa estamos más amolados y el que viene nos muerde, nos deja chimuelos, cojos y con nuestro pedazo se hace su casa.

Los demás tampoco le brindaron consuelo alguno:

Es rete duro eso de no morirse a tiempo. Cuando estoy mala no abro mi puerta en todo el día; días enteros me la paso atrancada, si acaso hiervo té o atole o algo que me hago. Pero no salgo a darle guerra a nadie y nadie se para en mi puerta. Un día que me quede aquí atorzonada, mi puerta estará atrancada… Porque, de otra manera, se asoman los vecinos a mirar que ya está uno muriéndose, que está haciendo desfiguros, porque la mayoría de la gente viene a reírse del que está agonizando. Así es la vida. Se muere uno para que otros rían. Se burlan de las visiones que hace uno; queda uno despatarrado, queda uno chueco, jetón, torcido, con la boca abierta y los ojos saltados. Fíjese si no será dura esa vida de morirse así. Por eso me atranco. Me sacarán a rastras, ya que apeste, pero que me vengan aquí a ver y digan que si esto o si lo otro, no, nadie… nadie… nadie… solo Dios y yo.

Ultimadamente, entre más se deja uno más lo arruinan. Yo creo que en el mismo infierno ha de haber un lugar para todas las dejadas. ¡Puros tizones en el fundillo!

Me atraían su rebeldía, su agresividad: «Antes de que a mí me den un golpe es porque yo ya di dos». Permanece su esencia, su fuerza redentora, una huella del México de 1910, aunque su cara cambie. A punto de caer en la verdad, el instinto de conservación de Jesusa la hizo distraerse y soñar, y eso la salvó. Al porqué metafísico lo volvió en sus «visiones» y dulcificó el cosmos al poblarlo de sus seres queridos.

Sí, la Jesusa es como la tierra, tierra fatigada y presta a formar remolinos. Busquen y encontrarán su cara en las manifestaciones, en los mítines y en toda la constelación de protestas que repica cada vez más fuerte. Busquen y la verán salir de las bocas del metro, la hallarán en la maraña de rieles bajo el puente de Nonoalco, en los ojos radiantes de las muchachitas que apenas se asoman a la vida, en las manos que tallan, en las que sirven el café en jarros de barro, en la mirada de las mujeres que saben tenderse sobre la hierba fresca y mirar el sol sin parpadear.

A la Jesusa me parece verla en el cielo, en la tierra y en todo lugar, así como una vez estuvo Dios, Él, el masculino.

Jesusa Palancares murió en su casa, Sur 94, Manzana 8, Lote 12, Tercera Sección B, Nuevo Paseo de San Agustín. Más allá del Aeropuerto, más allá de Ecatepec, el jueves 28 de mayo de 1987 a las siete de la mañana. En realidad, se llamaba Josefina Bórquez, pero cuando pensaba en ella pensaba en Jesusa.

Murió igual a sí misma: inconforme, rejega, brava. Corrió al cura, corrió al médico; cuando pretendí tomarle la mano, dijo: «¿Qué es esa necedad de andarlo manoseando a uno?». Nunca le pidió nada a nadie; nunca supo lo que era la compasión para sí misma. Toda su vida fue de exigencia. Como creía en la reencarnación, pensó que esta vez había venido al mundo a pagar deudas por su mal comportamiento en vidas anteriores. Reflexionaba: «He de haber sido un hombre muy canijo que infelizó a muchas mujeres», porque para ella ser hombre era sinónimo de portarse mal.

Un día antes de morir nos dijo: «Échenme a la calle a que me coman los perros; no gasten en mí, no quiero deberle nada a nadie». Ahora que está bajo tierra y que alcanzó camposanto, quisiera mecerla con las palabras de María Sabina, tomarla en brazos como a una niña, cobijarla con todo el amor que jamás recibió, entronizarla como a tantas mujeres que hacen la historia de mi país: México, y que México no solo no acoge sino que ni siquiera reconoce.

En esa casa de Sur 94, arriba, en el techo, Jesusa armó su última morada, con palitos, con ladrillos, con pedazos de tela. A pesar de que tenía una estufa, puso en el suelo un fogoncito y sobre un mecate colgó sus enaguas que convirtió en cortina, una cortina con mucha tela que separaba su lecho del resto de la mínima habitación. Tenía su mesa de palo que le servía para planchar y para comer, y bajo la pata coja, un ladrillo que la emparejaba. En un rinconcito, arrejuntó a todos sus santos, los mismos que vi en la otra vecindad. El santo Niño de Atocha, con su guaje y su canastita, su sombrero de tercer mosquetero con pluma de avestruz y su prendedor de concha, esperaba impávido la adoración de los magos. Antes, las gallinas cacareaban adentro y gorjeaban su ronco zureo las palomas; ahora, fuera del cuarto, en un espacio de la azotea, Jesusa hizo que comenzara el campo. Puso una rejita que a mí siempre me pareció inservible, unos viejos alambres oxidados, una cubeta sin fondo a modo de valla o defensa: tablitas, palos de escoba, cualquier rama de árbol encontrada en la calle, y los amarró fuerte, y esos palos muy bien amarraditos cercaron por un lado a sus gallinas y por el otro a sus macetas, yerbabuena y té limón, manzanilla y cebollín, epazote y hierba santa. Había dificultado el acceso a su casa, para que ella fuera la única dueña de la puerta; un camino estrecho que llevara al cielo, y solo ella le abriera al sediento.

En México, la dignidad que tiene la gente del campo se diluye en las villas de miseria, muy pronto avasalla el plástico y el nylon, la *transa* y la *trácala*, la basura que no es degradable y degrada y la televisión comprada en abonos antes que el ropero o la silla. A diferencia de los demás, Jesusa subió a su azotea un pedazo de su Oaxaca y lo cultivó. Cruzó sin chistar todos los días esas grandes distancias del campesino que va a la labor: dos y tres horas de camión para llegar a la Impresora Galve en San Antonio Abad; dos o tres horas de regreso a la caída del sol, cuando todavía pasaba a comprar la carne de sus gatos y el maíz de sus gallinas. Una vez, tuvo una hemorragia en la calle y se sentó en la banqueta. Fue el principio del fin. Alguien ofreció llevarla a un puesto de socorro. No aceptó, se limpió como pudo, pero como temió marearse de nuevo en el autobús y ensuciarlo, se vino a pie bajo el sol, tapándose con su rebozo, como un animal en agonía que solo quiere llegar a su guarida, de la avenida San Antonio Abad a Ecatepec, hasta su casa en San Agustín. Como burro, como mula, como muerta en vida, como quien se muere y da la última patada, caminó paso a paso, anciana, en un esfuerzo inconmensurable sin que nadie se diera cuenta de que esta mujer pequeñita estaba haciendo una proeza tan atroz y tan irreal como la del alpinista que estira su cuerpo hasta su última posibilidad para llegar a la punta del pico más alto de los Andes. Imagino el esfuerzo desesperado que debió costarle ese viaje. La veo bajo el sol ya fuera de sí, y se me encoge el alma al pensar que era tan humilde o tan soberbia (las dos caras de la misma moneda) para no pedir ayuda. A partir de ese momento, Jesusa no volvió a ser la de antes. Le había exigido demasiado a su envoltura humana, esta ya no daba de sí, le falló. Su cuerpo de ochenta y siete años le advirtió «yo ya no puedo, síguele tú» y por más que Jesusa le espoleaba, ya sus órdenes erráticas no encontraban respuesta. Terca, sin aliento, se encerró en su cuarto. Solo una vez quiso hacer partícipe a su hijo adoptivo Lalo, Perico en *Hasta no verte Jesús mío*, de una visión que le envió el Ser Supremo. Al asomarse a la ventana de su cuartito, había visto en los postes de luz de la esquina cuatro grandes crisantemos que venían girando hacia ella. Y la visión le había llenado de luz la cuenca de los ojos, la cuenca de su colchón ahondado por los años, la cuenca de sus manitas morenas y adoloridas: «¿No las estás viendo tú, Lalo?». «No, madre, yo no veo nada». Claro, Lalo nunca vio más allá de sus narices. Esa noche, al notar que su respiración se dificultaba, Lalo-Perico decidió bajar a Jose-Jesusa, que ya ni protestar pudo, a la recámara que compartía con su esposa y la acostó en una cama casi a ras del suelo, envuelta en trapos, sobre una colcha gris, su cabeza cubierta con un paliacate que tapaba su cabello ralo. Allí, pegada al piso, Jesusa se fue empequeñeciendo, ocupando cada vez menos espacio sobre la tierra. Y solo una tarde, cuando se recuperó un poco, lo interpeló: «¿Dónde me viniste a tirar?».

En torno a su figura cada vez más esmirriada empezó a revolotear un médico de «allá de la otra cuadra» que no se rasuraba, ni se fajaba el pantalón, la boca blanca y fofa, los labios perpetuamente ensalivados. Apenas recuperó un poco de fuerza, Jesusa dejó de hablar y cuando el médico hacía su aparición cerraba los ojos a piedra y lodo. No los volvió a abrir. Ya no tenía nada que ver con la tierra, ya no quería tener que ver con nosotros, ni con nuestros ojos voraces, ni con nuestras manos ávidas, ni con nuestro calor pegajoso, ni con nuestras trampas, ni con nuestras mentes partidas como nueces, nuestra solicitud de pacotilla. Que nos fuéramos a la chingada, como ella se estaba yendo, ahora que cada segundo la sumía más dentro del colchón a ras del suelo, antecesor de su cajón de muertos.

Apenas si medía uno cincuenta y los años la fueron empequeñeciendo, encorvándole los hombros, arrancándole a puñados su hermoso pelo, aquel que hacía que los muchachos de la tropa la llamaran la Reina Xóchitl. Lo que más le dolía era perder sus dos trenzas chincolas y cuando iba al centro, al pan, a la leche, se cubría la cabeza con su rebozo. Caminaba jorobada, pegada a la pared, doblada sobre sí misma. A mí me gustaron sus dos trenzas entrecanas y chincolas, su pelito blanco rizado en las sienes y sobre la frente arrugada y cubierta de paño. También en las manos tenía esos grandes lunares. Ella decía que son del hígado; más bien creo que son del tiempo. Los hombres y las mujeres con la edad se van cubriendo de cordilleras y de surcos, de lomas y desiertos. La Jesusa se parecía cada vez más a la tierra; era un terrón que camina, un montoncito de barro que el tiempo amacizó y secó al sol. «Me quedan cuatro clavijas», aseguró, y para señalar los agujeros se llevaba a la boca sus dedos deformados por la artritis.

Los años amansaron a Jesusa. Cuando la conocí, ni «pásale» decía. Ahora, cuando iba a verla a la Impresora Galve, me ordenaba:

—Usted siéntese que está cansada.

—¿Y usted?

—Yo no, yo ¿por qué? Aquí me quedo de pie.

Se pasaba de rejega.

—¿No se siente usted sola, a veces?

—¿Yo? ¿Sola? Es cuando estoy mejor.

Era verdad. Nadie le hacía falta, se completaba a sí misma, se completaba sola. Le eran suficientes sus alucinaciones producto de su soledad. No creo que amara la soledad hasta ese grado pero era demasiado soberbia para confesarlo. Nunca le pidió nada a nadie. Hasta la hora de su muerte, rechazó. «No me toquen, déjenme en paz. ¿No ven que no quiero que se me acerquen?». Se trataba a sí misma como animal maldito.

La conocí en 1964. Vivía cerca de Morazán y Ferrocarril de Cintura, un barrio pobre de la Ciudad de México, cuya atracción principal era la Penitenciaría, llamada por mal nombre el Palacio Negro de Lecumberri. El penal era lo máximo; en torno a él pululaban las quesadilleras, los botes humeantes de los tamales de chile, de dulce y de manteca, la señora de los sopes y de las garnachas calientitas, los licenciados barrigones de traje, corbata, bigotito y portafolios, los papeleros, los autobuses, los familiares de los presos y esos burócratas que siempre revolotean en torno a la desgracia, los morbosos, los curiosos. Jesusa vivía cerca de la Peni en una vecindad chaparrita con un pasillo central y cuartos a los lados. Continuamente se oía el zumbido de una máquina de coser. ¿O serían varias? Olía a humedad, a fermentado. Cuando llegaba, la portera le gritaba desde la puerta: «Salga usted a detener el perro», «voy», y allí venía Jesu-Jose, «voy», con el ceño fruncido, la cabeza gacha, las vecinas se asomaban. Amarrado a una cadena muy corta, el perro negro cuidaba la vecindad. Era alto y fuerte: un perro malo. Impedía el paso, de por sí pequeño, a cualquier extraño, y Jesusa, con la mano en alto, apenas más alta que él, se enronquecía al gritarle: «Estate quieto, Satán, carajo, Satán, quieto, quieto» y lo jalaba de la cadena a modo de estrangularlo mientras ordenaba: «Pase, pase, pero aprisita, camínele hacia mi cuarto». El suyo estaba cerca de la entrada y le daba poco el sol. El ambiente era más bien hostil y para sobrevivir a su entorno Jesusa desarrolló lo que ella llamaba mañas. «Le gano a todos porque tengo muchas mañas para pelear». No se juntaba con los vecinos para no «entrar en problemas». Jamás les pidió nada y eso la enorgullecía: «Yo era fuerte, de por sí soy fuerte. Mi naturaleza es así… El coraje me sostenía. Toda mi vida he sido mal geniuda, corajuda».

En 1985, a raíz del terremoto, el techo de la Impresora Galve cayó a tierra. A partir de ese día, Jesusa no fue al taller con la frecuencia que la mantenía en pie, puesto que no había dónde trabajar y este rompimiento en su rutina le hizo daño. Estaba acostumbrada a esa obligación. «Yo tengo mi necesidad», decía, «usted tiene la suya: mi necesidad no es su necesidad, entonces no me perjudique». Necesitaba hacer falta, cumplir. En su casa ya no había overoles ni la ropa más personal de los obreros: camisas, calzones, camisetas de hombre. Se volvió rabiosa. Cuando le conté con emoción que del Hotel Regis en la avenida Juárez habían desenterrado y sacado de los escombros a una pareja muerta, abrazada, las dos bocas unidas, y sentencié que así deberían morir todas la mujeres, con un hombre encima, y que qué bueno que en vez de correr a la hora del temblor habían decidido morir uno en los brazos del otro, me gritó que no fuera pendeja, que por eso me iba como me iba.

—¿Cómo va estar bien eso? Eso es una pura cochinada.

—¿Por qué?

—Porque nosotros no nacemos pegados, nacemos solitos, cada quien por su lado. Hay que vivir, pero solito.

—¿No le parece una máxima prueba de amor?

—¡Otra vez la burra al trigo! Eso es una porquería. ¿Y dice usted que los sacaron todos entierrados?

Jesusa insistía mucho en la falta de respeto por uno mismo, que las mujeres se lo tenían bien merecido por dejadas; las mujeres tenían que ser autónomas y bravías a diferencia de aquella que se encontró John Reed, una pobre muchacha prieta, opaca y tosca como de veinticinco años que vio caminar en el polvo tras el caballo del capitán Félix Romero. Romero, a su vez, la había hallado perdida y sin rumbo en el campo y como le hacía falta una mujer que lo atendiera simplemente le ordenó: «Sígueme». Y ella lo obedeció sin chistar tal y como lo dicta la costumbre de su sexo y su país. ¡Qué lejos de Jesusa, la pobre negrita a quien Reed bautiza con el improbable nombre de Elizabetta!

Sus reacciones me destantearon. En mi nariz, mejor dicho, en mis narices, rompió en pedacitos unas fotografías que nos tomó una tarde Héctor García: «Yo quería una como esa», dijo, y me señaló un gran retrato sepia colgado dentro de un marco de madera. «No era eso lo que yo quería», repetía, «eso no». Buscaba otro tipo de fotografía como la sepia, una foto formal y triste en que ella se ve bien peinada, su camisa de albo cuello blanco, sus ojos miran que te miran graves, su boca firme, circunspecta, cerrada, su cabeza erguida. «Ese es el ondulado Marcel, de cinco ondas. Esa sí es una fotografía, no esas visiones que usted me trae». Tenía que dejar de sí misma una imagen de cumplimiento.

Seguramente le hubiera gustado que yo asentara su filiación. Nunca se repuso de que le robaran sus papeles y todas sus cosas en la estación de Buenavista, cuando el general Joaquín Amaro tomó la decisión de despachar a las soldaderas y la mandó junto con otras mujeres a su casa:

Patria: México
Lugar de nacimiento: Miahuatlán, Oaxaca
Edad: 78 años
Estado civil: Viuda
Ojos: Cafés
Nariz: Regular
Boca: Regular
Pelo: Negro tirando a blanco, más bien, entrecano
Barba: Escasa
Estatura: 1m 47cm
Señas particulares: Ninguna

Que Héctor García la hubiera captado riéndose era una falta de urbanidad. Las gesticulaciones, la improvisación, la naturalidad de la vida diaria eran comunes y corrientes, por lo tanto no podían servir para la fotografía. «No me anden con payasaditas». Retratarse era un acontecimiento, algo que no pasa seguido. Sin embargo, ese mismo día, Jesusa, alegre, se fumó un Marlboro en vez de sus Faritos y aceptó tomarse una cerveza que la bonhomía de Héctor le ofreció. En otra ocasión, con mi hijo mayor Mane también fumó, pero cuando le dije que unas amigas norteamericanas querían conocerla, me respondió: «Ya no me ande trayendo tanta gente, ni que no tuviera quehacer».

En 1968 hizo patente su odio por los estudiantes:

Son unos revoltosos. ¿Por qué no están en sus pupitres en vez de andar alborotando? Yo los odio. Usted no tiene por qué contemplarlos.

También odiaba a los sindicalistas, a los maestros, a las monjas y a los curas:

A las monjas yo las he visto y por eso les digo con toda la boca: mustias hijitas de Eva, no se hagan guajes y denle por el derecho a la luz del día. Además, curas y monjas, ¡qué feo!, unos y otras tras de sus naguas.

Curiosamente aceptó siempre el homosexualismo:

Las mujeres son ahora tan cochinas que un muchacho ya no sabe ni a qué tirarle.

Don Lucho era muy buena gente porque los afeminados son más buenos que los machos.

Justificó a su amigo Manuel el Robachicos:

Tal vez a las mujeres él les hacía el asco porque estaba gálico y tuvo una decepción y ya mejor se decidió por los muchachitos. Se divertía mucho con ellos y decía que los hombres salen más baratos que las mujeres y que son más ocurrentes.

De sí misma decía que era marimacho desde niña:

Yo era muy hombrada y siempre me gustó jugar a la guerra, a las pedradas, a la rayuela, al trompo, a las canicas, a la lucha, a las patadas, a pura cosa de hombre, puro matar lagartijas a piedrazos, puro reventar iguanas contra las rocas.

Más tarde afirmaba que no le gustaba que la chulearan porque le daba vergüenza:

Al contrario, yo más bien quería hacerle de hombre, alzarme las greñas, ir con los muchachos a correr gallo, a cantar con guitarra cuando a ellos les daban su libertad.

De que necesitaba su libertad, Jesusa lo confirmó a lo largo de su vida. Para ella, las mujeres serían más felices si pudieran vivir como hombres e hicieran cosas de hombre.

Pero de gustarme, me gusta más ser hombre que mujer. Para todas las mujeres sería mejor ser hombre, seguro, porque es más divertido, es uno más libre y nadie se burla de uno. En cambio, de mujer, a ninguna edad la pueden respetar, porque si es muchacha la vacilan y si es vieja la chotean. Sirve de risión porque ya no sopla. En cambio el hombre va y viene, se va y no viene y como es hombre ni quien le pare el alto. ¡Mil veces mejor ser hombre que mujer! Aunque yo hice todo lo que quise de joven, sé que todo es mejor en el hombre que en la mujer. ¡Bendita la mujer que quiere ser hombre!

Desde niña golpeó a otras mujeres, primero a las mujeres de su papá «porque yo salí muy perra, muy maldita, ninguna de mi casa fue como yo de peleonera». Más tarde se volvió tan brava que a Angelita, otra soldadera a quien se le ocurrió llevarle de comer a su marido, la dejó como coladera:

Entonces me paré en la esquina a esperar a Angelita y como no salía me brinqué la cerca de piedra y en el corral que me agarro con ella en el suelo. Como no llevaba con qué, saqué una horquilla grande que llevaba en el chongo y con esa le picotié toda la cara. Ella estaba bañada en sangre, porque yo tengo mucha ventaja para peliar.

La Jesusa no tuvo límites, tanto que se enfrentó a su propio marido, el capitán Pedro Aguilar, que ya se había acostumbrado a darle de palos o de *planazos* y la llevaba a algún lugar escondido con la excusa de que le fuera a lavar su ropa:

Cada vez que me golpeaba, no lo hacía delante de la gente y por eso nunca lo agarraron con las manos en la masa.
—¡Qué bueno es su marido, Jesusa!
—¿Cómo dice?
—Que qué suerte tiene usted con ese marido.
Nunca lo vieron enojado. ¡Bendito sea Dios! Tampoco yo aclaré nada. Esas son cosas de uno, de dentro, como los recuerdos. Los recuerdos no son de nadie. Nomás de uno. O como los años que solo a uno le hacen. ¿A quién le da uno el costal de huesos que carga? «A ver, cárgalos tú». Pues no, ¿verdad? Ese día que agarro la pistola, traía yo un blusón largo con dos bolsas y en las bolsas me eché las balas y la pistola. «Qué jabón ni qué nada, de una vez que me mate o lo mato yo». Estaba decidida. Yo lo iba siguiendo. Llegamos a un lugar retirado de la estación y entonces me dice él:
—Aquí se me hace bueno, tal por cual. Aquí te voy a matar o ves para qué naciste…
Me quedé viéndolo, no me encogí y le contesté:
—¿Sí? Nos matamos porque somos dos. No nomás yo voy a morir. Saque lo suyo que yo traigo lo mío.

Jesusa tenía lo suyo, qué duda cabe. ¿Cómo no va a tener lo suyo alguien que ha ejercido tantísimos oficios? Sabe tejer bejuco, cuidar niños, peluquería, alimentar un batallón, barnizar muebles austriacos, guisar, bailar el jarabe tapatío sobre una vajilla para veinticuatro personas, atender una cantina, beberse una botella de chínguere de un solo jalón, pelear en la batalla, destazar puercos, freír chicharrón y comunicarse con los espíritus.

Su interpretación del mundo siempre fue original y «muy suya». Le gustaba discutir del origen del hombre y se enojó con Darwin a quien yo citaba:

No. ¡Qué changos ni qué changos! A lo mejor allá en la Francia creen esas changadeses, pero aquí en México tenemos el cerebro más abierto. ¡Qué changos ni qué changos! Adán y Eva eran unos pedazos de lodo y el Padre Eterno les hizo un agujero y los infló y ya les dio la vida. Pero no tenían para qué trabajar. Nada les faltaba. No se apuraban, les daba hambre y comían tan a gusto. ¿Cuál apuración? Vivían debajo de los árboles abrigados en el poder infinito del Padre Eterno. Así es de que no había frío ni calor, ni luz ni oscuridad. No había nada. Todo era una sola cosa y ellos no pasaban hambres. Y eso es lo único que importa, no pasar hambre. Hasta que Luzbella, ahora en figura de serpiente, se enredó al árbol de la ciencia del bien y del mal que ellos no habían visto y llamó a Eva:
—Come, dice, mira qué bueno está…
La serpiente había mordido la manzana antes que Eva. La serpiente habló porque estaba pactada con Barrabás. Se transforma en distintos animales, en puerco, en chivo, en guajolote, y empolla en el vientre de las mujeres. Eva comió la manzana y al comerla le brotó el busto, porque no tenía busto ni tenía greñero aquí ni acá. Era una mona nomás así de plana, de una sola pieza, lisita, sin pechos ni menjurje. Y al morder la manzana, en ese mismo momento se le levantaron y el greñero de acá y de allá le empezó a salir tupido como la chía. Ella no se dio cuenta y fue a dar con Adán:
—Toma, la serpiente me dio y está muy buena.
Ella no se veía, y él la seguía viendo como antes pero al meterse la manzana en la boca se dio cuenta y se asustó. Y al quererse pasar el cuartito de manzana se le atoró en el pescuezo y esa es la manzana de Adán.

A lo largo de diez años la vi cambiarse tres veces de casa (y una de sus constantes fue siempre la renta, la otra, la dueña de la vecindad que amenazaba con aumentar la renta). Cada vez iba a dar más lejos porque la ciudad avienta a sus pobres, los va sacando a las orillas, empujándolos, marginándolos a medida que se expande.

Jesusa vivió primero cerca de Lecumberri, en Consulado del Norte e Inguarán, después se mudó y no fue para mejorarse al cerro del Peñón y finalmente vino a dar hasta la carretera a Pachuca, por unas colonias llamadas Aurora, Tablas de San Agustín, San Agustín por Jardines, que anuncian por medio de grandes carteles con flechas azules dirigidas hacia todos los rumbos de la tierra, drenaje con «g», agua con «h» y luz con «s». No hay *drenage*, ni *hagua*, ni *lus*.

Tampoco hay un árbol en esos llanos baldíos, ni un pedacito de verde, ni un pastito, ni una mata, salvo aquellas traídas por los colonos y colgadas de los muros en sus botes de Mobil Oil. Las tolvaneras parecen el hongo mismo de Hiroshima y no son menos mortales porque transportan todos los desperdicios del DF y sorben hasta el alma de la gente. Pero lo más terrible no es la montaña de basura sino el hedor, un olor dulzón a grasa fría, a excremento, un refrito de todos los malos olores que amasamos, que van derritiéndose bajo el sol y a medida que transcurre el día se hacen más intolerables.

Jesusa vivió sus últimos años en un cuartito de cuatro por cuatro construido para ella por su hijo adoptivo Lalo-Perico, el mismo que la había abandonado. Cuando se fue, dejándola sola, dice Jesusa que no le dio tristeza.

—Después de que él ganó su camino y se largó por donde le dio su gana, ya no volví a saber de él porque jamás me volví a parar a buscarlo. Yo nunca he tenido tristeza. Yo no entiendo qué cosa es tristeza, yo lloro cuando tengo coraje, lloro porque no me puedo desquitar. Necesito desquitarme a mordidas, a como sea.

—Un día que llegué a visitarla me dijo usted que estaba triste —la interrumpí.

—¿Cuándo le dije yo que estaba triste? —se enojó.

—Me dijo que era triste la vida que había llevado y que...

—¡Ah, la vida! Pero no yo... La vida sí... La vida es pesada pero yo triste ¡no! Ahora porque estoy vieja no bailo pero pregúntele a Lalo; a mí me gustaba cantar, a grito abierto cantaba, me gustaba bailar mucho, beber mucho. Ahora ya no, canto pero dentro de mí nomás. Ya vieja, serviría nomás de risión. Pero de joven fui muy alegre...

—¿Y ahora qué canta dentro de usted?

—Las mismas canciones que aprendí de muchacha, pero ¿triste?, yo nunca he sido triste; soy muy feliz solitita aquí, nomás yo solita, me muerdo solita, me rasguño solita, me caigo y me levanto solita. Nunca me ha gustado vivir acompañada.

—Pero ¿cómo se llamaban las canciones? ¿«Amorcito corazón», «Farolito», «Noche de ronda»?

—No, esas son babosadas.

—Entonces ¿cuáles?

—Canté canciones verdaderas que se usaban antes…

—¿«La Feria de las flores»? ¿«Allá en el Rancho Grande»? ¿«Los dos arbolitos»?

—¡Ah, mugres también!

—Entonces ¿cuáles?

—Pues canciones antiguas, no modernas.

—¿De la Revolución?

—Pues ni de la Revolución porque la dichosa Adelita no es así, la Adelita es otra, le quitaron la mayor parte y le acomodaron nomás lo que se les hizo bueno, pero esa no es la canción de la «Adelita» que es bastante larga.

—¿Usted se la sabe toda?

—Sí.

—¿Y nunca me la va a cantar?

—No.

—¿Por qué?

—Porque no.

Jesusa despotricaba contra la «modernidad», las costumbres de hoy, las canciones que se oyen en la radio, la comida congelada, el pescado refrigerado, los llamados «adelantos». Antes todo era mejor. Desconfiaba. «Yo no creo que la gente sea buena, la mera verdad, no. Solo Jesucristo y no lo conocí». Mejor que nadie, Jesusa vivió la tragedia de nuestra sociedad: nadie mira por los demás, todos se rascan con sus propias uñas, la ingratitud es de todos: querer a los perros, a las gallinas, a los gatos, a los canarios es mejor que querer a los humanos. Mantuvo a Manuel el Robachicos: «No es que lo quisiera mucho ni que me gustaran sus gustos, pero le tenía compasión» y salió mal pagada; recogió en Ciudad Valles a Rufino, quien huyó con los cuchillos de la matanza de cochinos y la báscula. Más tarde crio a Lalo-Perico, huérfano, hijo de una vecina y lo obligó a ir a la escuela, lo castigó para hacerlo un hombre de bien. Perico, rebelde, la abandona para volver después de quince años, cuando ella ya no lo espera y apenas lo reconoce en ese expresidiario feo, casi calvo. Con todo, le abre la puerta y le da un cuarto. Jesusa no se hace ilusiones: «Sé que está aquí por mis pertenencias, no porque me quiere. Me acuesto, pero no duermo. Siento coraje».

Sin embargo, este es solo un momento de Jesusa porque cuando olvidaba su enojo reconocía: «Aquí todos somos de Oaxaca, por eso nos ayudamos». En el pedacito de tierra, los paracaidistas se reconocían: «¡Ah!, usted es de Espinal, yo soy de allí a un ladito, por Matías Romero». Si no se ayudaban, por lo menos no se perjudicaban, lo cual ya es mucho en una sociedad en que resulta normal una calamidad diaria infligida por el otro o por las circunstancias.

Si antes para ir a verla tenía yo que cruzar calles, cuando la visité en su nuevo domicilio recorrí llano tras llano pelón y solitario, las llantas del coche levantaban un polvo gris que formaba una nube; no había carretera, nada, solo el desierto. De pronto, lejos, a la mitad de un desierto vi un puntito negro que se convirtió en un hombre acuclillado bajo el sol. A medida que me fui acercando pensé: «¿Qué le pasará a este pobre hombre? Ha de estar enfermo». Saqué la cabeza por la ventanilla y le pregunté: «¿No se le ofre…?». Me paré en seco. Estaba defecando. Al arrancar el coche pensé en lo extraño de este hombre que había caminado quién sabe cuánto para defecar en la mitad del desierto, en cierta forma, sobre la cúspide del mundo. Se lo conté a la Jesusa y me miró irritada mientras comentaba: «Usted siempre haciéndole a lo pendejo».

Por Jesusa Palancares supe de una doctrina muy difundida en México: el espiritualismo. En 1963, solo en el Distrito Federal había más de ciento setenta y seis templos espiritualistas y pude visitar varios recintos y conocer «médiums» en Portales, Tepito y la calle de Luna. El espiritualismo es minoritario y sus fieles lo adoptan porque reciben, como en los bancos, una «atención personalizada». Jesusa pertenecía a la Iglesia Mexicana Patriarcal Elías, fundada por Roque Rojas, el verdadero y último Mesías, el hijo del Sol, orgullosamente mexicano. Roque Rojas recibió el último testamento de la tercera era de la humanidad y fundó siete iglesias. Iglesia Principesca de Éfeso, Iglesia Rabínica de Esmirna, Iglesia Sacerdotal de Pérgamo, Iglesia Levítica de Tiatira, Iglesia Profética de Sardes, Iglesia Guiadora de Filadelfia e Iglesia Patriarcal de Laodicea. Los fieles de estas iglesias se llaman a sí mismos, entre otros nombres y después de jurar adhesión total a Roque Rojas, *pueblo trinitario mariano*, por la Santísima Trinidad y por la Virgen María. Jamás de los jamases rompen del todo con la iglesia católica aunque dejen de visitarla.

La obra espiritual siempre me resultó oscura, a veces incomprensible y Jesusa se disgustaba cuando yo le hacía repetir algún postulado: «Pues ¿qué no ya se lo platiqué? ¡Cuántas veces voy a tener que contárselo!». Hablaba de Allan Kardec, de su padre y protector Manuel Antonio Mesmer, y así descubrí a Franz Anton Mesmer, fundador del mesmerismo y del famoso *baquet magnétique*, ancha cubeta magnética en la que se sentaban los enfermos mentales, así como de los experimentos hipnóticos que más tarde habría de poner en práctica el doctor Jean Martin Charcot, de La Salpetrière, con los esquizofrénicos.

Al bajar al puente de Nonoalco y al Templo del Mediodía en la calle de Luna, conocí a su hermandad y escuché una cátedra de revelación e irradiación que las sacerdotisas y el «guía» regalaban a una congregación de ojos cerrados y actitud reverente. Lo que me llamó la atención fue ver a señoritas de tubos en la cabeza que más tarde serán caireles y largas uñas pintadas de esmalte escarlata, gente joven, muchachas de minifalda, chavos de camiseta entre las señoras de rebozo y los señores de sombrero de palma. Me hostigó el olor de las nubes; nunca pensé que el agua de unas florecitas tan blancas y delicadas pudiera emitir un olor tan repelente. Tampoco aprecié que el médium Ricardo Corazón de Águila hiciera buches para después escupirme a la cara la loción Siete Machos que habría de espantar a los malos espíritus. A Héctor García tampoco le pareció que estrellara sus anteojos guardados en su bolsa pechera al darle un abrazo rompecostillas y sacarle el aire y, sobre todo, que le azotara su cámara en el suelo para librar del maleficio a las almas aprisionadas.

Para Jesusa, en los años cuarenta, la Obra Espiritual fue lo único que le daba sentido a su vida y llegó incluso a bautizarse en una ceremonia que la hizo llorar mucho efectuada en El Pocito, camino a Pachuca. Le aplicaron un triángulo de luz en la frente, en el cráneo, en los oídos, en la boca, en el cerebro, en los pies y en las manos con las palmas abiertas hacia arriba. Ese triángulo de la divinidad detiene la tempestad, el aire, la tormenta, el remolino y también «apacigua las tormentas dentro de uno, los precipicios, porque es una defensa en contra de todos los males de la tierra». Ese día, Jesusa vio una mano espiritual persignar el agua de El Pocito y tuvo una «videncia» que la consoló: tres rosas en el agua; una blanca, una amarilla y una rosa, y a partir de ese momento habló con sus muertos, sus papás y sus hermanos, y los sacó de las tinieblas, y gracias a ella ya no anduvieron perdidos en la inmensidad volando sin que nadie se acordara de que vivieron en la tierra.

La reencarnación era su otro consuelo: creer que regresaría a la tierra dentro de una nueva envoltura humana que le ofrecería posibilidades inéditas.

> Antes de nacer, yo estaba muerta, luego nací, viví, volví a morir y a flotar en el aire, y otra vez el Ser Supremo me enganchó y a darle: a nacer y a regresar a la tierra.

Los carruajes de fuego sobre una nube escarlata cuyo rodar se escucha en los confines de la tierra, los caballos celestes que echan fuego por los belfos entre los rayos del sol al sonoro toque del clarín, la gran mano divina que escribe el mensaje en el cielo con una pluma de avestruz entre truenos y relámpagos eran estampas gloriosas que le aseguraban a Jesusa que México era tierra santa gracias a Roque Rojas. Además de intransigente, el enviado divino me pareció machista pues arremetía contra «…doctrina fundada por mujer ya que no es de origen divino y tiene que ser irremisiblemente falsa, porque una mujer nunca podría ser mesías divino».

Jesusa se separó de la Obra Espiritual no por su intolerancia o porque sus términos le resultaran oscuros como a mí, sino porque otras sacerdotisas de bata de nylon blanca y grandes ramos de flores muy costosos la hacían menos y le pedían que se recorriera:

> A la hora en que iba yo a tomar el éxtasis y todas estábamos sentadas para que nos penetraran los seres, me daban un codazo: «Hermanita, pásese a otro lugar más atrasito».

Hasta que un día, Jesusa se enojó y les gritó: «¡Pues allí están sus sillas y aplástense con entrambas nalgas!».

Jesusa ha muerto y me dejó sola. Espero su próxima reencarnación con ansia. Ojalá y me toque antes de mi propia muerte. Y si no, ojalá y la encuentre allá y donde esté, ojalá y pueda verla sentada a la diestra de Dios padre, sus piernas de caminante cruzadas sobre una nube. Jesusa me informó que esta era la tercera vez que venía a la tierra y que si ahora sufría era porque en la anterior reencarnación había sido reina:

> Yo estoy en la tierra pagando lo que debo, pero mi vida es otra, en realidad, el que viene a la tierra viene prestado, solamente está de paso y cuando el alma se desprende del costal de huesos y de pellejos que a todos nos envuelve, cuando deja bajo tierra su materia es cuando empieza a vivir. Nosotros somos los muertos. Nos creemos vivos pero es al revés volteado, para que vea. Nada más venimos a la tierra a cumplir una misión; caminamos dándonos de topes y cuando Él nos llama a cuentas es cuando morimos en lo material. Muere la carne y la sepultan. El alma retorna al lugar de donde fue desprendida en el cielo. Como una estrella. Nosotros reencarnamos cada treinta y tres años después de haber muerto.

Así, entre una muerte y otra, entre una venida a la tierra y otra, Jesusa inventaba una vida anterior e interior que le hacía tolerable su miseria: «Ahora me ve así, pero yo tenía mi vestido muy principal y Colombina y Pierrot me llevaban la cola porque yo era su soberana y ellos mis súbditos».

Jesusa vio a Cristo de perfil bajando por una cuesta violenta, sus sandalias al borde de un precipicio, y después de esta visión, cayó en su cuarto de vecindad una lluvia de violetas y de pensamientos que floreaban su cabeza. Todavía poco antes de morir vio cuatro crisantemos como cuatro cirios que venían hacia ella anunciándole el fin.

Jesusa ha muerto, ya no puedo verla, no puedo escucharla, pero la siento dentro de mí, la revivo y me acompaña. Es a ella a quien invoco y evoco. Y repito bajito los encantamientos de María Sabina, la repartidora de los hongos alucinógenos en la sierra de Huautla de Jiménez, esas palabras que se mecen en los árboles ya que ella las decía como cantilenas, meciéndose también dentro de su huipil y bajaban desde la sierra con su olor a madera recién cortada y a granos de cacao tostado en comal:

> Soy una mujer que llora, soy una mujer espíritu, soy una mujer que grita. Soy la mujer luna, soy la mujer intérprete, soy la mujer estrella, soy la mujer cielo, soy conocida en el cielo. Dios me conoce; todavía hay santos. Oye, luna, oye, mujer Cruz del Sur; oye, estrella de la mañana. Ven. ¿Cómo podremos descansar? Estamos fatigadas y aún no llega el día.

2

LAS SOLDADERAS[2]

A Elizabeth Salas y a su excelente libro
Soldaderas in the Mexican Military.

—Yo te doy agua.

—Yo llevo las ollas y las cazuelas para hacerte tu comida.

—Yo te despiojo.

—Yo te lío tu petate.

—Yo te lavo tu ropa.

—Yo junto la leña para hacer lumbre.

—Yo te aceito tu fusil.

—Yo te prendo tu cigarrito y si no hay tabaco te hago uno de macuche; aquí tengo hojas de maíz.

—Yo cargo tu máuser y tus cartuchos.

—Yo cuido que no se moje la pólvora.

—Yo te hago casa en el campo de batalla.

—Yo soy tu colchón de tripas.

—Yo tengo a tu hijo en la trinchera.

Las soldaderas seguían a la tropa subidas en el techo del vagón porque los caballos tenían que viajar resguardados. «La caballada va adentro», órdenes de Pancho Villa. La pérdida de una yegua era irreparable, la de una mujer ¡quién sabe! Junto a su hombre, las soldaderas aguantaban la nieve del norte, la escarcha y el rocío de la madrugada hasta que los primeros rayos de sol y el viento secaban su ropa. El sol, como todos lo saben, es la cobija de los pobres y sale para todos por más tarde que amanezca. Las soldaderas hacían de sol y de cobijo, cubrían piernas y brazos, cabezas y ojos, canastas y fusiles;

---

[2] Edición especial Bicentenario de la Independencia. *Proceso*, Fascículo 9, diciembre de 2009, pp. 4-15.

eran un inmenso rebozo sobre una tropa hirsuta que avanzaba sin saber cómo ni a dónde.

Se subían al tren de la vida, del combate, del destino. A ellas no se les iba el futuro como a las que se quedaron detrás de la ventana con una tacita de té en las manos y un pañuelo para llevarse a los ojos. Las soldaderas tenían la única vocación que te salva en la vida: dos piernas que saben caminar. «¡Ya se va el destacamento!» y ellas se aparecían en la estación con sus ollas, sus pocillos y su chilpayate que al rato se dormía recargado en un canasto. También traían su perro bravo o su puerquito, sus tres gallinas o su calandria en jaula o un cenzontle que cubrían en la noche con un trapo y escuchaban durante el día.

La mayoría de los soldados eran adolescentes de catorce o quince años y las soldaderas también eran pollitas aunque los historiadores y los novelistas las llamaran La Pintada, Juana Gallo, María Pistolas, La Adelita, La Valentina, La Cucaracha. En la película *La Generala*, la actriz María Félix representa a una marimacho que reparte bofetadas y con su puro en la boca y la ceja levantada decide a punta de balazos no solo su propia vida sino la de los demás. ¿Alguna vez hubo una soldadera parecida? No consta en actas. En cambio, Agustín Casasola retrata a mujeres entregadas a una paciente tarea de hormiga, aca-rreando agua y palmeando tortillas; el fuego encendido, el anafre y el metate siempre a la mano (¿sabrá alguien lo que cuesta cargar un metate durante kilómetros de campaña?); el jarrito de atole o el café que se lo lleva al compañero con el «tú no te preocupes, yo lo hago», y al final de la jornada, la persignada, esas crucecitas que se posan como insectos sobre la frente, la boca y el pecho del amado y son amuletos contra la desgracia y la muerte.

En miles de metros de película, Salvador Toscano hace surgir ante nuestros ojos a mujeres de manos morenas deteniendo la bolsa del mandado o aprestándose a entregarle el máuser y las cartucheras a su hombre. Con sus enaguas de percal y sus sombreros de paja, sus rebozos y una interrogación en sus ojos de piloncillo; no parecen las fieras mal habladas y vulgares que pintan algunos autores de la Re-volución Mexicana. Al contrario, se mantienen atrás y cuando están adelante es porque se han vuelto hombres. En su rebozo cargan por igual al crío que a las municiones. Paradas o sentadas, son la imagen misma de la resistencia. Su pequeñez les permite sobrevivir y su decisión las hace mirar derecho a la cámara. Si viajan sentadas en lo alto de los carros del ferrocarril platican con las nubes que dejan atrás y en la noche, concluida la batalla, las buscan los soldados y las llaman *mamá*. No tener mujer es ser la mitad de un soldado, la mitad de una naranja, la mitad de un caballo.

Cuando muere su hombre, ellas lo entierran, le hacen su cruz de piedra o por lo menos de espinas de maguey. En la noche, sacan sus estampitas con las esquinas dobladas, les levantan un altar a sus santitos en el primer muro o a ras de la tierra y le prenden su veladora. Un oficial de la Cruz Roja, Ernest P. Bicknell se conmovió en el campamento de Presidio, Texas, al ver centellear miles de llamas en la oscuridad de la noche y escuchar el bello murmullo humano que subía de la tierra. Le rezaban a Diosito, a la Virgen de Guadalupe, al ángel de la Guarda para que no apartara su vista de ellos y no los desamparara porque se perderían.

Las soldaderas caminaban todo el día, porque —insisto— los caballos eran para los hombres, y las mandaban por delante a recoger la leña, prender la lumbre y preparar la comida. Llegaban a los pueblos a pedir gallinas, masa para hacer tortillas y frijoles. Cuando se los negaban, robaban. No es que fueran bragadas y fuertes, eran chiquitas, tenían hambre de la que no se llena, hambre de cambio. Álvaro Obregón acostumbraba mandar a las mujeres con sus hijos de avanzada y muchas veces le sirvieron de escudo. A ellas las llamaban «la impedimenta» pero más que impedir protegieron a la artillería.

Sin las soldaderas, los hombres de leva hubieran desertado. Durante la guerra civil de España, en 1936, los milicianos no comprendían por qué razón debían quedarse en el cuartel o en la trinchera y se iban tan tranquilos a meterse a su cama en la noche. En México, en 1910, sin las mujeres habría pasado lo mismo. Sin ellas, los soldados no hubieran comido, ni dormido, ni peleado. Los mexicanos llevaban a su soldadera que era su estufita. Sin ellas, hubiera sido el fin de los ejércitos. Entonces, ¿por qué el ninguneo tan manifiesto a las soldaderas? Friedrich Katz llamó al ejército villista una «migración folclórica», mientras que Eric Wolf decía que «tanto mujeres como hombres, tanto coronelas y coroneles, integran el Ejército Zapatista». Rosa E. King, quien vivió en Morelos durante la Revolución, cuenta en su *Tempest Over Mexico: A Personal Chronicle* que «los zapatistas no eran un ejército, sino un pueblo en armas».

John Reed le preguntó a una soldadera por qué luchaba en las filas villistas. La rielera señaló a su hombre y le contestó: «Porque él lo hace». Otra fue más explícita:

Recuerdo bien cuando Filadelfo me llamó una mañana: «¡Ven, nos vamos a pelear porque hoy el buen Pancho Madero ha sido asesinado!». Solo nos habíamos querido ocho meses y el primer hijo no había nacido, y yo dije: «¿Por qué debo ir yo también?». Él contestó: «¿Entonces debo morirme de hambre? ¿Quién hará mis tortillas si no es mi mujer?». Tardamos tres meses en llegar al norte, y yo estaba enferma y el bebé nació en el desierto y murió porque no conseguimos agua.
    «¿Ya te procuraste una mujer? ¿Quién te va atender?».

(Recuerdo que todavía en los años ochenta Renato Leduc presentaba a su mujer como «La señora que me cuida» y nosotros respondíamos al unísono «mucho gusto», como si fuera natural que ella no tuviera nombre). En muchas ocasiones los villistas y los carrancistas robaban a las mujeres. Por eso, en los pueblos, a las primeras que encerraban como gallinas era a las mujeres para que no se las fuera a llevar la urgencia de los soldados.

A las mujeres robadas o violadas no les quedaba otra que convertirse en soldaderas. Las amarraban y las subían en ancas y su grito se escuchaba en el pueblo porque los revolucionarios pasaban a galope con ellas en ancas. Las malas lenguas dicen que algunas gritaban de placer. Según Mariano Azuela, lo primero que querían los revolucionarios al llegar a un pueblo era mujeres y dinero. Después se preocupaban por los caballos, la comida y las armas. Cuando los rebeldes hacían prisioneros a los hacendados y su familia, amenazaban con llevarse a las hijas de familia. Terminaban por arrancar con ellas. «Sin importar edad, color, religión ni posición social, todas pasaron por las armas», según don Mariano, el médico. Los carrancistas se apoderaron de cincuenta monjas. A su debido tiempo las fueron a dejar a un hospital «para que se aliviaran de sus crías».

A la entrada del pueblo los habitantes colocaron casetas de vigilancia: «¡Ya vienen los carranclanes». «¡Ya vienen los dorados de Villa!». «¡Ya vienen los colorados!». «¡Están entrando los pelones!». Del bando que fuera se robaban a las muchachas de buen ver y a viejas y feas también. Las mujeres tenían tres opciones: volverse hombres, encerrarse a piedra y lodo o remontarse al cerro para evitar el secuestro y la violación, pero hubo casos de mujeres que no esperaron a que llegaran las tropas rebeldes sino corrieron a su encuentro.

Pancho Villa fue un desalmado que trató muy mal a las mujeres. Esto lo confirman José María Jaurrieta y el novelista Rafael F. Muñoz, autor de *Se llevaron el cañón para Bachimba*. Su retrato hablado de Villa es impactante. Se nos graba en la memoria el brillo duro de sus ojos, su bigote hirsuto, los dientes «como de mastín encajados dentro de unas mandíbulas anchas y apretadas», la piel quemada por los vientos del invierno norteño, la crueldad de sus actitudes.

Según don Rafael, el 12 de diciembre de 1916, Los Dorados arrebataron a los carrancistas la estación de ferrocarril de Santa Rosalía, Camargo, Chihuahua. Hicieron prisioneras a sesenta soldaderas con sus hijos. Un disparo salió del grupo de mujeres y alcanzó el sombrero del Centauro del Norte.

Para Rafael F. Muñoz, la voz de Villa fue un rugido, sus ojos un incendio:

—Mujeres, ¿quién tiró?
Nadie respondió. Entonces ordenó:
—Fusílenlas una por una hasta que digan quién fue.
Nadie se movió.

Rafael F. Muñoz relata cómo el grupo de mujeres se apretó todavía más. Villa sacó su pistola y la levantó en vilo sobre su cabeza.

—Mujeres, ¿quién tiró?
[...]
Una mujer vieja, picada de viruelas, levantó el brazo y gritó:
—Todas... ¡Todas quisiéramos matarte!
El cabecilla retrocedió.
—¿Todas?, pues todas morirán antes que yo.
[...]

Los infantes las amarraron, cuatro, cinco o seis en cada manojo. Apretaban bien las cuerdas, ceñían las carnes. En poco tiempo, las sesenta mujeres quedaron atadas en diez o doce mazos de carne humana, unos verticales, otras tiradas en el suelo como bultos de leña, como barriles.

Prefirieron morir a delatarse.

Como la leña estaba seca y soplaba viento, la pira humana ardió rápidamente. Primero se incendiaron sus enaguas, sus cabellos y pronto olió a carne quemada. Sin embargo, las soldaderas no dejaron de insultar a Villa. Y en el último momento cubiertas ya por las llamaradas, Villa todavía escuchó un grito desde la pira: «¡Perro, hijo de perra, habrás de morir como perro!».

Uno de los Dorados de Villa le disparó y se derrumbó sobre la leña ardiendo.

Los Dorados regresaron a la población en silencio hasta que el jefe habló: «¡Qué diantres de mujeres tan habladoras! ¡Cómo me insultaron! Ya me comenzaba a dar coraje».

El coronel José María Jaurrieta, fiel secretario de Villa, escribió que esta masacre le hizo pensar en el infierno de Dante y el horror de aquellas mujeres masacradas por balas villistas lo marcó para siempre.

Friedrich Katz también cita a Jaurrieta, quien sugiere que Villa lo hizo en defensa propia. O casi. Si una de las soldaderas intentó matarlo, Villa acabó con todas. Friedrich Katz concluye en su *Pancho Villa*:

La masacre de estas soldaderas y la violación de las mujeres de Namiquipa, fueron las mayores atrocidades que cometió Villa contra la población civil durante sus años como revolucionario. Constituyeron un cambio fundamental en la conducta que había seguido antes de su derrota de 1915, hasta ese momento, prácticamente todos los observadores habían quedado impresionados por la disciplina que Villa mantenía y por sus esfuerzos por proteger a los civiles y en especial a los miembros de las clases más bajas.

Antonio Saborit, nacido en Torreón como tenía que ser, fuerte, cumplido y formal, publicó un excelente ensayo sobre la rebelión de Tomóchic, recordando a Heriberto Frías.

En 1914, algunas fuerzas federales huyeron de Paredón, Coahuila, sin importarles dejar atrás a más de trescientas soldaderas. En 24 horas, las mujeres establecieron nuevas familias con los solteros villistas. Y también con los no solteros.

Según *El Paso Morning Times*, el ejército de Pancho Villa, en 1914, tenía diecisiete mil hombres y cuatro mil mujeres, pero hay muchas otras cifras que demuestran que sin las soldaderas no pudo haber Revolución Mexicana.

Si Villa, en el norte, fue el azote de las mujeres, Zapata jamás las humilló, como lo consigna John Womack en *Zapata y la Revolución Mexicana*:

> En Puente Ixtla, Morelos, las viudas, las esposas, las hijas y las hermanas de los rebeldes formaron su propio batallón y se rebelaron para «vengar a los muertos». Al mando de una fornida extortillera llamada la China, hicieron salvajes excursiones por el distrito de Tetecala; vestidas unas con harapos, otras con delicadas ropas robadas, con medias de seda y vestidos del mismo material, huaraches, sombreros de petate y canacas, estas mujeres se convirtieron en el terror de la región. Hasta De la O trataba a la China con respeto.

Josefina Bórquez, alias Jesusa Palancares, quien pertenecía al ejército constitucionalista, cuenta en *Hasta no verte Jesús mío* que fue detenida con cuatro casadas en Guerrero —nidada de zapatistas— entre Agua del Perro y Tierra Colorada, y entregada al general Zapata en persona. «Bueno, pues aquí van a andar con nosotros mientras llegue su destacamento», les dijo Zapata.

Permanecieron quince días en su campamento y las atendieron muy bien. Zapata les mandó poner una casa de campaña a su lado y cuidó que no les faltara azúcar, café, arroz, frijoles y hasta gallinas. Comían mejor que con los carrancistas.

Cuando el general Zapata supo que los carrancistas estaban en Chilpancingo, les avisó que él mismo iría a devolverlas. Se quitó la ropa de general y, desarmado, en calzones de manta, las encaminó. A sus soldados les dio la orden:

> —Quédense atrás. Ninguno va conmigo. Voy a demostrarles a los carrancistas que yo peleo por la Revolución, no por apoderarme de las mujeres.
>
> En la puerta del cuartel, le pegaron el grito «¿Quién vive?» y contestó:
> —México.
> El centinela inquirió:
> —¿Quién es usted?
> —Zapata.
> —¿Usted es Emiliano Zapata?

—Yo soy.

—Pues se me hace raro porque viene solo, sin resguardo.

Salió el padre de Josefina Bórquez, la única soltera del grupo de mujeres.

—Sí, vengo solo escoltando a las mujeres que voy a entregarle. No se les ha tocado para nada; se las devuelvo tal y como fueron avanzadas. Usted se hace cargo de las cuatro casadas porque me dijeron que venían cuidando a su hija. Usted debe responsabilizarse de que las casadas no vayan a sufrir con sus maridos.

Zapata se dio la media vuelta y desapareció.

Los zapatistas eran distintos. Traían una, dos o tres estampas de algún santo en el sombrero, un escapulario bajo la camisa de manta y blandían un estandarte de la Virgen de Guadalupe; eran pobres, no eran los meros elegantiosos. El ejército suriano cantaba:

> Zapata le dijo a Villa:
> ya perdimos el albur,
> tú atacarás por el Norte,
> yo atacaré por el Sur.

Villa volaba trenes y Zapata emboscaba al enemigo. Villa era muy llorón. Muchos fueron testigos de cómo se le escurrían las lágrimas y con esas lágrimas conmovía a sus seguidores; Zapata, en cambio, no chillaba, sus ojos inflamaban como fogata de leña seca que se prende en la noche y calienta a todos.

> La valiente Petra Herrera
> al combate se lanzó
> siendo siempre la primera
> ella el fuego comenzó.

Petra Herrera llegó a ser generala porque convenció a todos de que era hombre. Galopaba en primera fila y la tropa gritaba: «Vámonos con Pedro Herrera». Tenía una puntería que causaba la admiración de los carrancistas. Cambió su personalidad para «permanecer en el servicio activo y ascender». En las madrugadas fingía rasurarse la barba. «Apenas me está creciendo», aclaraba. Tenía bocio y las cejas muy juntas, como Frida Kahlo. Pedro Herrera voló puentes y mostró una enorme capacidad de liderazgo entre las fuerzas villistas. Tomó parte, junto con otras cuatrocientas mujeres, en la segunda batalla de Torreón, el 30 de mayo de 1914. Cosme Mendoza Chavira, otro villista, asegura que «fue ella quien tomó Torreón y apagó las luces cuando entraron en la ciudad». La historia no la menciona porque Villa ocultó su papel en la toma de Torreón y nunca le dio su lugar a mujer alguna.

Reconocida como «excelente soldado», al final reveló que era mujer y salió al frente para gritar: «Soy mujer y voy a seguir sirviendo como soldada con mi nombre verdadero: Petra Herrera».

El no ser reconocida hizo que Petra Herrera formara su propia brigada que ascendió de veinticinco a mil mujeres que no dejaban entrar a soldado alguno al campamento. Ella misma hacía guardia en la noche y le disparaba a cualquiera que intentara acercarse a su ejército femenino. Al que encontraba en su ronda, Petra, lo tronaba de un balazo sin preguntar siquiera «¿Quién vive?».

Petra terminó de mesera en una cantina de Ciudad Juárez. Allí actuó como espía para los carrancistas de Chihuahua. Una noche, un grupo de borrachos la insultó y le disparó tres veces. Sobrevivió al ataque, pero murió «porque las heridas se infectaron».

A otra Petra, Petra Ruiz, la apodaron el Echa Balas, por su mal carácter y porque disparaba su carabina acurrucada tras las bardas de adobe y era más certera que un torpedo. Explosiva, en una ocasión tres soldados discutían quién sería el primero en violar a una jovencita trigueñita que habían secuestrado, cuando Pedro Ruiz cabalgó hacia ellos y la reclamó a balazos: «Suéltenla, esa es para mí». Temerosos de su puntería y de su habilidad con los cuchillos, los soldados dejaron que se la llevara. Entonces, Pedro subió a la güerita a su caballo para ir a dejarla a su pueblo a galope tendido. Como la muchacha no dejaba de temblar de miedo, hizo una parada en el camino y buscó un sitio en que pudiera aislarse, un bosquecito tupido. «Ven, ya no llores, vamos a bajarnos aquí». Y detrás de las ramas de un arbusto se quitó el sombrero y ante la azorada muchacha se abrió la blusa y le enseñó sus pechos. «No te asustes, no te va a pasar nada, soy mujer. Como tú».

Petra Ruiz dirigió uno de los batallones que derrotó al ejército federal en la Ciudad de México y le dieron el grado de teniente. Más tarde, al pasar revista frente a Carranza, lo enfrentó: «Quiero que sepa que una mujer le ha servido como soldado».

Corría el rumor de que las mujeres serían expulsadas del ejército. Antes de que sucediera, Petra Ruiz pidió su licencia.

Muchas Tomasas, Pelanchas, Petras, Chepas, Juanas, Eufrosinas, Isidras, Nachitas, Panchas, Chonitas, Eustaquias, Joaquinas, Chelas, Felisas, Dionisias, Choles, Conchas, Lupitas, Otilias, Chabelas, Modestas, Juanas y Chuchas fueron soldaderas pero la historia recuerda sobre todo a las célebres. La mayoría provenía del norte porque, en Chihuahua, las victorias de Villa sobre el ejército federal influyeron en el ánimo de la población y convencieron a familias enteras de que el cambio social podía darse y nada mejor que irse a La Bola a conseguirlo.

Manuela Oaxaca se enamoró de Francisco Quinn y lo siguió de soldadera porque creyó que el amor y la guerra eran hazañas románticas y cuando se dio cuenta de que su esposo no era ni romántico ni considerado se llevó una buena desilusión. Francisco Quinn también creyó que la Revolución traería el paraíso a la tierra y para Manuela resultó ser el grito de los heridos y el olor de la pólvora. No vio ningún ideal en toda esa gente que combatía. Tampoco pudo imaginar que el hijo que dio a luz en 1915 en Chihuahua: Antonio Rodolfo Quinn Oaxaca se convertiría en Anthony Quinn, el gran protagonista de *Zorba el griego*. En una entrevista recopilada por Elizabeth Salas en su magnífico *Soldaderas in the Mexican Military* (que nunca me cansaré de citar y ponderar), Manuela cuenta que ser soldadera le quitó todas sus ilusiones. Su marido no era un príncipe de cuento de hadas sino un soldado que podía morir en la batalla. El amor consistía en esperarlo, preparar su itacate y remendar sus calcetines.

Manuela Quinn tampoco imaginó que años más tarde, su hijo Anthony representaría a Jesús Sánchez, el patriarca de *Los hijos de Sánchez,* de Oscar Lewis, papel que le vino como anillo al dedo porque de niño había sufrido las mismas privaciones que Sánchez y sus hijos seguirían sufriendo cincuenta años después de que la Revolución solo les hizo justicia a quienes la traicionaron.

En *The Original Sin*, Anthony Quinn recuerda el romanticismo materno, los ideales de la Revolución, la dura realidad de la guerra y cómo muchas soldaderas escogieron mudarse a Estados Unidos. Aun presas, los campamentos de Fort Bliss y Fort Wingate en Texas y en California tenían más que ofrecerles; colchones en vez de petates, comida caliente, baños y hasta examen médico. Por cierto, treinta y cinco de los enlistados como hombres resultaron mujeres. Total, las condiciones de vida de Texas eran superiores a las de nuestros estados fronterizos.

Si la Revolución Mexicana produjo un millón de muertos, también produjo, como lo dijo Raúl Álvarez Garín, una cantidad parecida de millonarios. El estado de Sonora prácticamente perteneció a la familia de Álvaro Obregón, como el estado de Chihuahua a los Terrazas. A José Luis Terrazas le preguntaron que si era de Chihuahua y respondió: «No, Chihuahua es mío». Los Creel, con su inmensa fortuna, compitieron con los Terrazas. Uno de los poblados principales de la Sierra Tarahumara lleva el nombre de Creel.

Los periódicos que más hablaban de las soldaderas en Estados Unidos eran *El Paso Mornine News*, *The Outlook*, *Arizona Daily Star*, *El Defensor del Pueblo* y *The Tucson Citizen*. En México, aunque las mujeres casi no figuraban y mucho menos las soldaderas, los periódicos que se ocuparon de ellas fueron *El Diario del Hogar*, de Filomeno Mata; *Vésper*, de Belem Gutiérrez de Mendoza; *Regeneración*, de Ricardo Flores Magón; *El Anti-reeleccionista*, de Félix Palavicini; La *No-Reelección*, de Aquiles Serdán; *Nueva era*, de Juan Sánchez Azcona; *Revolución*, *México nuevo*, *El Tiempo* y *El hijo del Ahuizote*. Todavía falta un estudio a fondo sobre la importancia de las soldaderas.

En el libro *Las mujeres en la Revolución Mexicana*, del Instituto Nacional de Estudios Históricos de la Revolución Mexicana, aparecen Mariana Gómez Gutiérrez, designada por Villa como pagadora de la División del Norte durante cinco años; Elisa Grienssen Zambrano, que evitó que Villa fusilara a tres mineros estadounidenses de la American Smelting y quiso ayudar al general Felipe Ángeles —que se negó a escapar de la cárcel de Parral. Arengó a la población y disparó los primeros tiros para sacar de Hidalgo del Parral al mayor estadounidense Frank Tompkins y a sus cien soldados de caballería que venían a capturar a Villa después de su ataque a Columbus, Nuevo México.

«Me voy a vestir de hombre a ver si me va mejor». Muy bravas, algunas se cortaban las trenzas y echaban su sombrero para adelante para que no les vieran «lo mujer» en los ojos.

¿Qué les sucedía a las mujeres que emulaban a los hombres? Ser hombre hacía la vida tolerable. Así lo comprendió Ángela Jiménez, que se convirtió en el teniente Ángel Jiménez, experta en explosivos, espía y a veces cocinera, pero sobre todo veterana de guerra. Sus fotografías en Texas la muestran como una abuelita gorda y no como un fornido varón. Encarnación Mares (Conchita) se incorporó al lado de su marido Isidro Cárdenas al décimo regimiento de Caballería Constitucionalista en 1913. Le advirtió a Isidro que quería ser soldado, no su soldadera. Se cortó el pelo y a lo largo de su carrera militar obtuvo los grados de cabo, sargento segundo, sargento primero y subteniente. Muy hábil en la doma de potros, destacó en la batalla de Lampazos y se volvió portaestandarte.

María Quinteras de Meras —al lado de su marido— se enlistó en el ejército de Villa en 1910 y para 1913 ya había combatido en diez batallas. Extraordinaria amazona, cuidaba de su alazán como de un hijo y atravesaba a galope los lomeríos áridos para dejar tras de sí una estela de polvo. Encabezó varios ataques suicidas y sus subalternos llegaron a pensar que un poder del más allá la hacía ganar las batallas porque con ella al frente salían victoriosos: «Esta vieja es la de la suerte, parece que está pactada con el diablo». Tres hileras de cartucheras cruzaban el saco de su uniforme kaki y un sombrero Stetson la protegía del sol. Cambiar sus enaguas por ese traje kaki fue una subida al cielo militar. Se negó a recibir pago alguno de Pancho Villa, lo que le mereció su repeto, pero ella tampoco le pagó a su esposo que servía como capitán bajo su mando.

Carmen Amelia Robles también montaba muy bien y acentuó su masculinidad con camisa y corbata bien anudada. «Yo quiero ser otra a como dé lugar». A pesar de las cejas depiladas, su gesto desafiaba adusto bajo su sombrero de fieltro negro. Ni dormida dejaba de acariciar su pistola que pesaba sobre su muslo derecho. Si con la mano derecha disparaba, con la izquierda sostenía su cigarro ¡Ni María Félix tuvo semenjante estampa! Coronela, Carmen Amelia Robles fue figura de proa en varias batallas. Nunca regresó a ser mujer: «porque, si es que soy mujer,/ ninguno lo verifique», escribió Sor Juana en el siglo XVII y así traspasó sus límites. Carmen murió vestida de varón.

Rosa Bobadilla viuda de Casas, coronela zapatista, resultó indispensable en más de ciento sesenta y ocho acciones armadas. Juana Ramona viuda de Flores, la Tigresa, participó en la toma de Culiacán, Sinaloa; Carmen Parra de Alanís, la Coronela, formó parte de las filas villistas en la toma de Ciudad Juárez; fue convencionalista y correo de Emiliano Zapata. Clara de la Rocha, comandante de guerrilla, tuvo un papel importante en la toma de Culiacán, Sinaloa; Carmen Vélez (la Generala) destacó por comandar más de trescientos hombres en los distritos de Hidalgo y Cuauhtémoc, en Tlaxcala. Catalina Zapata

Muñoz (capitán primero zapatista) se encargó de proveer pertrechos de guerra e informar de las acciones federales. Ángela Gómez Saldaña (agente confidencial de Zapata) conseguía y repartía armas a los campamentos y traía información a los jefes zapatistas sobre las acciones de los federales. Muchas mujeres fueron *correos* de la Revolución y espías —repartían volantes— y muchas más cuidaron a su soldado e incluso le salvaron la vida. Muchas también pertenecieron a la Cruz Blanca Neutral, como Magdalena Alcántara, que llegó a dirigirla. A Florinda Lazos León, enfermera, nada la espantaba: ni las manos arrancadas de cuajo ni los huesos pelados, ni el vientre destripado, ni la cabeza ensangrentada. En 1916, debido a un decreto presidencial de Venustiano Carranza, Florinda fue despedida del ejército. También fue enfermera Sara Perales viuda de Camargo, que de 1916 a 1920 dirigió el Hospital Principal de Cuernavaca, Morelos, y Beatriz González Ortega Ferniza, zacatecana, quien levantó un hospital para atender a los heridos. El 24 de junio, derrotados los federales, Francisco Villa le exigió dentro del hospital la entrega de los oficiales huertistas y Beatriz se negó. Villa ordenó que la fusilaran junto a otros miembros de la Cruz Blanca Neutral (fundada por Elena Arizmendi) pero, gracias al revolucionario Eulalio Robles, a quien Villa respetaba, se aplazó la ejecución.

También Rosaura Lechuga Jáuregui, de Aguascalientes, antendía como enfermera a los heridos de distintas fuerzas revolucionarias. Además, a sus heridos les conseguía alojamiento, ropa y provisiones cuando se aliviaban. Muchos dieron cuenta de su galantería. Juana Torres (constitucionalista) asaltó trenes, atacó plazas y se dedicó a atender tanto a amigos como a enemigos heridos en campaña, incluso al expresidente Eulalio Gutiérrez en su campamento en plena Sierra Madre. Otra buena enfermera de la tropa fue Celia Espinoza Jiménez.

Como médico de tropa, Mariano Azuela tuvo muchas oportunidades de observar el mundo de la Revolución y muy pronto se desvaneció su buena impresión de los revolucionarios porque perdieron el espíritu de «amor y sacrificio» de los primeros tiempos y, según él, la Revolución cayó en «un mundillo de amistades fingidas, envidias, adulación, espionaje, intrigas, chismes y perfidia. Nadie pensaba ya sino en la mejor tajada del pastel a la vista». Decepcionado, Mariano Azuela escuchó cómo unos magnificaban sus hechos de armas y otros se vanagloriaban de sus méritos. Ya desde ese momento la corrupción se instaló en lo que fue una gesta que Mariano Azuela primero consideró heroica:

> Mi situación fue entonces la de la pregunta de uno de mis personajes: «¿Por qué si está desencantado de la Revolución sigue en ella?». Porque la Revolución es el huracán, y el hombre que se entrega a ella no es ya el hombre sino la miserable hoja seca arrebatada por el vendaval.

Si la locomotora es la gran protagonista de la Revolución Mexicana, las Adelitas y Valentinas no se quedan atrás. En cualquier momento podía alcanzarlas una bala pero tenían una ventaja: podían cambiar de hombre y rehacer su vida. Quizá por eso las canciones le ruegan a las Adelitas que no se vayan a ir con otro.

A las mujeres de la Revolución las llamaban *vivanderas, comideras, soldaderas, chimiscoleras, soldadas, juanas, cucarachas, argüenderas, mitoteras, busconas* y *hurgamanderas*. Elizabeth Salas añade otros nombres: *pelonas, guachas* y términos menos usuales como *mociuaqutzque* (mujer valiente) o *auianime* (mujer de placer). Ahora las etiquetamos por igual, sin distinción de bandos, como Adelitas.

El tradicional ninguneo de la mujer en México y el temor de los jefes militares a que llegara a ocupar un cargo importante en el ejército hizo que las soldaderas no fueran reconocidas. Villa declaró en 1913, en la toma de Juárez:

> Lo que hizo posible la toma de Juárez, lo que nos permitió movernos libres, rápida y silenciosamente fue que no teníamos una caravana, que no teníamos soldaderas.

En *Historia gráfica de la Revolución Mexicana 1900-1970*, Gustavo Casasola escribió:

> La soldadera solo puede figurar en las columnas gruesas. En las columnas volantes, la soldadera necesita masculinizarse completamente, en lo exterior y en lo interior: vestir como hombre y conducirse como hombre; ir a caballo, como todos, resistir las caminatas y a la hora de la acción demostrar con el arma en la mano que no es una soldadera, sino un soldado.

Villa concibió a sus Dorados como una fuerza de caballería exclusivamente masculina. «Soldados, no permitan mujeres a su lado en la batalla».

Eso sí, los corridos suplieron la falta de reconocimiento y la Adelita ejerció un embrujo que sigue vivo hasta ahora. Baltasar Dromundo recopiló una versión del corrido pero existen varias. Todas coinciden en comprarle un vestido o un rebozo de seda para llevarla a bailar al cuartel. Una estrofa memorable aconseja «seguirla por tierra y por mar, si por mar en un buque de guerra, si por tierra en un tren militar».

Según Alessandra Sutter, Frida Kahlo pintó en 1927 un cuadro llamado *La Adelita, Pancho Villa y Frida*. En el lienzo aparecen un vagón de tren, Pancho Villa pintado en un cuadro que cuelga de la pared, la Adelita y la propia Frida que se consideró una Adelita con muchos quiebres, moretones, chingadazos y cicatrices de batalla. La Adelita del cuadro se ve borrosa porque nadie sabe si realmente existió pero la leyenda sigue y Frida Kahlo es ya el mayor mito de nuestro atribulado país. Solo le gana la Virgen de Guadalupe.

A pesar de que fueron ignoradas, las soldaderas nunca se echaron para atrás, incluso en las escuelas de gobierno las niñas de primaria cantaban en las fiestas patrias:

Yo soy rielera y tengo a mi Juan
él es mi encanto y yo soy su querer.
Cuando me dicen que ya se va el tren:
«Adiós mi rielera, ya se va tu Juan».
[...]
Tengo mi par de pistolas
con sus cachas de marfil,
para agarrarme a balazos
con los del ferrocarril.
[...]
En la trinchera y línea de fuego
yo soy la reina y con valor llego
soy soldadera
tengo mi Juan
que es de primera
ya lo verán.

Es justo recordar que mucho antes de la Revolución Mexicana, en los inicios de la Independencia, varias mujeres tuvieron un papel destacado. Entre ellas Antonia Nava, quien nació en Tixtla, en 1779, así lo documenta Celia del Palacio en su libro *Adictas a la Insurgencia*, editado por Punto de Lectura en 2010. Antonia Nava fue mujer del insurgente Nicolás Catalán a quien siguió y cuyos hijos crecieron en la lucha armada y fueron entrenados para lidiar con la muerte. Otro ejemplo, entre los que aporta Celia del Palacio, es María Josefa Martínez, esposa de Miguel Montiel, quien convirtió su rancho «en cuartel de operaciones de los insurgentes que dominaban la zona desde los llanos secos cercanos al Pico de Orizaba y al Volcán Sierra Negra, hasta los bosques de niebla y selvas húmedas cercanas a Huatusco». Cuando asesinaron a su marido, María Josefa se unió a Manuel Marroquín, asistente y compañero del difunto. Se vistió de hombre y los rancheros le tenían más miedo que a sus compañeros varones: «Para protegerse del frío de la montaña, usaba un capote de paño oscuro que le era muy útil para ocultar sus intenciones».

El escritor Carlos Pascual publicó en 2011 *La insurgenta*, novela histórica dedicada a Leona Vicario, en sus páginas consigna un listado de mujeres olvidadas:

Manuela Medina, la Capitana, *muerta en combate.*
María Fermina Rivera, *muerta en combate.*
María Ricarda González, *muerta en combate.*
Carmen Camacho, *fusilada.*
María Tomasa Estévez, *fusilada.*
Gertrudis Bocanegra, *fusilada.*
Juana Feliciana, *fusilada.*
Ana Villegas, *fusilada.*
Manuela Paz, *fusilada.*
Juana Bautista Márquez, *ahorcada.*
Luisa Martínez, *ahorcada.*
Ana Villegas, *muerta en prisión.*
Bárbara Rojas, *sentenciada a trabajos forzados.*
Felipa Castillo, *sentenciada a trabajos forzados.*
Manuela Herrera, *apresada y vejada.*
Josefa Martínez, *capitana insurgente, condenada a prisión perpetua.*
Mariana Rodríguez de Lazarín, *condenada a prisión.*
María Arias, Antonia González, María Josefa Paul, Juana Villaseñor, María Sixtos, María Vicenta Yzarrarás, Vicenta Espinosa, Micaela Be-

dolla, Juliana Romero, Ana María Machuca, *todas presas, tan solo en Irapuato.*

Josefa Ortiz de Domínguez, *enjuiciada por sedición.*

Prisca Marquina de Ocampo, *enjuiciada por sedición.*

Josefa Huerta, *enjuiciada por insurgente.*

Josefa de Navarrete, *enjuiciada por insurgente.*

Antonia Nava, la Generala, *que ofreció sus hijos como soldados.*

Catalina González, *que ofreció su cuerpo como alimento para las tropas.*

Marcela, la Madre de los Desvalidos, *correo insurgente.*

María Guadalupe, la Rompedora, *correo insurgente.*

La Guanajuateña, *soldado insurgente.*

Isabel Moreno, *soldado insurgente.*

María Ignacia Rodríguez de Velasco, la Güera, *protectora de insurgentes.*

María Petra Teruel de Velasco, *protectora de insurgentes.*

Las primeras mujeres de Zacatecas que demandaron a la Primera República Federal del México Independiente ser reconocidas como ciudadanas. *No lo consiguieron.*

Con estas mujeres y su participación en la Independencia de México, con las Adelitas de la Revolución, deberíamos repensar la frase que gritamos cada 15 de septiembre a voz en cuello y que recuerda al grito machista: «¡Vivan los héroes que nos dieron patria!».

3

NELLIE CAMPOBELLO

La que no tuvo sepultura[3]

Esa mujer de porte real, que atraviesa el aire con los brazos en alto, se llama Nellie Campobello; esa mujer de cabello jalado hacia atrás, que estira su cuello y señala el rumbo con el dedo del pie derecho es Nellie Campobello; esa mujer que desafía la gravedad y se eleva al cielo es Nellie Campobello. Nellie y Gloria bailan en su Escuela Nacional de Danza; giran sus faldas como corolas. Desde arriba parecen flores, dalias mexicanas formadas por docenas de pétalos-enaguas.

«Ahora un baile de Jalisco».

Sus alumnos las observan con atención. Las dos hermanas exhiben su talento y su conocimiento de las danzas mexicanas: «Debes hacer que tu cuerpo hable, dale más significado a cada movimiento».

Nellie es la autoridad, la voz suprema. Se avienta. Este es su momento. Los músculos de sus piernas y brazos se alargan, se tienden como ramas en el aire. Son una forma más rápida de expresión que la escritura y tienen una respuesta inmediata. Apretados contra los muros, sus discípulos la contemplan.

«Los mexicanos son silenciosos, desconfiados; me refiero a los que viven en la ciudad. La manera en que caminan es su verdadera expresión».

Las dos hermanas ahora enseñan ritmos mayas.

«Den pasos más cortos y más fuertes. La forma de caminar del mestizo es concisa».

Nellie ríe mientras taconea.

«Bueno, los mayas no son tan altos como yo; así que hay una razón biológica para que los *tempos* de su baile y sus pasos sean cortos, ligeros y animados».

---

[3] *Las siete cabritas*. México: Era, 2000, pp. 145-177.

La autora de *Las manos de Mamá* nació el 7 de noviembre de 1900 en Villa Ocampo, Durango, hija natural de Rafaela Luna. En la parroquia de Villa Ocampo (donde la gente recuerda a su «hija y benefactora» y una escuela lleva su nombre) se encuentran los registros del nacimiento de María Francisca el 7 de abril de 1900, llamada Xica, por Francisca, como Francisco, Pancho Villa; por eso algunos han especulado acerca de que Nellie era hija del Centauro del Norte.

Directa y franca «tanto que creen que estoy contando mentiras», Nellie rechazó su verdadero nombre y se inventó otro, el de un estadounidense que enamoraba a su madre, Ernest Campbell Morton y lo hispanizó como *Campobello*.

Nellie y su hermana Gloria han recorrido México de un extremo a otro coleccionando ritmos indígenas. A los indios que más quieren es a los tarahumaras porque las hermanas provienen del norte. Viajan a los pueblos para asistir a las fiestas de los santos patronos y cuando no hay fiesta se sientan en el zócalo a mirar lo que está pasando. Hacen apuntes, anotan pasos, recogen giros musicales. De sus notas nacen palabras en movimiento:

> El mexicano —escriben— camina con todo el peso de su cuerpo sobre sus talones como el yucateco, pero a diferencia de él, no estira su cuerpo hacia arriba ni lo echa para atrás. Al contrario, se inclina hacia delante aunque no tanto como el indio de Michoacán. Con sus ojos siempre fijos en el suelo y sus brazos pegados al cuerpo, da la impresión de abrazarse a sí mismo.

Nellie es reconocida como bailarina, coreógrafa y maestra de ballet. Con Gloria publicó en 1940 un libro imposible de hallar hoy: *Ritmos indígenas de México*. Apasionada por la danza prehispánica declara: «la danza indígena es la más clara expresión de México». Nellie es una de las fundadoras de la Escuela Nacional de Danza que dirige a partir de 1937. Al sumergirse en nuestra cultura la revive.

México se revela a sí mismo y Nellie revela vigor de su capacidad creadora. Vivió su infancia en la pobreza, desconfianza, traición y violencia de la Revolucion en Villa Ocampo, Durango, y a pesar de ello pudo declarar: «Fui una niña feliz». Frente a la realidad su madre supo crearle otro mundo.

Las dos hermanas fueron alumnas de Miss Lettie Carroll a quien mi hermana Kitzia y yo conocimos porque fuimos a su academia de ballet en la colonia Cuauhtémoc. Era una mujer alta, de tobillos delgados, que puntuaba el ritmo con un palo de escoba en el suelo; carirredonda como de *hot cake*, redonda y fofa; el pelo pegado al cráneo, nunca suelto. A las Campobello, Miss Carroll las incluyó al Ballet Carroll Classique integrado por jóvenes estadounidenses que tenían piernas largas y brazos *idem*. Se presentaron en el Teatro Regis, en 1927, y en varias festividades de la American Legion. También viajaban a provincia y para Nellie esos viajes, más que un gusto, fueron una tortura.

«¡Ay, Chihuahua, qué horrible es el teatro! ¡Qué espantosa vida la de esas pobres artistas! No era posible estar en una pocilga. ¡Cómo están los teatros de apestosos!».

Las Carroll Girls incluso bailaron en la Feria de Sevilla, y como eran menores de edad, en 1929, viajaron a España protegidas por chaperones. Irene Matthews, la excelente traductora de *Cartucho: relatos de la lucha en el norte de México* y *Las manos de mamá* junto a Doris Meyer, dice que «el gran mundo del teatro profesional fue una desilusión total para unas inocentes de su calibre».

Bailan en La Habana y aparecen en el *Diario de la Marina*, que las saluda con elogios, pero, a pesar de la ayuda de sus amistades *popoff* en La Habana: los Reina y los Fernández de Castro, el recuento de Nellie es amargo:

Por fin un día nos dieron una función y voy viendo en el programa nuestros nombres en letras chiquitas. Del coraje, no quería salir a bailar, pero el esposo de Esperanza Iris nos convenció de lo contrario. Total, lo hicimos, pero querían que bailáramos ritmos levantándonos las enaguas para que se nos vieran las piernas. Pero yo salí a bailar como lo hace la tehuana, con esa dignidad humilde, no majestuosa, sino la dignidad concentrada del indio.

El *socialité* cubano, José Antonio Fernández de Castro, describió a las hermanas en un lenguaje parecido al que Nellie le consagraría a su madre:

Colgadas del brazo de un viejo, dos amapolas. Dos amapolas nacidas en un valle. Un valle que no es tropical. Una seguramente roja. La otra menos. La otra, con un suave color violeta. Violeta que tuviese un fino baño dorado.

Flores de lila, más lila se miraban,
y en azules de azul más claro se besaban.
En el lino de la falda y el encaje del anillo
las manos se le ahuecaban
detrás del aire dormido,
como se ahuecan las almas
a la orilla del camino.

Nellie cosechó elogios, ramos de rosas rojas, tarjetas que proclamaban en francés: *Vous êtes une artiste*, pero el juicio crítico que mejor recuerda es el de su hermano Chaco:

—Oye, Chaco, ¿qué te pareció?
    —¡Parecías un caballo en el desierto, corriendo! —me contestó.
    —¡Aaayyyy, y yo que me creía una mariposa, pero como tenía dos caballos que montaba en las mañanas y en las tardes, no podía salir otra cosa!

Su primer libro *¡Yo!*, de 1929, es una colección de quince poemas. Algunos fueron traducidos por Langston Hughes al inglés y reunidos en una *Antología de la poesía latinoamericana contemporánea* que publicó la editorial Norfolk, en 1942. A propósito de este libro escribió el doctor Atl:

No se los comunicó a sus amigas y amigos habituales. ¡Qué escándalo hubiera sido en su medio fifí saber que aquella muchachita era poeta! La hubieran desdeñado. Quizá y hasta el novio se hubiese peleado con ella. Los confió a un amigo muy sabio y fue tal el entusiasmo de este, que con un puñado de «papelitos azules» le hizo un libro. Su primer libro: *¡Yo!* Ese pequeño libro no ha circulado. Los profesionales de la literatura lo ignoran. Los pocos que lo tuvieron en sus manos han preferido desconocerlo, de puritito miedo.

Dicen que soy brusca
que no sé lo que digo
porque vine de allá.
Ellos dicen
que de la montaña oscura.
Yo sé que vine
de una claridad.
Brusca porque miro de frente;
brusca porque soy fuerte.

Que soy montaráz…
¡Cuántas cosas dicen porque vine de allá,
de un rincón oscuro de la montaña!
Más yo sé que vine
de una claridad.
El Norte era un campo de batalla.
Alegría
Iba cantando
por toda la casa,
como un pájaro
sin jaula.
Así vivía mi libertad.
¿Y cuántas veces
abrazando mi alegría
tenía que llorar?

Afirmó amar más a la libertad que a las olas del mar y mucho más que al amor. Como consecuencia, nunca dejó de decir verdades, denunciar la simulación, la injusticia, el despojo y la calumnia: «Yo quería tener alas, verdaderas alas de cóndor: irme». Creo que muchas almas de mexicanos también han querido alguna vez tener alas.

Soy una mariposa.
Me gusta volar
Y acercarme
al corazón de las rosas,
y sentir en mis alas
abiertas
jardines de libertad.

Adoraba a los caballos y fue una consumada amazona. Desde niña recorrió el campo a caballo y todavía en la Ciudad de México siguió montando en Copilco, hoy Ciudad Universitaria, en el rancho del doctor César Margáin, padre de Hugo Margáin.

Para Nellie, el Centauro del Norte era Dios y Martín Luis Guzmán su monaguillo. Defendió a Villa contra las injurias y la maledicencia.

Las novelas que entonces se escribían estaban repletas de mentiras contra los hombres de la Revolución, principalmente contra Francisco Villa […]. El único genio guerrero de su tiempo, uno de los más grandes de la historia; el mejor de América, y después de Gengis Khan, el más grande guerrillero que ha existido.

El Centauro del Norte nunca supo que tendría en Martín Luis Guzmán a su mejor biógrafo y que solo lo superaría Friedrich Katz con su monumental *Pancho Villa*, de 1998. Que un escritor de la talla de Martín Luis Guzmán se ocupara de Francisco Villa le da al revolucionario una dimensión que jamás habría tenido. El hecho de que Nellie Campobello le confiara a Martín Luis Guzmán su archivo significa que lo consideró el único capaz de escribir las *Memorias de Pancho Villa* (1940). ¿Por qué no lo hizo ella si una de las esposas de Villa, doña Austreberta Rentería, puso en sus manos documentos y cartas? Solo alcanzó a escribir *Apuntes sobre la vida militar de Francisco Villa*, publicado en 1940, en los que utiliza los documentos y las memorias de la mujer de Villa. Sin embargo, la obra de mayor envergadura, la definitiva, la escribe su galán y amigo Martín Luis Guzmán que, según cuenta Juan Soriano, le hablaba de usted, no para esconder su noviazgo sino como muestra de respeto. Es *vox populi* que el amor de Nellie Campobello y Martín Luis Guzmán duró toda la vida y cuando él murió en 1976 Nellie nunca volvió a ser la misma.

En una entrevista con Carlos Landeros publicada en *Siempre!* el 22 de noviembre de 1976, Martín Luis Guzmán declaró:

Acaso nada me ha satisfecho, después de mi trato personal con Villa, que el haber llegado a tener en mis manos los documentos del archivo del general Villa que guarda doña Austreberta Rentería, su viuda; la señorita Nellie Campobello hace ya cerca de treinta años que me entrevistó para que yo pudiera servir a los villistas construyendo un retrato de cuerpo entero de Francisco Villa. Lo hice en aquellos años en que Villa era el difamado, el vilipendiado, el acusado de no sé cuántos crímenes; el postergado y relegado en todas partes. Gracias a esos papeles yo concebí el modo de escribir las *Memorias de Pancho Villa*, y, en realidad, en esos papeles están basadas en muy buena parte las trescientas primeras páginas de esas *Memorias*; las otras ochocientas no, esas ya son creación total y absolutamente mía, pero las primeras están basadas en esos papeles.

Un poco más tarde, enfatiza:

Eso que digo de Villa es muy interesante por sus aspectos humanos; un día se destacará, creo yo, la personalidad de esta señorita admirable por varios conceptos que yo mencionaba hace un momento, Nellie Campobello, porque ha sido una entusiasta, inquebrantable, una infatigable defensora de la figura y de la memoria de Pancho Villa desde hace más de cuarenta años; y así se explica que por conducto de ella a mí me hayan llegado los papeles de que le hablaba a usted hace un rato.

Don Martín terminó los cinco libros de *Memorias de Pancho Villa* con las batallas en el Bajío, antes de la caída del centauro. Nellie Campobello, a pesar de su entusiasmo desbordante, termina mucho antes *Apuntes sobre la vida militar de Francisco Villa* con el compromiso de tregua del jefe y su retiro a la hacienda del Canutillo obsequiada por el gobierno revolucionario.

A través del carácter de Axkaná González en *La sombra del caudillo*, Martín Luis Guzmán demuestra que la ineptitud y la corrupción en el poder han existido durante más de cincuenta años y que «la tragedia del político atrapado en la red de la inmoralidad y mentiras que él mismo ha tejido» sigue hasta hoy. El viejo Mariano Azuela denuncia a los caciques, a los terratenientes, a los nuevos ricos, a los líderes locales que traicionaron los ideales de la Revolución; pero para Nellie Campobello la Revolución ha reivindicado los derechos y la dignidad de la gente y convertido en santos a los héroes que emergieron del pueblo. Verdadera devota, defiende a Pancho Villa: su héroe, su ídolo, su soldado de oro a pesar de las orgías de sangre y le dedica horas, días, meses y años de investigación; a él y a sus tropas, a Nieto, Dávila y Maynez, sus incondicionales. Nellie recoge testimonios de una de sus viudas, Austreberta Rentería, y escribe apasionadamente.

A pesar de su admiración por él, *Apuntes sobre la vida militar de Francisco Villa* es el menos significativo de todos sus libros porque prefiere ver el bosque y no los árboles. Jesusa Palancares, la protagonista de *Hasta no verte Jesús mío*, sin saber leer ni escribir tiene una visión mucho más crítica de la Revolución Mexicana:

Creo que fue una guerra a lo pendejo porque eso de matarse unos a otros, padres contra hijos, hermano contra hermano; carrancistas, villistas, zapatistas, todos éramos los mismos pelados y muertos de hambre pero esas son cosas que, como dicen, por sabidas se callan.

Jesusa no tiene la misma imagen de Villa que Nellie:

Villa fue un bandido porque no luchó como los hombres sino que dinamitó las vías cuando pasaban los trenes. Si hay alguien a quien odio es a Villa.

Ha pasado ya casi un siglo y, como dice Adolfo Gilly:

La afirmación de la burguesía mexicana de que «la revolución vive», es la confirmación negativa de la naturaleza permanente de la revolución interrumpida.

Octavio Paz también es condenatorio:

Toda revolución sin pensamiento crítico, sin libertad que oponer al poder, ni posibilidad de sustituir pacíficamente un gobierno por otro, es una revolución fracasada.

Institucionalizada, la Revolución Mexicana también fue novelada. Seis años después del primer estallido, en 1916, Mariano Azuela publica en El Paso, Texas, *Los de abajo*, la novela por excelencia de la Revolución Mexicana que abre las compuertas a personajes de la envergadura de Demetrio Macías, de quien dice el mismo Azuela: «Si hubiera conocido un hombre de su estatura, lo hubiera seguido hasta la muerte». Asombra por su actualidad, su fidelidad al hablar de la tropa. Médico y escritor; Mariano Azuela nos da las primeras imágenes literarias de la revolución. De Azuela en adelante, la novela de la Revolución Mexicana arranca a galope tendido. Martín Luis Guzmán escribe *La sombra del caudillo*, *El águila y la serpiente* y *Memorias de Pancho Villa*, dándole a México, según los críticos, la mejor prosa al lado de la de Salvador Novo conocida hasta la fecha.

En México, en Estados Unidos, en algunas universidades europeas como la de Toulouse, Francia, se estudia sistemáticamente la novela de la Revolución Mexicana. Rafael F. Muñoz publicó *Se llevaron el cañón para Bachimba* y *¡Vámonos con Pancho Villa!*; Gregorio López y Fuentes, *Campamento* (publicada en Madrid, en 1931); también José Rubén Romero lanzó en Barcelona, en 1932, *Apuntes de un lugareño*; el general revolucionario Francisco L. Urquizo, *Tropa vieja*; José Vasconcelos, *Ulises criollo*; Mauricio Magadaleno, *El resplandor*; José Mancisidor, *Frontera junto al mar*; Miguel N. Lira, *La escondida*, y otros, como Agustín Vera, autor de *La revancha*.

Entre ellos, una sola mujer, Nellie Campobello. La publicación en 1958 de *La región más transparente*, de Carlos Fuentes, le da a la novela de la revolución su segundo aire, puesto que Juan Rulfo es un caso aparte. Quizá el último rescoldo revolucionario se halle en las cenizas calientes de la hoguera que Rulfo enciende con *El Llano en llamas* y con su obra maestra, *Pedro Páramo*. En *La muerte de Artemio Cruz*, Carlos Fuentes, el más brillante de nuestros novelistas, retrata a un revolucionario corrompido.

La muerte de Artemio Cruz abre las puertas a Arturo Azuela (sobrino del primer Azuela), a Fernando del Paso, a Tomás Mojarro y a Jorge Ibargüengoitia para quien la Revolución es una gran payasada. Y, una vez más, a una sola mujer: Elena Garro, que en cierta forma es la sucesora de Nellie Campobello con *Los recuerdos del porvenir*. *Los relámpagos de agosto*, de Ibargüengoitia, nos muestra la otra cara de la moneda —una revolución cómica, primitiva y bestial; una Revolución para burlarse de ella y escapar de la tragedia—, mientras que Rulfo es la esencia de lo trágico. Puede ser que la de Nellie Campobello sea la única visión real de la Revolución Mexicana.

Cuando Nellie le dedica *Apuntes sobre la vida militar de Francisco Villa* a Martín Luis Guzmán, nombrándolo el escritor más revolucionario de la Revolución, no reconoce que ella es la mejor escritora de la Revolución. Sus palabras —libres de adjetivos y embellecimientos—, su estilo directo, crudo, pertenecen a una Adelita que decide entrarle a la batalla.

Nellie Campobello publica *Cartucho…*, en Ediciones Integrales, en 1931; de todos los novelistas de la Revolución es la única que logra y ofrece la noticia más fresca. En un mundo machista, nadie la toma en cuenta: «¡Por favor! ¿qué hace una mujer en medio de la fiesta de las balas? ¡Solo eso nos faltaba!».

En *La plaza del Diamante*, la catalana Mercè Rodoreda describe la Guerra Civil de España, en 1936, sin una sola bala, sin enumeraciones históricas ni explicaciones y el lector la vive en carne propia. Nellie Campobello no analiza el porqué de los acontecimientos, solo los consigna tal y como los recuerda, y el impacto de sus frases breves es definitivo. Solo el candor de la infancia puede captar el espanto.

Las manos de Mamá se publicó en 1937 bajo el sello de Editorial Villa Ocampo. Quizá fue una edición de la autora, porque Villa Ocampo es su lugar de nacimiento. Su *Cartucho…* consta de cincuenta y seis estampas: «Escribí en este libro lo que me consta del villismo, no lo que me han contado». En los dos libros desborda el amor de Nellie por su madre y su personalidad de joven viuda villista capaz de cualquier cosa por sus hijos. Luchadora, Rafaela Luna también se preocupó por la suerte de los Dorados de Villa y, claro, por el propio Villa:

> Hombre alto, tenía bigotes güeros, hablaba muy fuerte. Había entrado con diez hombres en la casa, insultaba a mamá y le decía: «¿Diga que no es de la confianza de Villa? ¿Diga que no? Aquí hay armas. Si no nos las da junto con el dinero y el parque, le quemo la casa». Hablaba paseándose enfrente de ella... Me rebelé y me puse junto a ella pero él me dio un empellón y me caí. Mamá no lloraba, dijo que no le tocaran a sus hijos, que hicieran lo que quisieran... El hombre aquel, güero, se me quedó grabado para toda la vida. Dos años más tarde nos fuimos a vivir a Chihuahua, lo vi subiendo los escalones del Palacio Federal. Ese día todo me salió mal, no pude estudiar, me la pasé pensando en ser hombre, tener mi pistola y pegarle cien tiros.

A pesar de su recia personalidad, le dio gran importancia al movimiento mexicano de la danza; a pesar de ser miembro del grupo de escritores de la Revolución, Nellie nunca recibió el reconocimiento que habría estimulado su vocación por las letras. De haber sido así, no habría vivido aislada de la comunidad de escritores. El simple hecho de que personalidades clave en la cultura de nuestro país, como José Clemente Orozco y Martín Luis Guzmán se ocuparan de las hermanas Campobello las sitúan en la cúspide cultural de México. La crueldad que marcó la infancia de Nellie la envolvió de nuevo en su vejez.

Solo en 1940 se hizo una segunda edición de *Cartucho...* en EDIAPSA. La indiferencia no es solo para Nellie. Los tres mil ejemplares de una edición de *El tirador,* de Alfonso Reyes, tardaron doce años en agotarse. *Las manos de mamá* tiene el gran privilegio de haber sido ilustrado por José Clemente Orozco, el mayor de los Tres Grandes. Orozco —que solo contaba con su brazo derecho porque el izquierdo se lo había volado una carga de dinamita—, fue uno de los máximos personajes del llamado Renacimiento Mexicano. Era un hombre airado, colérico, secreto que se enamoró de Gloriecita y por eso ilustró el libro de la hermana mayor y también hizo una infinidad de telones de fondo para las danzas de Nellie y Gloria Campobello en su Escuela Nacional de Danza.

Las novelas de Nellie son autobiográficas y entretejen con primor sus recuerdos de niña de siete años, muy despierta y capaz de predecir la muerte. Observadora, escribe con sus ojos limpios y regresa a la sugerente voz de su infancia. Reconoce en su novela *Las manos de mamá* la influencia de su abuelo materno y dice que a él le debe muchos rasgos de su carácter y su amor a la naturaleza. Los episodios que relata son brutales y tienen la crueldad lacónica de la infancia. La muerte es natural. No hay de otra. Los mismos soldados que matan son quienes la toman en brazos y le regalan chiclosos. Nellie no establece la diferencia entre unos y otros. La sangre y el heroísmo son parte de su vida diaria. Presencia fusilamientos y ve cómo los ahorcados se bambolean de los árboles. Las tripas de los muertos le parecen sonrosadas y bonitas, sobre todo las del General Sobarzo; asiste a juicios sumarios y relata todo como si de pronto, sin darse cuenta, se pusiera a contar los más atroces acontecimientos a sus compañeros a la hora del recreo.

Marta Portal escribe en *Proceso narrativo de la Revolución Mexicana* que Nellie «presenta una visión virgen de la Revolución». La propia Nellie lo dice muy claramente:

Yo tenía los ojos abiertos, mi espíritu volaba para encontrar imágenes de muertos, de fusilados; me gustaba oír aquellas narraciones de tragedia, me parecía verlo y oírlo todo. Necesitaba tener en mi alma de niña aquellos cuadros llenos de terror, lo único que sentía era que hacían que los ojos de mamá, al contarlo, lloraran.

Su relación amorosa con su madre también se establece a partir de la muerte. En cierta forma, la madre le hereda sus muertos. En «Los hombres de Urbina», uno de los cuadros vivientes que componen *Cartucho…*, la madre lleva a la hija de la mano a un llanito:

Mire —le dijo— aquí en este lugar donde estaba una piedra azul, aquí murió un hombre, era nuestro paisano, José Beltrán; les hizo fuego hasta el último momento; lo cocieron a balazos. Aquí fue; todavía arrodillado como Dios le dio a entender, les tiraba y cargaba el rifle. Se agarró con muchos, lo habían entregado, lo siguieron hasta aquí. Tenía dieciocho años.

La juventud de los que pelean es aterradora, no pasan de los veinticinco años y todos van hacia su muerte. Nellie casi nunca habla de su padre, en cambio habla de su Papá Grande, cuyo retrato cuelga en la sala.

En *Las manos de mamá* insiste en decirnos que la madre es hermosa.

¿Dónde está usted, señora mía, para adorarle la mano? ¿Está en el cielo donde mis ojos la ven? ¿Acaso su esbelta figura vaga, mecida por el viento, allá en la gloriosa calle de la Segunda del Rayo?

Posiblemente sea Nellie Campobello la única niña en el mundo que escriba de la muerte en forma tan descarnada. Mientras otras hablan de jueguitos de té, ella acumula cadáveres, sus cuentos son de fusilados, de muertos en el paredón. *Cartucho...* está lleno de sabiduría popular. «El dinero hace a veces que las gentes no sepan reír». Cartucho es un hombre que llega a platicarle a Nellie a su ventana y se encariña con su hermanita menor, Gloria, a tal grado que le dispara al enemigo con la niña en brazos hasta que se la quitan. Cuando deja de venir, la familia de Nellie pregunta por él y la respuesta es fulminante: «Cartucho ya encontró lo que quería».

Nellie va más lejos aún, para ella, los que pelean son «soldados inmaculados de la revolución». ¿Inmaculados como la Virgen María? ¡Válgame Dios! ¡Este inesperado adjetivo nunca lo previeron los revolucionarios! Con él, Nellie revela que ella es la inmaculada, la inocente, la crédula, la ingenua, la parcial, la cieguita, la niña grande enamorada del Centauro Pancho Villa, el hombre-caballo, el Atila de este lado del mar.

Otro personaje es Kirilí, de chamarra roja y mitazas amarillas. Las mitazas son unas protecciones de cuero que cubren las piernas del jinete. Nellie, casi jubilosa nos relata:

Kirilí se estaba bañando en un río: alguien le dijo que venía el enemigo, pero él no lo creyó y no se salió del agua. Llegaron y lo mataron allí mismo, dentro del río. Chagua (una señorita de pies chiquitos que Kirilí enamoraba) poco tiempo después se hizo mujer de la calle. Doña Magdalena, que ya no tiene dientes y se pone anteojos para leer, lo llora todos los días allá en un rincón de su casa, en Chihuahua. Pero el Kirilí se quedó dentro del agua enfriando su cuerpo y apretando, entre los tejidos de su carne porosa, unas balas que lo quemaron.

Todas las escenas las describe a fogonazos, como si estuviera disparando su rifle en la batalla. Son directas, brutales, estremecedoras y, sin embargo, su lenguaje crudo, de carne y de sangre derramada tiene mucho de la terrible inocencia de los niños que se ponen a decir verdades como puñetazos. Me hace pensar en lo que escribió Jaime Sabines acerca de su hijo Julito que al ver muerto a un conejito le dijo: «Tíralo, papá, está feo» e hizo que Sabines se asombrara con la implacable sabiduría de la infancia. Desde su ventana, mirador a la vida, mirador a la calle, Nellie escribe: «Y pasaba todos los días, flaco, mal vestido, era un soldado. Se hizo mi amigo porque un día nuestras sonrisas fueron iguales». Y como si no bastara, Nellie prosigue: «Le enseñé mis muñecas, el sonreía, había hambre en su risa».

Con ese sorprendente adjetivo de *inmaculados* que usa para los soldados, Nellie revela que ella es inmaculada, hermosa, esbelta, altiva y en el fondo de su corazón una niña grande. No se da cuenta que sus dos libros son una loa al machismo, un continuo rendirle culto a Pancho Villa, el protector, el que gana las batallas, el desprendido, el que se responsabiliza de sus «muchachos». Para ella, los malos son los poderosos, los «vestidos a la inglesa y con engarces de plata en todo el cuerpo», los funcionarios, los catrines. Lo repite con rencor una infinidad de veces. Contradictoria, se lanza a la crítica feroz de las «lentejuelas verdes» de los *popofs*. Siguiendo las fijaciones indelebles de la infancia, asocia a los malos con los ricos y sus pasteles y calcetines de seda, sus hijos que son «niños de labios marchitos y con mamás de caras pintadas y trajes de tul, que sonríen desganadamente». Sin embargo, Nellie Campobello no fue ajena al lujo y se le olvida que se movió dentro de los salones de candiles y la platea dorada de los sexenios alemanista y avilacamachista. Lució los abrigos de pieles y los adornos de la época. Esa mujer alta y mecida al viento, que doró su cuerpo al sol y al frío del norte y lo conservó espléndido durante muchos años; esa mujer de aliento sano y fresco compadece a sus contemporáneos de salón, los que toman despacio un pálido jaibol, como diría Pepe Alvarado, los de hálito fétido de *soiress* «carnes blancuzcas que parecen vientres de pescado muertos o conservados en alcohol».

Nellie escribe como si disparara y sus frases siempre dan en el blanco. A diferencia de otros escritores de la Revolución, Nellie nunca la critica; al contrario, mantiene casi tanta devoción por ella como por su madre. No se siente defraudada; todo puede justificarse y tiene una razón de ser. Es todavía la niña que mira a un grupo de diez hombres apuntándole a un joven muerto de miedo, mal amarrado, sus manos tendidas hacia los soldados. Observa con interés cómo el cuerpo da un salto terrible al ser atravesado por las balas, cómo brota la sangre por numerosos agujeros. El cuerpo yace tres días bajo su ventana y Nellie se acostumbra al cadáver; cuando uno u otro se lo lleva en la noche, Nellie lo extraña: «Ese cuerpo muerto en verdad me pertenecía». Acostumbrada a la violencia, a la crueldad, el mundo familiar de Nellie es el de los ejecutados. Los cadáveres son los pilares de su infancia.

La escritura de Nellie Campobello es fulgurante. Escribe a gritos. Ninguna otra escritora mexicana es tan abrupta, tan arisca, tan peligrosa, tan dinamita. Explota pero también analiza. Nellie tiene la misma capacidad que Martín Luis Guzmán para juzgar la Revolución, la pistola al cinto, las frases listas para salir de su cartuchera. ¡Ah, *jijos de la tiznada*! Sin embargo, es mujer y no la toman en cuenta. Al rato la escritora se desencanta de tanta pasión sin objetivo. También ella vivió la Revolución Mexicana, fue parte de ella; conoció la indignación; tuvo arranques de cólera frente a la injusticia; dividió el mundo entre buenos y malos; se hizo ilusiones. La tragedia del bien y del mal nunca le fue ajena, aunque sus juicios y su tabla de valores nos desconcierten. Vencer o ser vencidos eran sus dos opciones y nunca se resignó a la derrota. Cuando vio que escribía en el vacío, decidió entregarse a la danza que es una de las grandes dinámicas redentoras de la vida, al aliento del *grand jetté* que hace que tanto hombre como mujer vuelen sobre el escenario. El movimiento nos salva y saca a flote al jaguar que traemos dentro, que ella solo pudo domesticar en dos libros y que después soltó, flexible y líquido en el escenario, para que desde el tablado tirara el zarpazo de su energía y bailara todo lo que no había escrito.

Martín Luis Guzmán analiza y juzga la Revolución con ojos críticos. En *El águila y la serpiente* reflexiona acerca de su primer encuentro con Villa, que lo recibe recostado, con el sombrero puesto y la pistola al cinto. En menos de veinte minutos, Villa llama a Victoriano Huerta *jijo de la tiznada* y pregunta por qué no le metieron un balazo. Durante más de media hora, se enfrascan en una conversación reveladora para el novelista porque se confrontan dos categorías mentales y se tocan mundos distintos e irreconciliables. Nellie tiene espléndidos hallazgos: «Jiménez es un pequeño pueblo polvoriento. Sus calles son como tripas hambrientas». La niña que bebe café con pan dulce y leche con camote acepta su destino presidido por una

73

madre maravillosa. «Mi vida fue una colcha de colores». Nellie escribe rápido, sin poner mucha atención al estilo. «Debes hacer las cosas rápido. En esa forma no sentirás miedo».

Las manos de mamá ofrece páginas memorables acerca de su madre, la real, y la otra: la Revolución. Su madre es una heroína que, así como cose a máquina para mantener a los hijos, corre a salvar a la gente y regresa para tejer tapados y remendar puños de camisas de los uniformes escolares. Pero, «¿qué era el pobre y débil sonido de esa máquina de coser comparado con los disparos del cañón?».

Rulfo, de niño, vio las siniestras marionetas de los colgados y nadie le tapó los ojos; al contrario, se los abrieron lo más posible para que viera mejor. En *Mis libros* dice Nellie:

> Más de trescientos hombres disparando tras las barricadas deja una fuerte, una gran impresión, dice la gente, pero nuestros ojos de niños lo encontraban completamente normal.

¿Qué hace un escritor cuando su infancia es un campo de batalla? ¿Qué hace una niña cuando sus amigos son hombres que entran a su casa dentro de un revuelo de cascos de caballo? ¿Qué hace una niña cuando ha nacido con el nuevo siglo y es testigo del nacimiento del México que emerge de la Revolución en donde todo está por inventarse, educación y salud; arte y juego; lenguaje y libertad: «el amor amoroso de las parejas pares»?

Para las hermanas Campobello bailar la Revolución es parte de la efervescencia que surge en los veinte y cuya fascinación aún no termina. México se transforma en un imán con el esfuerzo y la magia de su arte; atraídos por el llamado *renacimiento*, vienen André Breton, Antonin Artaud, Emily Edwards, Edward Weston, Tina Modotti, D. H. Lawrence, Anita Brenner, Frances Toor, Carleton Beals, William Spratling, Sergei Eisenstein, y, posteriormente, Anna Seghers, Valle Inclán, Graham Greene, Hart Crane, Malcolm Lowry, Dalton Trumbo, Luis Buñuel; filósofos españoles como José Gaos, Eduardo Nicol y María Zambrano; poetas como Luis Cernuda, León Felipe, Manuel Altolaguirre, José Bergamín, Juan Rejano; novelistas como Max Aub, Ramón J. Sender que después se mudó a California; arquitectos como Félix Candela; educadores como Patricio Redondo y Ramón Costa Jou que seguían la técnica Freinet, y muchos hombres invaluables que hicieron una enorme aportación a la cultura mexicana.

Los muros de México son frescos en potencia; existen solo para pintar sobre ellos. La historia se despliega frente a los ojos de los mexicanos en grandes imágenes que les enseñan su verdadera identidad; Diego Rivera pinta con sus dos ayudantes, Pablo O'Higgins y Jean Charlot. No solo el muralismo es importante, también florecen nuevas formas de vivir y de amar. Miguel y Rosa Covarrubias recorren la República entera descubriendo sitios arqueológicos y forman una colección fuera de serie. Después de su libro sobre Bali, publican su extraordinario *Mexico South*. Lupe Marín es una pantera negra y un día en que Diego Rivera no le da para el gasto le sirve una riquísima sopa de tepalcates. El Dr. Atl, Julio Castellanos, Roberto Montenegro, Fito Best Maugard, Xavier Villaurrutia, Salvador Novo, Jorge Cuesta, Rufino Tamayo, Manuel Rodríguez Lozano, Juan O'Gorman, Octavio Paz y Juan Soriano se vuelven contemporáneos de todos los hombres: los veinte y los treinta son extraordinariamente fecundos. Lázaro Cárdenas abre la puerta a los refugiados de la Guerra Civil Española así como se las abre a León Trotsky. Los Tres Grandes atraen a los extranjeros; el muralismo enseña a la vieja Europa el arte de un continente que apenas emerge. La admiración ahora se enfoca hacia México como antes a Florencia; a Teotihuacán como antes a Keops; a Chichén Itzá y Uxmal como antes al Coliseo. La nueva nación que surge de sus cenizas y que conquistó su libertad antes de la Revolución Rusa, es un ejemplo a seguir.

Elena Garro siempre habló más de su padre José Antonio Garro y del legendario compañero de sus correrías, su tío Boni, que de su madre norteña: Esperanza Navarro. Rosario Castellanos nunca se sintió amada por los suyos y menos aún tras la muerte de su hermano menor.

A diferencia de Rosario Castellanos y de Elena Garro, Nellie Campobello se avienta a los brazos de su madre y su entrega no tiene límites. Aunque Nellie parece no necesitar protección alguna contra el mundo (que es el de los Dorados de Villa, los hombres que en la noche se reúnen en torno a la fogata, los cadáveres que permanecen tirados hasta que apestan); todo su ser reclama a su mamá, una madre fuerte, de manos que saben enrollar un cigarro de hoja y prenderlo al atardecer, de manos de costurera que levanta bastillas, de manos que pueden empuñar un fusil, de manos responsables puesto que la cuidan a ella y a sus hermanos. Para referirse a su madre, Nellie escribe la palabra *Ella* en cursivas, destacándola como a una diosa a la que se debe honrar. La convierte en mujer maravilla dispuesta a la entrega y al olvido de sí misma. Para ella, no importa de qué bando sean los soldados: los considera sus hermanos y los protege aunque sean enemigos salvajes.

> Para mí ni son hombres siquiera —dijo *Ella*, absolutamente serena—. Son como niños que necesitan de mí y les presté mi ayuda. Si ustedes se vieran en las mismas condiciones, yo estaría con ustedes.

La convierte en un ser desprendido y dispuesto a la entrega: «Se dedicaba con verdadero amor a ayudar a los soldados, no importaba de qué gente fueran». La madre tuvo a Gloriecita con el doctor Ernest Campbell Morton, de Boston, y se dejó morir de pena a los treinta y ocho años, por la súbita muerte de su último hijo, rubio y de ojos azules.

Nellie Campobello escribe en una época extraordinaria, la de Scott Fitzgerald, Hemingway, Faulkner en los Estados Unidos y Freud, Stravinsky, Picasso, Virginia Woolf y Katherine Mansfield en Europa, en los años veinte cuando México atrae la creatividad de escritores de la talla de D. H. Lawrence, autor de *The Plumed Serpent* y *Mornings in Mexico*, John Dos Passos, y un poco más tarde, Hart Crane que habría de tirarse al mar desde la cubierta del barco de regreso a los Estados Unidos; sin hablar de los arqueólogos y antropólogos cautivados por el mundo maya y azteca, Eric Thompson y Paul Kirchoff. Malcolm Lowry escribió en Cuernavaca su mejor novela: *Bajo el volcán*. Al poeta ruso Mayakovski, autor de *Una nube en pantalones*, habría de precederlo y casi coincidir con él; otro ruso extraordinario, Sergei Eisenstein, que aquí filmó *¡Viva México!* Finalmente habrían de venir a México, casi en el mismo momento, André Breton, quien dijo que la pintura de Frida Kahlo era una bomba envuelta con un listón y la invitó a exponer en París en la galería Pierre Colle y León Trotsky con su esposa Natalia.

Nellie Campobello es contemporánea de mujeres fuera de serie como Leonora Carrington, Remedios Varo, María Izquierdo, Frida Kahlo, Lupe Marín, Nahui Ollin, María Asúnsolo, Dolores del Río y un poco más tarde, María Félix, Rosario Castellanos, Elena Garro y Pita Amor. Pertenece a un México que se descubre y, fascinado por sí mismo, seduce a otros; este México-divino-Narciso, este México-Ulises-criollo, este México-Prometeo Encadenado.

México que se nombra a sí mismo y aparece en la faz de la tierra, México del séptimo día, que sin alharacas se pone a nombrar las cosas de la tierra, para ver cómo y de qué están hechas y esparcirlas en la tarde como Carlos Pellicer, quien con su Hermano Sol coloca las grandes cabezas olmecas en las selvas de Tabasco.

La Revolución Mexicana es un auténtico movimiento popular; algunas mujeres también se yerguen y se adelantan a cualquier movimiento feminista en América Latina. Surgen figuras como Concha Michel, Benita Galeana y Magdalena Mondragón, cuyas obras no superan la valentía de su vida. Norteña como Nellie, Magdalena Mondragón, inconforme se burla del poder en *Los presidentes me dan risa*, prohibida en las librerías por subversiva.

Pertenecer a la tropa significa apretarse el cinturón y tener un corazón bien plantado. Nellie se sabe rebelde, y si no, lo intuye. No es una activista, no tiene ambición política (la Revolución la curó de espantos) ni desea más honores que los que le escatiman. Sin embargo, en la época de Miguel Alemán la cubren de joyas y de pieles pero no reconocen su literatura. Entonces se ciñe a la danza macabra de la Revolución junto a la danza que debería crearse en nuestro país, la danza popular cuyos taconazos deberían ser parte de los bailes académicos para reforzar nuestra identidad con los pasos que vienen de todas las provincias para hablarle a la gente de las zandungas y las Adelitas, los ritmos y los decires, los ¡ay, ay, ay! que gimen al compás de la guitarra. Así como Concha Michel recoge los corridos, versos y ritmos populares, Nellie y Gloria, su hermana, coleccionan pasos y movimientos, brazos y piernas; los pasos de su madre, la figura esencial de su vida:

> Mamá, baila para mí, canta, dame tu voz. Quiero verte bordar tu eterna danza para mí. Mamá, vuelve la cabeza. Sonríe como lo hiciste antes, girando con el viento como una amapola roja que deja caer sus pétalos.

Y esta súplica que viene de lo más hondo: «Y yo, ya mujer, vestida de blanco y sin maquillaje, lloraba fuera de la puerta: ¡Mamá, mamá, mamá!».

Las dos principales obras de Nellie son libros de memorias, los atroces recuerdos de una niña cuyo conocimiento de la muerte es absoluto y definitivo. Sus tablas de la ley son el paredón de fusilamiento y la horca; sus evangelistas, los fusilados y los revolucionarios que cruzan a galope los pueblos vacíos. De un hombre que camina por la calle Nellie dice: «Va blanco por el ansia de la muerte».

Nellie Campobello nunca supo que ella no tendría sepultura. Todos los hombres queremos ser dueños al menos de nuestra muerte; los franceses buscan siempre la muerte heroica, *une belle mort* o *une mort très douce,* como la muerte que Simone de Beauvoir le adjudicó a su madre; o la muerte de Goethe quien pide en el lecho de agonía: «*Licht, mehr Licht*»; o la valiente aceptación de las palabras finales de Kant: «Está bien».

En México la vida no vale nada: «Si me han de matar mañana que me maten de una vez». Nellie, familiarizada con la muerte, la disfruta. En 1986, gracias a los esfuerzos de Irene Matthews, Raquel Peguero, Felipe Segura y otros representantes de la Comisión de Derechos Humanos, la localizan en una tumba en la que hay otros tres cadáveres, al encontrar un certificado de defunción firmado por su secuestrador.

¿Quién se responsabilizó de ella? ¿Qué fue de su herencia? ¿Quién se apropió de los telones de fondo que pintó Orozco para la Escuela Nacional de Danza y paneles de teatro, dibujos, apuntes del natural; de los joyeros llenos de alhajas valiosas y los abrigos de pieles?

Salvo Emmanuel Carballo, quien la entrevistó y la respaldó, la crítica fue más bien tibia y escasa con Nellie Campobello.

De que los revolucionarios fueron machistas es una evidencia que salta a la vista. El autoritarismo emanado de la sacrosanta Revolución Mexicana permea la relación de pareja, la familiar, la social y la política.

A pesar de que Antonio Castro Leal la incluyó en la *Antología de la novela de la Revolución Mexicana*, de la editorial Aguilar, Nellie Campobello no ha ocupado el lugar que se merece. Es la única autora de novela de la Revolución y tan no fue tomada en consideración que dedicó toda su energía a la danza, en la que también destacó en forma notable.

En 1937, Ermilo Abreu Gómez opinó que «El libro de Nellie Campobello es una pequeña obra maestra —sobria, casta y honda— de uno de los mejores poetas de México». Francisco Monterde alabó la precisión de su ritmo. Desde luego el más entusiasta fue Martín Luis Guzmán quien la calificó de poema en prosa inspirada en la devoción y la imagen de una madre como seguramente hubo muchas en lo más secreto del heroísmo revolucionario. También Carlos González

Peña y José Juan Tablada la calificaron de libro bárbaro, dislocado y rudo a pesar de sus delicadezas y sus conmovedoras melodías.

Cuando murió su madre, todavía joven, Nellie confesó: «La quise tanto que no he tenido tiempo de dedicarme al amor. Claro que he tenido pretendientes, pero estoy muy ocupada con mis recuerdos». A propósito de galanes, Hugo Margáin también se enamoró de Nellie y entusiasmado por su belleza dice de ella en una entrevista que le hice el 4 de enero de 1993:

Era muy atractiva, muy independiente, muy inteligente, sobre todo inteligente. Gloriecita, su hermana, no tenía su capacidad. En alguna que otra ocasión, montamos a caballo en el rancho de Copilco, propiedad de mi padre, y comprobé que Nellie era una gran amazona. No solo salíamos al campo sino que comíamos y cenábamos juntos con frecuencia. Salíamos con ella y con Gloria (siempre andaban pegadas) y nos íbamos al Regis a platicar de la Revolución. Gloria, bonita pero muy bonita, era hija de otro marido de la mamá, pero la verdaderamente guapa y de gran personalidad era Nellie que además hacía el papel de hombre cuando ambas bailaban y le quedaba estupendamente el atuendo charro con los pantalones negros y con el sombrero galoneado de plata. Nellie me hizo jurar que no lo platicaría pero ahora esto es historia. Un día, cuando ya estábamos muy entendidos, me contó: «Yo era muy chica y tuve un hijo, Raulito, y ese niño era el sol de la casa de la calle de la Segundo del Rayo, en Parral. Todos lo amábamos, mis hermanos, mis primos, todos, y se murió» (no me contó cómo se murió ni se lo pregunté porque lo que ella quería era platicar y que yo la escuchara, pero si la interrumpía se irritaba).

Nellie se vino a México con Gloria. Participaron en el teatro Orientación, dieron algunas funciones en el patio trasero. Nuestra vida giraba en torno al reloj de Bucareli y a sus campanadas. También citábamos a las Campobello en el Café Colón a la entrada de Chapultepec y eran pláticas apasionadas sobre la Revolución. Ella era fanática del tema. Nellie iba mucho a Lady Baltimore a comprar chocolates con nueces y también allí, sobre la taza de café, hablaba de la Revolución. Cuando fui Secretario de Hacienda hice una medalla conmemorativa de Pancho Villa y la primera que salió se la di a ella.

La única que ha pasado a la historia es Gloriecita, la bailarina. Habla casi de pasada de un hermano mayor de trece años que se fue a la Revolución contra los carrancistas, al que visitó en Chihuahua en un hospital grande «con mucha luz y muchas caras que se despedían del sol. Allí se podía morir más a gusto, nadie llora, no hay velas». Habla de otro, también muerto y enterrado después del descarrilamiento de un tren entre Conchos y Chihuahua.

Aunque Nellie todo lo hizo para su hermana Gloriecita y construyó ballets enteros para que la hermana menor luciera su talento, Felipe Segura fue testigo de una confrontación entre ambas:

La odio, la odio con toda mi alma. Toda la vida me ha manipulado. Desde que era niña, siempre tenía que hacer lo que ella decía. A mí me daban tanto miedo los caballos y tuve que convertirme en amazona hasta que un día me embarranqué y casi me mato. Solo entonces entendió que odiaba yo a los caballos. Ahora le he dicho que ya no quiero bailar.

Sí, en 1929, Gloriecita apareció entre las diez mujeres más bellas del mundo; bailó por última vez en 1958 y murió a los cincuenta y siete años, después de Mauro Luna Moya, el hermano favorito de Nellie.

Dice Karen Scorza que Nellie Campobello «es parte de una generación que lleva las imágenes de la Revolución archivadas en su memoria donde otros guardan canciones infantiles». Las frases de Nellie son únicas y aterradoras. «¿Cuántos kilos de carne harían en total? ¿Cuantos ojos y pensamientos? Y todo estaba muerto en aquellos hombres. Esto decía mi mente de niña precoz». Extraña niña que piensa en los tiroteos como en una canción y habla de los cadáveres acumulados como kilos de carne. A la manera de José Guadalupe Posada, Nellie capta a los combatientes en su peor momento, el del disloque, la mueca final: «Si los hombres supieran que inspiran lástima en su última posición, no se dejarían matar». Lo que Nellie jamás previó es que nadie se detendría en su lecho de agonía; no encontraría espacio sobre la tierra; ningún sepulturero; nadie reclamaría su cuerpo. En su muerte hay tanta barbarie como la hubo en la Revolución.

Por eso el libro de Irene Matthews *Nellie Campobello: La Centaura del Norte*, trasciende porque resucita a una escritora cuyo paradero se ignoró durante años y cuyo destino reclamamos. Si Nellie fuera hombre, México no habría dejado que desapareciera. En 1985, Patricia Rosales Zamora preguntó airada en *Excélsior*: «¿Dónde estás, Nellie Campobello?». Pasaron años para que recibiéramos la desconsoladora e indignante respuesta.

La doctora Irene Matthews tiene un afán totalizador que lo deja a uno admirado. Vivió la desaparición y la muerte de Nellie en carne propia y no cejó en su intento de aclarar el caso. El olvido de la obra de las mujeres que escriben en español en nuestros países siempre la ha indignado y en el caso de Nellie hizo hasta lo imposible, recurrió a todas las instancias de Derechos Humanos, visitó juzgados, consultó abogados y litigantes, alertó a periodistas y luchó incansablemente aunque Irene no es una mujer autoritaria o agresiva. Pocas sonrisas tan preciosas como la de ella a pesar de que a veces tarde en aflorar a la superficie. Inglesa (*escocesa* corregiría ella), su sonrisa se vuelve significativa cuando se dirige al sol entre las nubes. «Sol ¿dónde estás? Sol ¿por qué no sales?». Entonces levanta su cara al cielo y le sonríe y el espectáculo es encantador. En México dejó de sonreír y al lado de la incansable Raquel Peguero no tuvo cese hasta no lograr capturar al siniestro Claudio Cienfuentes, el esposo de Cristina Belmont, alumna de Nellie en la Escuela Nacional de Danza, quien la secuestró y enterró sin avisarle a nadie en una fosa sencilla en el municipio de Progreso Obregón, Hidalgo, con una inscripción: «Srita NCM ML, 9 de Julio de 1986»: Nellie Francisca Ernestina Moya Luna, conocida por sus familiares y amigos como Nellie Campobello.

¿Cuales podrían ser los lazos de la joven Irene Matthews, profesora de tiempo completo en una universidad de Estados Unidos con Nellie Campobello? Irene la visitó en su casa laeríntica y peligrosa en 1979. Nellie le presentó a sus veinticinco gatos, entre ellos Pancho Villa viejo y feo. Le enseñó no solo el libro de su vida sino a bailar y a cantar; Irene la rescató y le hizo probablemente las últimas entrevistas que se conocen. Nellie se sintió reconfortada por el homenaje de la profesora que la reconocía por encima del tiempo y del espacio. En México, el mundo del arte no le prestaba gran atención.

Una vez, a fines de los cincuenta, Juan Soriano me contó que las hermanas Campobello se bañaban desnudas en la fuente de la Alameda. Ni lerda ni perezosa lo escribí y una carta fulminante de Nellie llegó al *magazine* de *Novedades*. No era cierto y yo era una grosera. Pagué caro mi irreverencia; perdí la oportunidad de entrevistarla. Por eso me dio gusto que Irene Matthews remediara en alguna forma mi inconciencia. Tres años más tarde, Irene la encontró en la cama enferma, débil y descuidada.

En 1981 acompañé a Irene a la calle de Ezequiel Montes 128 en el DF. No pudimos entrar. «Están sucediendo cosas terribles —me dijo ella—. Es una película de terror». Cerrada con varias chapas y cadenas oxidadas la casa dejaba ver un montón de escombros, trapos, muebles rotos: un imperio en ruinas; así como un retrato desteñido por la lluvia y el sol del cartel homenaje hecho en 1982 celebrando los cincuenta años de la inauguración de la Escuela Nacional de Danza. Unos perros doberman impedían la entrada y en 1995 Margarita Guerra y Tejada tuvo que pedir a la policía que los mataran si la atacaban. La planta baja de la casa dividida por cortinas; era un desastre. No se podía subir a la planta alta. Había ratas en los rincones e inmundicias sobre los tablones. Irene ya había visto la casa en pésimo estado cuando la visitó en 1979 pero el espanto la embargó al verla en ruinas.

A Nellie, familiarizada hasta la exacerbación con la muerte, le escatimaron su propia muerte y no pudo disfrutarla como paladeó la de los revolucionarios bajo su ventana. Hugo Margáin, al enseñarme un libro dedicado por ella: *Del clan de los Campbell al clan de los Margáin,* me aseguró que era hija de Pancho Villa.

Nellie bailaba y le decían Machete Pando —cuenta Juan Soriano— porque era muy esbelta y salía todos los años a bailar lo mismo en un estadio, un solo día, una danza como de los juegos olímpicos en una enorme superficie. Encabezaba a todas con una antorcha que levantaba al aire pero de tanto levantarla se pandeó. Bailaba bien, era muy guapa. Un día lo bailó en Bellas Artes, pero como no sabía bailar en un escenario pequeño, dio la vuelta y cuando creía que estaba frente al público, se encontró de espaldas a él. Le dio mucho sentimiento esa equivocación.

Su escuela de danza era multitudinaria y las muchachas bailaban en estadios, en patios, en plazas públicas, así, a lo bestia, en puros escenarios gigantescos. Era muy guapa Nellie, ella y sus bailarinas eran gimnastas. Todas se colgaban de palos y de árboles y luego se les enchuecaba la columna, cargaban piedras y esas piedras eran para su sepultura. ¡Qué mundo! Para mí es muy difícil saber si las Campobello eran cultas o no, porque en sociedad nadie tenía una opinión propia y toda la gente repetía lo que se usaba, lo que estaba de moda.

Nellie era muy fuerte, mucho más que Gloriecita. Le gustaba ser descendiente de Pancho Villa, que fue un bandido y un asesino espantoso como consta en los libros. Ese Centauro fue padre de varios niños de muchas mujeres, porque se casaba con todas las que encontraba. Luego abandonaba a su numerosa prole pero ellas se llamaban hijas de Pancho Villa. Una de esas hijas fue Nellie que era alta y de muy buen cuerpo, una cara agradable y muy orgullosa de su mamá como muchas mexicanas, porque su mamá había sido amante de Villa y ella nació de esa relación. Su hermana Gloriecita era hija de un gringo, Campbell. Gloriecita era rubia y para mí, mucho menos atractiva que Nellie aunque más bonita. Siempre andaban juntas, se llevaban bien y la grande protegía a la menor. Gloriecita bailaba de puntas, Orozco la escogió y se hizo amante de ella; fue la única mujer guapa que tuvo porque su mujer Margarita Valladares era fea y no lo dejaba ni pestañear.

México estaba metido en la política hasta el cuello. ¡Y los hombres eran muy matones! Andaban empistolados. Siqueiros no logró matar a Trotsky pero lo intentó. Yo llegué de Guadalajara y de veras me empavorecieron. Que si soy mexicano o no soy mexicano, que soy un burgués y tengo que vestirme de obrero y hablar como mexicano. El único gran éxito era Cantinflas que hacía juegos de palabras que cada quien interpretaba como podía. Eso era lo más mexicano, lo más bonito, la gran cultura.

Eran dos grupos —continúa Soriano— uno el de Los Contemporáneos, que repetían a André Gide, a Baudelaire y a Mallarmé, la cosa francesa y al irlandés que transformó la literatura, James Joyce, con su *Ulises*. Más tarde, iba yo con García Terrés y escogía un libro, uno de Bernanos, y me decía, muy pagado de sí mismo: «¿Vas a leer eso? Ya está superado». «Oye —le decía yo— no lo he leído, para mí no está superado». «¡Ah que impertinente eres!». «¿Por qué me dices eso? Si yo te creyera nunca sabría quién es Bernanos y me quiero enterar».

Virginia Woolf era otro ídolo que a mí me pareció una vieja ridícula. Tenía todo: dinero, dizque clase social, todo, y estuvo friegue y friegue. Era tan fina que no podía soportar la guerra y soportó todos los horrores que hizo su Bloomsbury, un grupo que destruyó el mundo de la decencia, del honor, de la gracia, de la verdadera literatura con puras pendejadas. ¡Imagínate, cuando yo dije que era una pendeja Sergito Pitol, nuestro amigo, me quiso matar! Estuvo sentidísimo conmigo durante años porque no me gustaba la Woolf.

Bueno, pues ya te cuento, esos eran los seguidores de Joyce. En el otro grupo estaban Diego Rivera y los revolucionarios que se vestían de mineros, de mecánicos, de overol, de zapatones de plan quinquenal y querían irse a morir a Moscú. ¿Te imaginas? Para ellos Carlos Marx era lo máximo pero ni lo leían. Yo me eché unos libros de Marx que, en parte, me parecieron aburridos, en parte ingenuos y en parte tristes. Describían un mundo en el que todos iban a estar encantados porque a todos les iban a quitar todo. Les iban a dejar los calzones y los zapatos esos tan feos. El grupo de los nacionalistas leía cosas revolucionarias que no lo eran tanto y seguían a ese gran equívoco que era Vasconcelos. Prometió mucho y luego echó marcha atrás acabando muy mal ¿no? muy desprestigiado y con una postura rara porque finalmente lo que más quería era dinero y reconocimiento. De joven, yo no tuve hacia quién ver, ningún ejemplo a seguir. No había. Paz fue el que me pareció el mejorcito, aunque me daba a leer libros que no me llamaban nada la atención y me moría del miedo de decirle que no me habían gustado. Si los hombres andábamos destanteados, imagínate las mujeres, esas andaban como trompos chilladores sin saber ni para dónde mirar y eso fue lo que le pasó a Nellie Campobello.

Emanuel Carballo escribió:

Nellie Campobello vive en una emoción distinta y distante de aquella en que habita la mayoría de los escritores mexicanos. Vive en la región de la Gracia. Contempla el mundo con ojos recién nacidos. Conserva el candor y la generosidad de los primeros años, la alegría expansiva de la juventud.

Lo anterior, a raíz de que Nellie le dijera:

Amar al pueblo no es solo gritar con él en fiestas patrias, ni hacer gala de hombría besando una calavera de azúcar, ni rayar un caballo, ni deglutir de un sorbo media botella de tequila. Amar a nuestro pueblo es enseñarle el abecedario, orientarlo hacia las cosas bellas, por ejemplo, hacia el respeto a la vida, a su propia vida y, claro está, a la vida de los demás: enseñarle cuáles son sus derechos y cómo conquistar estos derechos. En fin, enseñarle con la verdad, con el ejemplo, ejemplo que nos han legado los grandes mexicanos, esos ilustres mexicanos a los cuales no se les hace justicia. ¿Será porque no hemos tenido tiempo? ¿Porque los ignoramos? Se podría decir: ¿Porque no sabemos?

Un reciente trabajo sobre Nellie Campobello es la extraordinaria biografía de Jesús Vargas Valdés y Flor García Rufino: *Nellie Campobello. Mujer de manos rojas*, editado por la Universidad de Chihuahua, en 2012; sin duda el mejor libro sobre la autora de *Cartucho…* que nos invita a conocer, analizar y deleitarnos con la vida y la obra de Nellie Campobello.

4

JOSEFINA VICENS

A dos libros de la inmortalidad[4]

Para Aline Petterson

En 1958 entrevisté a Josefina Vicens; recuerdo que llegó antes que yo a la cita frente al edificio azul cielo de Cinematografía en División del Norte. La vi desde el coche, recargada en la reja; un mechón gris sobre un ojo; traje pantalón de tweed; impermeable al brazo. «Parece personaje de una película de Antonioni —pensé— uno de esos seres tristes y dolidos que nos taladran con su imagen durante días, meses y años». Luego, las dos subimos por el elevador hasta el último piso y nos sentamos en el café. Hacía como diez o quince años que no había visto a la Peque. También la recuerdo en la carretera México-Cuernavaca cuando todos los automóviles se detenían para rodear el nuestro que había quedado *boca arriba*: «¿Qué tienes? ¿Qué te pasó? ¿Se te ofrece algo?». Guillermo Haro y yo nos volcamos cuando yo manejaba y él se fracturó la clavícula. Entre la nebulosidad del accidente recuerdo su rostro ansioso: «¿Qué puedo hacer? ¿En qué ayudo? ¿Qué hago?». Con razón dice ella:

> Soy muy de la vida más que de nada, de la vida de mis amigos. Los sufrimientos de los demás me atrapan mucho y acepto enredarme. Yo me enredo mucho en la vida y la disciplina de escribir la cambio por el deleite de sufrir y vivir.

En 1958, la editorial Compañía General de Ediciones (fundada por el español Giménez Siles) publicó *El libro vacío*. Apareció de milagro porque la Peque se retorcía las manos de angustia ante su inmi-

[4] Este texto forma parte de las entrevistas publicadas en *Novedades* el 16 de noviembre de 1958 y 21-26 de marzo de 1982.

nente publicación. Pidió las primeras galeras, las corrigió en forma despiadada; luego pidió segundas y como atención especial se las dieron pero cuando pidió las terceras el editor le dijo: «Señora Vicens, esto es plomo, son tablas de plomo; cada vez que usted nos cambia una palabra a nosotros nos cuesta dinero. No puede usted corregir su libro con esta ferocidad». Sin embargo, la Peque encontró la manera de ir a la imprenta sin que lo supiera el editor, hacerse amiga de un corrector y aguardarlo a las cinco de la madrugada. Este, viendo su desesperación le dio las pruebas una vez, dos, pero a la tercera la paró en seco: «Mire, no se las doy porque no quiera sino porque si usted se empeña en seguir corrigiendo su libro se le va a secar». Entonces la Peque se asustó: «Bueno, pues ya».

El libro vacío resultó un éxito y la Peque se ganó la admiración de todos los que la leyeron, pero no se instaló en la satisfacción. Al contrario, siguió caminando por la calle con esa avidez que la caracteriza; ese anhelo de ternura, de calor humano contenido en todos sus movimientos y digo contenido porque la Peque es tímida, sus ademanes a veces se paralizan en el camino a pesar de su imperioso deseo de comunicación. Nunca he leído un libro más tierno, más cálido que el de Josefina Vicens.

Ahora Josefina Vicens es presidenta de la Academia Mexicana de Ciencias y Artes Cinematográficas y está viendo la producción de 1972, incluidos los cortometrajes porque premian hasta las coactuaciones. Su relación con el cine inicia en 1947, cuando era secretaria de la Sección de Técnicos y Manuales. Como buena secretaria era taquígrafa y mecanógrafa, además de saber redactar. Durante siete años fue oficial mayor hasta que un día se preguntó: «¿Por qué no escribo un guion?». Y lo hizo: *Aviso de ocasión* que le enseñó a Gabriel Figueroa quien la alentó. Ese primer guion se lo compraron pero no se hizo película. La Peque renunció a la Oficialía Mayor y pasó a la sección de Autores donde es secretaria de conflictos del Comité Ejecutivo de la Sección de Autores.

Acaba de ganar el Ariel por *Los perros de Dios*. Se presentaron más de cien guiones y el jurado estuvo compuesto por representantes de la Asociación de Productores del Derecho de Autor. El más interesado en producirlo y dirigirlo es Francisco del Villar y eso hace feliz a su autora porque Paco tiene una actitud poco común entre los productores que por lo general no toman en cuenta al autor. Para escribir un guion la Peque tarda entre cuatro y ocho meses y considera que lo más importante es la libertad.

Con razón Josefina Vicens ha quedado en el puro esqueleto. Delgada hasta el punto del rompimiento, sus ojos son los de un tigre agazapado en la noche. Pienso en William Blake: «Tiger, tiger burning bright in the forest of the night». La Peque arde al acecho en la oscuridad de la sala cinematográfica. Sus ojos son dos aceitunas abiertas en canal, la pulpa afuera verde y herida, dos ojos que de pronto se lanzan sobre el interlocutor bajo el bosque poblado de sus cejas. Su prosa se parece a ella: escueta, llena de fiebre, lista para dar el golpe.

—Peque, ¿no eres tú José García?

—Sí, soy yo —responde con su voz ronca de fumadora.

—¿Te gusta ser José García?

—No tengo más remedio que serlo. Soy oficinista.

—¿Por eso te vistes de señor?

—Trabajo mucho; son mucho más cómodos los pantalones, las camisas, el suéter, el pelo corto.

—Eres muy bonita, Peque.

—No me digas eso pero te voy a contar algo. Todas las mañanas al llegar a checar tarjeta firmo Emma Bovary… o cualquier otro, Gregorio Samsa.

—¿Te gustaría haber sido la Bovary?

—Claro que no, sufrió mucho.

—Y tú ¿no sufres?

—Es casi lo único que hago, sufrir, fumar y sobre todo escribir. Me cuesta más trabajo escribir que sufrir; sufro mucho más que José García con sus dos cuadernos.

—¿Por eso solo has escrito dos libros como Juan Rulfo?

(Sonríe)

—Sí, niña.

—¿Y por qué eres amiga de una diosa tan malcriada como Guadalupe Amor?

—Porque es imposible y yo vivo en la imposibilidad.

—¿Cuál?

—La de escribir. ¿No vas a tomar tu café, Elena? ¿No te has dado cuenta que se te está enfriando?

—Sí, Peque, sí… No te preocupes por mí.

—Es difícil no preocuparse por ti. También es difícil no preocuparse por Pita.

Josefina Vicens dice que le importa más lo que pasa a su alrededor que estar pegada a una máquina de escribir: «Canjeo la máquina de escribir por la vida». Con razón todos la quieren; ella sabe como su José García que los seres humanos deben hablarse, sentirse, quererse; que todo hombre que pasa junto a nosotros representa una ocasión de compañía y de calor y que la indiferencia y el desdén de unos por otros es pecado, el peor de todos. Y ella jamás ha cometido ese pecado. Tabasqueña, conserva en su cuerpo y en su alma el agua y la selva de Tabasco, las ceibas y los pejelagartos a los que les canta Carlos Pellicer.

En 1958, Josefina Vicens, antes anónima, se consagró como novelista con *El libro vacío*, cuyo protagonista es un burócrata tan común como su nombre: José García, que es lo mismo que decir Juan Pérez. Sin embargo, comparte las inquietudes de un personaje sartreano; se debate entre «el ser y la nada». Por esta novela, la Peque recibió el Premio Xavier Villaurrutia ese mismo año. Al hacerle entrega de la presea, Jaime Torres Bodet definió *El libro vacío* como una de las mejores expresiones poéticas de un pensamiento que es como un mar interior quieto e inmóvil, en el que la realidad se mira con videncia deslumbrante. Enfatizó que este premio creado y donado hace cuatro años por una sociedad de intelectuales, era la recompensa más digna y más justa a un libro excelente.

Momentos antes, Octavio Paz, ganador del premio en 1956, habló de la aparición de un grupo importante de escritores, novelistas, dramaturgos y ensayistas, cuyas obras son muy diferentes de las que marcaban a los escritores de la época anterior. Paz hizo mención a otros libros publicados en 1958, merecedores de atención: *El solitario Atlántico*, de Jorge López Páez y *La región más transparente*, de Carlos Fuentes. Tan elogiosa fue su crítica que Josefina Vicens usó su carta como prefacio a la segunda edición de *El libro vacío*:

Querida amiga:
Recibí tu libro. Muchas gracias por el envío. Lo acabo de leer. Es magnífico: una verdadera novela. Simple y concentrada, a un tiempo llena de secreta piedad e inflexible y rigurosa. Es admirable que con un tema como el de la «nada» —que últimamente se ha prestado a tantos ensayos, buenos y malos, de carácter filosófico— hayas podido escribir un libro tan vivo y tierno. También lo es que logres crear, desde la intimidad «vacía» de tu personaje, todo un mundo —el mundo nuestro, el de

la pequeña burguesía—. ¿Naturalismo? No, porque las reflexiones de tu héroe, siempre frente a la pared de la nada, frente al muro del hecho bruto y sin significación, traspasan toda reproducción de la realidad aparente y nos muestran la conciencia del hombre y sus límites, sus últimas imposibilidades. El hombre caminando siempre al borde del vacío, a la orilla de la gran boca de la insignificancia (en el sentido lato de esta palabra). Y aquí deseo anotar una reflexión al vuelo: literatura de gente insignificante —un empleado, un ser cualquiera—, filosofía que se enfrenta a la no-significación radical del mundo y situación de los hombres modernos ante una sociedad que da vueltas en torno a sí misma y que ha perdido la noción de sentido y fin de sus actos: ¿no son estos los rasgos más significativos del pensamiento y el arte de nuestro tiempo? ¿No es esto lo que se llama el «espíritu de la época»?

Rescatar el sentido de la historia (personal o social, vida íntima o colectiva), enfrentar la creación a la muerte, la ruina, el parloteo y la violencia: ¿no es una de las misiones del artista? Eso es lo que tú has realizado en *El libro vacío* (más allá de las imperfecciones o debilidades que los diligentes críticos encuentren en tu obra). Pues, ¿qué es lo que nos dice tu héroe, ese hombre que «nada tiene que decir»? Nos dice: «nada», y esa nada —que es la de todos nosotros— se convierte, por el mero hecho de asumirla, en todo: en una afirmación de la solidaridad y fraternidad de los hombres. Y así, un libro «individualista» resulta fraternal, pues cada hombre que asume su condición solitaria y la verdad de su propia nada asume la condición fatal de los hombres de nuestra época y puede participar y compartir el destino general.

Y ahora quiero confiarte algo personal: la imposibilidad de escribir y la necesidad de escribir, el saber que nada se dice aunque se diga todo y la conciencia de que solo diciendo nada podemos vencer a la nada y afirmar el sentido de la vida, yo también, a mi manera, lo he sentido y procurado expresarlo en muchos textos de *¿Águila o Sol?* y en algunos poemas de otros libros. No digo esto por vano afán de precisión literaria sino por el simple placer de señalar una coincidencia. Ahora que reina en tanto espíritu la discordia y la ira divisoria, es maravilloso descubrir que coincidimos con alguien y que realmente hay afinidades entre los hombres. Creo que los que saben que nada tienen lo tienen todo: la soledad compartida, la fraternidad en el desamparo, la lucha y la búsqueda.

Gracias de nuevo por *El libro vacío*, lleno de tantas cosas, tan directo y tan vivo.

Septiembre de 1958

El éxito de *El libro vacío* no tiene precedentes. La crítica fue unánime, Octavio Paz, Ramón Xirau, Jaime García Terrés, Edmundo Valadés, Francisco Zendejas, Rafael Solana, Rubén Salazar Mallen, Roberto Blanco Moheno, María Teresa Santoscoy, Socorro García, Margarita Nelken, el pintor Antonio Peláez saludaron a una nueva y gran escritora. Ramón Xirau escribió en el suplemento *México en la Cultura* de *Novedades*:

> La otra novela del año es para mí, *El libro vacío* de Josefina Vicens. Y no por prurito de modernismo y europeísmo. La novela de Josefina Vicens se parece muchas veces a las obras de angustia que ha desarrollado Europa en los últimos años. Lo que me interesa es que en la novela de Josefina Vicens hay un estilo muy claro y muy transparente, que sigue —perdónese el cliché— la difícil máxima de escribir con facilidad. Pero más allá del estilo —yo diría dentro del estilo— Josefina Vicens nos presenta un personaje en cuya impotencia se refleja un drama verdadero. García no puede escribir su libro. La impresión que ha logrado la novelista es esta: que un libro lleno de sentido nos muestre, a trasluz, el vacío de las páginas en blanco y el insomnio de una espera que no llega a cumplirse.

El poeta y médico Elías Nandino, director de la revista literaria *Estaciones* que acogió a tantos jóvenes escritores mexicanos, también manifestó su entusiasmo:

> Un caso insólito en nuestro medio ha sido la aparición de este libro de Peque (nombre que a Josefina Vicens le hemos impuesto todos sus amigos) que, sin haberse precedido de ruidosas vísperas, repiques y escándalos, por su propia fuerza entró de lleno para colocar a la autora no solo entre las mejores novelistas de México, sino entre los de todas partes.

Rafael Solana exclamó: «Sea bienvenida Josefina Vicens al círculo de los mejores prosistas de México».

Josefina Vicens da la impresión de una gran cautela. Cortés hasta la médula, prudente en sus juicios, cuidadosa en su trato con los demás, escrupulosa para ser más exactos; alerta en sus juicios para no herir a nadie, nadie podría ver la fiereza que puede hallarse en su prosa, en su entereza para afrontar cualquier acontecimiento. Su impulso vital es inagotable; es el de una mujer que ha trabajado sin descanso durante más de cincuenta años y se ha hecho querer por cuantos la rodean.

El libro vacío y *Los años falsos* no podrían existir el uno sin el otro. En ambos está presente José García, ahora Luis Alfonso, el protagonista de *Los años falsos* que nada tiene que vivir porque ya lo vivió su padre. Cuando Josefina Vicens nos dice que ninguna lectura le complace más que la de las esquelas en el periódico y las lápidas en el camposanto, nos está dando la clave de *Los años falsos*:

—Y como José García tú también sientes la necesidad de escribir, Peque.

—Sí, hay en mí un apetito de escribir, porque empecé otro libro de un enfermo y otro de quién sabe qué y ya iba yo a la mitad y nada, nada me parecía, pero el tema de *Los años falsos* me gustó, yo soy muy necrófila o ¿cómo se dice? Me gusta la muerte, yo hacía mis ejercicios en el Panteón Francés.

—¿Cuáles ejercicios?

—Ejercicios de gimnasia, ejercicios de caminar, como ahora la gente que corre en los Viveros o en Chapultepec. En vez de ir a los parques yo me iba al camposanto, al Panteón Francés de la Piedad, para ser exacta, pero ya no a correr porque la edad no me lo permite; ¡qué correr ni que nada, si hasta la vista perdí! Pero me gusta mucho ver las lápidas, los monumentos, y entonces los chamaquillos no me dejaban en paz: «¿Le traigo agua? ¿Le limpio su tumba? ¿Qué tumba busca? ¿Le arreglo la tumba de su muertito?». Entonces, un día para quitármelos de encima les dije: «Sí, mira, estoy buscando una tumba muy antigua, tiene que decir Josefina Vicens». Los dos muchachitos se fueron corriendo a buscar mi tumba. Le conté esto una vez a Amparito Dávila y me dijo: «¡Eres temeraria, Peque, qué bárbara!». «¿Por qué?». «Porque no te das cuenta en lo que acaba todo eso. Se van los chiquillos, buscan la tumba, la encuentran y tú, te caes muerta».

Se ríe.

—Y tiene toda la razón Amparito Dávila.

—Pues sí...

—¿Y tu libro *Los años falsos* también tiene que ver con la muerte?

—Claro, como que tengo una vocación por la muerte, un apego a la muerte, un apetito de muerte; pensé que este libro era publicable, me gustó escribirlo por esta especie de vida-muerte del muchacho. A mí me interesó el tema pero no sé si guste.

—Después del enorme éxito de tu primer libro, ¿no adquiriste cierta seguridad en ti misma?

—¡No, qué va! Si desde 1958 no publicaban nada y ya estamos en 1982. No sé si guste, no sé si interese. Ya ves, es esa enorme duda que siempre tiene uno.

—¿Pero no es el tema de *Los años falsos* la transubstanciación del muchacho en su padre, es decir, al morir su padre se convierte en el marido de su madre, el padre de sus hermanas, el amante de la amante de su padre que como buen mexicano tenía su casa chica?

—Sí, así es…

—¿Y no tuviste al escribirla la idea de Dios y Cristo, el hijo y el padre que se miran, se aman, viven el uno en el otro y son por lo tanto uno solo?

—Puede ser, pero el hijo, en muchos capítulos de la novela desea que su padre muera totalmente, que su padre se aparte definitivamente para que él pueda vivir. O que el muchacho se muera para que se mueran los dos y cese la tortura. Porque realmente el padre es el que sigue vivo, puesto que él ocupa su sitio. En el fondo, el muchacho pierde a su madre que se le convierte en esposa y pierde también a sus hermanas que se le convierten en hijas; los amigos de su padre no eran propiamente los que él hubiera escogido, entonces, el que sigue vivo, en realidad, es el padre... Y su único amigo, aquel al que va a buscar a la salida de la escuela; admira en él lo que tiene de su padre, es decir, el poder político, la fuerza bruta, el tener una amante, el saberse mover en los círculos políticos…

Luis Alfonso, el hijo de Poncho Fernández, el que sabía hablar *golpeado*, el de los cuates en la cantina, el amigo del diputado, el que se ponía a jugar vencidas cuando ya estaban *hasta las manitas*, el de la amante Elena a quien traía con la rienda corta.

Luis Alfonso no comienza a vivir su propia vida sino frente a la tumba de su padre, mejor dicho, cuando se sienta a contemplarla como lo pintó José Luis Cuevas en la portada del libro. Es un muchacho de traje y corbata, mitad blanco y mitad negro, con el rostro enrojecido quizá por la emoción, quizá por la vergüenza o por la ira; le dice a su padre cuánto lo odia, como se lo dice también cuando hace el amor con Elena, la que fue la amante paterna y ha pasado a ser la suya:

Esto lo digo yo, lo vi yo y es cierto. Soy de la misma estatura de mi papá, con un parecido notable y llevaba puesto su traje negro, el que me arreglaron. Además, jugaba con la cadena de las llaves. Palabra, se puso pálida, creí que se iba a desmayar. Sobre todo cuando fingiendo la mayor naturalidad y mirándola fijamente, le pregunté:

—¿Puedo pasar Elena?

No contestó, claro, pero como la puerta estaba abierta, yo entré y ella tuvo que seguirme y cerrar.

Luis Alfonso se enamora de la que antes había sido la amante de su padre, pero el padre está siempre presente, metido en la cama en medio de los dos. No se aman dos sino tres. Luis Alfonso, el hijo, agrede a Elena, la espía, la tortura. Los dos, la amante y el hijo reviven al padre en la misma fosa-cama en que se abrazan. Y es entonces cuando Luis Alfonso decide matar a su padre porque se ha enamorado de Elena, y en una visita a la tumba le confiesa al macho Poncho Fernández, su padre:

Elena me gustó, así rotundamente, Elena me gustó, pero como no sabía si en ese momento era porque a ti te gustaba, me era necesario estar a solas para averiguar si era mi propio gusto o un reflejo del tuyo o las dos cosas. Todavía lo estoy averiguando, papá, hoy que se cumplen cuatro años de tu muerte, dos de que vi a Elena por primera vez y un año y diez meses de que es mi amante.

Por más que visite la tumba y dialogue con su padre muerto, se confunden las personalidades de Poncho Fernández y de su hijo, y Josefina Vicens logra su objetivo porque el omnisciente Poncho Fernández sigue tan vivo en su machismo y en su arrogancia que lo olemos en cada página. Se recarga en nuestro corazón y echamos raíces junto a su lápida, su cruz, su ataúd, sus gusanos, su muerte entera. Y sin embargo, no hay nada que admirar en él, y nada nos lo hace querible, a diferencia de José García, el oscuro burócrata de *El libro vacío*. Luis Alfonso nunca deja de ser el hijo, el hijo de alguien, la sombra del padre le impide crecer; no tiene más salida que la de la asfixia.

Cuando Martín Casillas escogió la novela de Josefina Vicens, *Los años falsos*, recordó que *El libro vacío* había sido considerado una de las mejores novelas mexicanas, tanto que fue traducida al francés por

Dominique Éluard y Alaíde Foppa (a quien Peque le dedica su nuevo libro) y publicado —con una carta prefacio de Octavio Paz— por la editorial Julliard bajo el título de *Le cahier clandestin,* en 1963, cinco años después de su aparición en español.

Con el estilo terso de Josefina Vicens, aparece después de muchos años de silencio *Los años falsos,* novela extraña en la que se mezcla la crítica a la corrupción del sistema político con un problema humano labrado en las contradicciones: amor-odio, soledad-compañía, búsqueda-rechazo, se entrelazan para crecer retorcidos como los brazos de una bugambilia sobre el muro que la soporta.

Al igual que Nellie Campobello y Juan Rulfo, solo dos títulos le bastaron a Josefina Vicens para lograr la inmortalidad dentro de las letras mexicanas. Pero entre sus dos libros hay una diferencia de veinticuatro años y esto nos habla de la terrible autocrítica de la Peque. Exigente hasta la desesperación, como lo fue Juan Rulfo que escribía de noche y destruía de día o como el gran Jorge Cuesta que no publicó un solo libro en vida, Josefina Vicens demuestra con su actitud frente a la hoja en blanco que la escritura es un trabajo serio y que, en todo caso, ella es la mejor creación de su José García.

Cuando Emmanuel Carballo le pidió que contestara en tres cuartillas a las preguntas «¿por qué escribo? ¿para qué escribo? y ¿cómo escribo?», la Peque respondió:

Me di cuenta de que hay una parte de mí por la que el tiempo no ha transcurrido, una parte inmóvil, petrificada. O mejor: una parte convencida, creyente. ¿Cómo escribo? Pues como trata de explicarlo mi José García: «Mi mano no termina en los dedos: la vida, la circulación, la sangre se prolongan hasta el punto de mi pluma. En la frente siento un golpe caliente y acompasado. Por todo el cuerpo, desde que me preparo a escribir, se me esparce una alegría urgente. Me pertenezco todo, me uso todo; no hay átomo de mí que no esté conmigo, sabiendo, sintiendo la inminencia de la primera palabra. En el trazo de esa primera palabra pongo una especie de sensualidad: dibujo la mayúscula, la remarco en sus bordes, la adorno. Esa sensualidad caligráfica, después me doy cuenta, no es más que la forma de retrasar el momento de decir algo, porque no sé qué es ese algo; pero el placer de ese instante total, lleno de júbilo, de posibilidades y de fe en sí mismo, no logra enturbiarlo ni la desesperanza que me invade después». No me hagas estas preguntas querido Emmanuel. No a mí que he escrito un solo libro y que casi no creo que me alcance la vida para terminar el otro. He sufrido mucho al contestarte.

Este texto forma parte de la contraportada de la segunda edición de *El libro vacío*.

Josefina Vicens me confió su álbum de recortes de prensa. Además de una infinidad de críticas sobre *El libro vacío*. La Peque me sonríe desde sus fotografías y en ellas me sonríe la Josefina Vicens que conocí en 1958, maquillada, de vestido y pelo negro muy chino, con collar, una bufanda, bolsa, guantes, zapatos de tacón, la que recibe el premio Villaurrutia de manos de Jaime Torres Bodet. Qué redondita era entonces, parecía tórtola y su sonrisa se proyectaba desde sus labios pintados de rojo. Ahora, la Peque parece una hebrita de tan delgada y tan frágil vestida de tweed y de pelo corto, convertida en José García. La recuerdo en un coctel de Pita Amor quien reunía a todo México en la calle de Duero. La Peque fumaba como chimenea y no era la única, a todos los intelectuales les daba por encender un cigarro tras otro. En ese coctel —cuenta la Peque— conoció a dos de sus mejores amigos: Antonio Peláez y Sergio Fernández.

Vuelvo al álbum y veo a Josefina Vicens casada con José Terrel —los testigos de la boda fueron Gerardo Estrada y Luis Cardoza y Aragón—. Josefina asegura que José y ella llevaron una vida muy padre, de lecturas y amigos comunes. José Terrel era tío de Aline Petterson, pero un día decidieron separarse: «Él era difícil, neurasténico». Terrel se suicidó años después de haberse separado de la Peque: «Yo a él lo estimé profundamente». Luego aparece la Peque en diversas fotografías, con un cigarro en la mano y su pelo corto rizado, junto a Octavio Paz, Elías Nandino, Guadalupe Dueñas, Pita Amor, Sergio Fernández, el general Lázaro Cárdenas, Javier Rojo Gómez de la Confederación Nacional Campesina. Y pienso que la suya ha sido una vida fructífera y noble, de amor a los demás, amor a su trabajo y amor a la buena literatura.

En los últimos años de su vida, Peque tuvo una compañera inmejorable, una Florence Nightingale, una Juana de Arco, una joven y sabia escritora que en cierta forma resultó su pariente, Aline Petterson, entrañable y gran escritora también.

Con una devoción absoluta, Aline acompañaba a la Peque a la sala Manuel M. Ponce en Bellas Artes o a alguna reunión en Filosofía y Letras en la UNAM. Poeta, Aline Petterson vivió la realidad casi cotidiana de la Peque y la compartió hasta el último momento. Autora de *La noche de las hormigas, Tiempo robado, Círculos,* ella misma es una novelista consumada. Nunca soltaba su brazo porque la Peque ya no veía. La vida de la Peque jamás fue monótona, al contrario, fue temeraria. Peque era una mujer intensa; amaba intensamente la literatura y a la gente común y corriente, la de todos los días: el ama de casa en *El libro vacío,* la mujer de José García, la que hace las camas, prepara la comida; es el pilar del hogar y jamás protesta cuando su marido se encierra a torturarse con esa maldición espantosa que es la escritura.

Mi mano no termina en los dedos: la vida, la circulación, la sangre, se prolongan hasta el punto de mi pluma. En la frente siento un golpe caliente y acompasado. Por todo el cuerpo, desde que me preparo a escribir se me esparce un átomo de mí que no esté conmigo, sabiendo, sintiendo, la inminencia de la primera palabra.

5

ROSARIO CASTELLANOS

Un grito en el páramo[5]

Dice José Joaquín Blanco en su excelente *Crónica de la poesía mexicana* que Rosario Castellanos, «con su nombramiento de embajadora y su muerte lamentable pasó a encarnar un mito nacional» y su apreciación es discutible. Más que mito es una entronización por parte del entonces presidente Echeverría y de su familia, y dentro de la política mexicana lo que un sexenio consagra el otro lo silencia. Mito o no, institucionalizada en los setenta como una segunda Virgen de Guadalupe, adulada, condecorada y reconocida por los grupos de poder, Rosario Castellanos fue una figura ajena a los que pretendían beatificarla. Fue, ante todo, una mujer de letras que supo encauzar su vocación de escritora y ejerció su oficio. Amó esencialmente la literatura, la estudió y la divulgó. Un ser concreto ante una tarea concreta: la escritura, y desde un principio se comprometió con ella. Lo demás, puestos, condecoraciones, homenajes, vinieron por añadidura. Su vida nos enseña mucho sobre nosotras mismas; sus conflictos personales analizados a la luz pública nos ayudan a comprendernos; su tono intimista e irónico nos obliga a sonreír, a reír, a no tomarnos en serio; su obra, esa sí muy seria, constituye un punto de partida del cual podemos arrancar las que pretendemos escribir, ya que atañe a las mujeres pero sobre todo a las mexicanas. No es que Rosario se haya obligado a emular a Simone de Beauvoir; es que el único punto de referencia era Simone de Beauvoir, y por lo tanto América Latina, en un afán de ponerse al día, produce desde Picassos hasta Elizabeth Taylors del subdesarrollo. Lo que Rosario tenía de valioso estaba en sí misma, no en los papeles que se le endilgaron: feminista, mexicana

---

[5] *¡Ay vida, no me mereces!* México: Era, 1985, pp. 45-132.

ejemplar, funcionaria patriota. Sin embargo, tampoco se puede disociar a Rosario Castellanos de lo que representó para sus contemporáneos.

El 15 de febrero de 1971 es un día clave en la causa de la mujer. Rosario pronuncia su discurso en el Museo Nacional de Antropología e Historia. Habla del trato indigno entre hombre y mujer en México y sus palabras la convierten en precursora intelectual de la liberación de la mujer en México. Por primera vez, a nivel nacional Rosario denuncia la injusticia en contra de la mujer y declara que no es equitativo ni legítimo que uno pueda educarse y el otro no; que uno pueda trabajar y el otro solo cumpla con tareas domésticas que no ameritan remuneración; que uno es dueño de su cuerpo y el otro no. Este grito de Rosario —porque fue un grito— tuvo una amplia resonancia. Nadie hasta entonces, ninguna diputada, ninguna senadora se había ocupado de la condición femenina; y si lo pretendió lo hizo tan tímidamente, levantó la mano con tantas precauciones, que nadie la vio.

Hasta 1971, las mujeres en el poder eran asimiladas por él, su voz no se aislaba en la unidad del coro por temor a perderla; las mujeres adoptaban el patrón masculino y triunfaba «el hombre» que hay en todas nosotras. Rosario, ya dentro del engranaje oficial, gritó airada. Toda su obra, a partir de 1955, estaba encaminada hacia ese grito de denuncia. De hecho, el grito es su obra misma, ya que Rosario Castellanos se la pasó tratando de explicarse a sí misma y de explicarnos qué significa ser mujer y serlo en México.

Rosario, esa mujer que «gritó en un páramo inmenso», es el ejemplo más sólido de vocación literaria que se ha dado entre nosotros. No pienso en Sor Juana porque es un fenómeno aparte, imposible de catalogar; pienso en todas las que deambulamos por la calle y no encontramos taxi y nos duele la cabeza y se nos acumula el trabajo y no sabemos ya ni a qué santo encomendarnos. En medio de ese torbellino de desastres cotidianos —y ella era una mujer expuesta— Rosario pudo crear y verter en letras una obra admirable. Entre 1948, en que se publicó su libro de poesía *Apuntes para una declaración de fe* y 1974, año de su muerte, salieron a la luz once libros de poesía, tres de cuento, dos novelas, cuatro de ensayo y crítica literaria, una obra de teatro, *El eterno femenino* y un volumen que reúne sus artículos periodísticos: en total veintitrés libros a lo largo de veintiséis años. Inició su labor periodística en 1963 y once años más tarde la truncó la muerte. Su último artículo, «Recado a Gabriel», apareció en el periódico

Excélsior el 26 de agosto, veinte días después de su muerte ocurrida el 7 de agosto de 1974. Trabajó mucho, honró a su país; si la llamaban podía irse tranquila porque había pagado su tributo a la tierra; pudo incluso hacernos un encargo:

> Cuando yo muera, dadme la muerte que me falta
> y no me recordéis.
> No me repitáis mi nombre hasta que el aire sea
> transparente otra vez.
> No erijáis monumentos que el espacio que tuve
> entero lo devuelvo a su dueño y señor
> para que advenga el otro, el esperado
> y resplandezca el signo del favor.

Ninguna escritora mexicana tan ligada a su propia muerte como Rosario Castellanos. La fijación no ceja y surge en sus primeros poemas publicados en *El Estudiante*, una revista chiapaneca que acogió los pininos que con gran timidez vino a ofrecer la joven de quince años. Se los entregó al profesor Agripino Gutiérrez, cuya introducción resultó previsora, más atinada que la de muchos críticos:

La señorita Rosario Castellanos es escritora incipiente, pero será poeta de Chiapas. En sus versos campea una emoción muy honda, profundos secretos se encierran en ella y se advierte una mezcla de ensoñaciones y anhelos con ese amargor que sienten las almas exquisitas que anhelan siempre mucho más allá de lo real.

Hojear el libro *Poesía no eres tú* es toparse con la muerte a la vuelta de cada página, o con el desamor, que es casi lo mismo:

> Heme aquí ya al final y todavía
> no sé qué cara le daré a la muerte

Hasta el encargo que tanto hemos escuchado después de que Rosario murió al electrocutarse con una lámpara casera en la sede de la embajada en Israel. Pero no solo es la muerte la que ronda a Rosario, sino el suicidio:

La fuerza oscura que nos pide muerte trabaja en mí, me llama,
con silencio de pez entre mis venas.

La requiere en todo momento, a toda hora, grita que va a morirse, que quiere morir; traduce a Emily Dickinson: «Morir no hiere tanto/ nos hiere más vivir». En uno de sus últimos poemas, «El retorno», Rosario se maltrata:

> Superflua aquí, superflua allá. Superflua
> exactamente igual a cada uno
> de los que ves y de los que no ves.
> Ninguno es necesario
> ni aun para ti que por definición, eres menesterosa.

En «Advertencia al que llega» es aún más clara:

> No me toques el brazo izquierdo. Duele
> de tanta cicatriz.
> Dicen que fue un intento de suicidio
> pero yo no quería más que dormir
> profunda, largamente como duerme
> la mujer que es feliz.

En «Falsa elegía» su tema es otra vez la muerte:

> Compartimos solo un desastre lento.
> Me veo morir en ti, en otro, en todo.
> Y todavía bostezo o me distraigo
> como ante el espectáculo aburrido.
> Se destejen los días,
> las noches se consumen antes de darnos cuenta;
> así nos acabamos.
> Nada es. Nada está
> entre el alzarse y el caer del párpado.

En el dedo del corazón Rosario lleva un anillo de oro con un sello grabado. Sirve «para identificar a los cadáveres». La muerte está siempre al acecho, comiéndose su vida. Desde su primer libro, *Trayectoria del polvo*, campea en todas sus páginas:

He aquí que la muerte tarda como el olvido.
Nos va invadiendo lenta, poro a poro.
Es inútil correr, precipitarse,
huir hasta inventar nuevos caminos
y también es inútil estar quieto
sin palpitar siquiera para que no nos oiga.

Cada minuto es la saeta en vano
disparada hacia ella
eficaz al volver contra nosotros.
Inútil aturdirse y convocar a fiesta
pues cuando regresamos, inevitablemente,
alta la noche, al entreabrir la puerta
la encontramos inmóvil esperándonos.
Y no podemos escapar viviendo
porque la Vida es una de sus máscaras…

Al vivir, Rosario alimenta a la muerte, va ganando terreno en su propio cuerpo, ensanchándose, nada la detiene. Hasta el embarazo es muerte (se le murió una hija recién nacida) y la gestación una faena:

Como todos los huéspedes mi hijo me estorbaba
ocupando un lugar que era mi lugar,
existiendo a deshora,
haciéndome partir en dos cada bocado.
Fea, enferma, aburrida
lo sentía crecer a mis expensas.
Robarle su color a mi sangre, añadir
un peso y un volumen clandestinos
a mi modo de estar sobre la tierra.

Podría pensarse que Rosario era un esqueletito rumbero, una calaca que camina sacudiendo sus canillas, perdiendo sus peronés, sus clavículas, su fémur y metacarpos. Pero no. A la manera de Posada, en la vida diaria, Rosario era una mujer que reía y hacía reír con facilidad; estar con ella era un gusto, escucharla, la garantía de una hora feliz. Ingeniosa, se proponía encantar. Decir: «Va a venir a cenar Rosario Castellanos», era asegurarse una velada enriquecedora porque Rosario encandilaba, sobresalía por su agudeza, su forma original de ver la vida, los planteamientos que de ella hacía, el relato pormenorizado de anécdotas chuscas de las que era la víctima y la protagonista. Reíamos hasta las lágrimas y el que sabe hacer reír a los demás es igual que el que sabe hacer buen pan: un repartidor de dones. Rosario repartía a manos llenas, sin embargo en su escritura nada se concedía a sí misma:

> Yo conocí una paloma
> con las dos alas cortadas;
> andaba torpe, sin cielo,
> en la tierra, desterrada,
> La tenía en mi regazo
> y no supe darle nada.
> Ni amor, ni piedad, ni el nudo
> que pudiera estrangularla.

Curiosamente, en este poema Rosario se ve alcanzada por otro poema en prosa de Beatriz Espejo, a quien Rosario le concedió la mejor entrevista. O fue Beatriz Espejo quien la entrevistó mejor que otros, como María Rosa Fiscal hizo el trabajo más exacto y amoroso: «La imagen de la mujer en la narrativa de Rosario Castellanos». El texto de Beatriz Espejo se llama *La paloma* y dice así:

La tía Mercedes caminaba por un callejón de Montparnasse cuando de pronto encontró una paloma que yacía en el suelo con el ala rota. Se adelantó unos pasos; entonces vino un hombre gordo cargado de buenas intenciones que se agachó a recogerla y la arrojó al aire exclamado: «¡Vuela, no seas floja!» y la mató.

He llegado a pensar que a Rosario la matamos. Quizá sea absurdo pero este sentimiento se agudiza a medida que pasa el tiempo. Hablo de las mujeres porque su situación es más expuesta, más sujeta a una sociedad infinitamente hostil. Es mucho más fácil burlarse de una escritora que de un hombre de letras. Pita Amor se caricaturizaba a sí misma porque en cierta forma creía que «su público» se lo exigía. Lo que ella fraguó con frescura nosotros lo rematamos: «Tú tienes que ser así, de otro modo no gustas». Una mujer es el resultado de lo que se dice de ella. Su destino lo configura el grupo humano al que pertenece, cuando no es la propiedad de un hombre. Es larga la fila de mujeres que se conforman con ser solo *la señora de*. Otras, las que no siguen la caravana, son chivas locas, y así les ha de ir. Y así les va. Si no, vean a Frances Farmer vuelta a la «realidad» a fuerza de electroshocks. Rosario vive en una sociedad que aún no la merece como no merece a ninguna de las mujeres que intentan un camino distinto; se estrellarán o serán destruidas. A tres siglos de distancia Rosario puede decir lo mismo que Sor Juana: «la comunidad humana no le ayuda a la mujer a realizarse». Antes de los cincuenta años, Sor Juana renuncia al estudio y regala su biblioteca; antes de los cincuenta, Rosario Castellanos se electrocuta, cumpliendo así todos los vaticinios de su poesía: «Sabed que la esperanza nos traiciona/ y que es la compañera de la muerte».

En Rosario había algo inasible, un andar presuroso, un tránsito que iba de la risa al llanto, del corredor a la mesa de escribir; un ir y venir de sus clases en la Facultad de Filosofía y Letras al Instituto Kairós; una premura, un ansia que punzaba sin mañana y sin noche.

Veinte poemas dentro de su obra poética giran alrededor de la muerte, sin contar los dos poemas dramáticos *Salomé y Judith*. Lo mismo sucede con su obra en prosa; sus dos únicas novelas *Balún Canán* y *Oficio de tinieblas* relatan una muerte. Así se interroga:

¿Qué se hace a la hora de morir? ¿Se vuelve la cara a la pared?
¿Se agarra por los hombros al que está cerca y oye?
¿Se echa uno a correr, como el que tiene las ropas incendiadas, para alcanzar el fin?
¿Cuál es el rito de esta ceremonia?
¿Quién vela la agonía? ¿Quién estira la sábana?
¿Quién aparta el espejo sin empañar?
Porque a esta hora ya no hay madre y deudos.
Ya no hay sollozo. Nada, más que un silencio
atroz.
Todos son una faz atenta, incrédula.
De hombre de la otra orilla.
Porque lo que sucede no es verdad.

Así quedamos nosotros a la otra orilla, incrédulos. Así lo dijo también Emilio Carballido que nunca acabó de asimilar lo sucedido y permaneció de pie bajo la lluvia hasta que cayera la última palada de tierra mientras una joven, Alcira, ensopada, el pelo como cortina de agua sobre los hombros, repartía volantes con poemas de Rosario y una nota biográfica que nos fue tendiendo a cada uno, como sudario, como pañuelo de adiós.

Rosario murió en la forma más absurda al tratar de conectar una lámpara en su casa de Israel. La descarga eléctrica la mató y falleció solita a bordo de la ambulancia que la llevaba al hospital. Nadie la vio, nadie la acompañó. Al irse se llevó «su modo de ser río, de ser aire, de ser adiós y nunca». En Israel le rindieron grandes honores. En México, la enterramos bajo la lluvia en la Rotonda de los Hombres Ilustres. La convertimos en parque público, en escuela, en lectura para todos. La devolvimos a la tierra.

José Joaquín Blanco califica la mayor parte de los poemas que integran *Poesía no eres tú* de sentimentales, amargos, religiosos y domésticos; aderezados con mitos (Hécuba, Penélope, Nausica) y figuras alegóricas (la Madre, la Solterona, la Abandonada, la Cortesana) «pensados más para la declamación no oratoria y engolada sino recitada y triste como las oraciones de las mujeres en el templo —ágora femenino— y a media voz, lenguaje femenino».

No creo que Rosario Castellanos se haya propuesto legar una imagen de plañidera. Sí usó la literatura como terapia, como lo hacemos los seres humanos. Recurrimos a la escritura para liberarnos, vaciarnos, confesarnos, explicarnos el mundo, comprender lo que nos sucede. Rosario lo hizo hasta en sus artículos periodísticos cuando se suponía que escogería temas de política internacional o de sociología; incluso cuando los abordó fue siempre ligándolos a su biografía y a su experiencia personal. En cuanto al sentido de la literatura tenía una formación académica rigurosa y era absolutamente profesional; por lo tanto, si la ejerció como un desahogo, una entrega de sí misma, la hizo con conocimiento de causa. Pocos escritores mexicanos han proporcionado tanta información acerca de su persona; pocos lo han hecho tan emotivamente: «Aquí estoy, mírenme, nada escondo», los ojos brillantes, la sonrisa al acecho.

Siempre tuve la sensación de que Rosario andaba entre la gente con una flor en la mano buscando a quién regalársela. Su rostro también abierto se tendía hacia arriba (Rosario era una mujer pequeña), carita de luna llena: *chulmetic,* como dice en Chiapas, la mujer lunita, la mujer del sol. «¡Pero qué manitas de maya!», solía exclamar Miguel Ángel Asturias. A ella debemos agradecer el haber acercado a muchos a la literatura al hacerla más familiar, más doméstica, más *wash and wear*; facilitó su trato al brindarse ella misma en el holocausto; presentó su conflicto para convertirlo en el de todas. Provocó sentimientos de verdadero cariño al hablar de sí misma lúcida y abiertamente y al lavar en público sus trapos sucios. La ropa sucia se lava en casa pero Rosario lavó la suya a la vista de miles de lectores e hizo que muchos se identificaran con ella.

Dentro de nuestra literatura, Paz suscita la admiración; Fuentes, la envidia; Revueltas, el respeto; Rulfo, el asombro. Ninguno como Rosario Castellanos provocó el amor. Por eso su muerte fue sentida como una pérdida personal (según Aurora Ocampo más de quince tesis sobre Rosario Castellanos se elaboran al año en la UNAM); por eso también una librería del Fondo de Cultura Económica lleva su nombre y sus libros se venden bien cuando durante su vida, y a pesar de la publicidad, circularon escasamente dos que tres ediciones de sus novelas y no se diga de la poesía que en México (salvo Octavio Paz y Jaime Sabines) está dada a la tristeza.

He aquí un ejemplo de un artículo enviado desde Tel Aviv, el 19 de julio de 1973, para la página editorial de *Excélsior*:

Recapitulamos: primero, hija única, sin asistencia regular a ninguna escuela o institución infantil en la que me fuera posible crear amistades. Abandonada durante mi adolescencia a los recursos de mi imaginación, la orfandad repentina y total me pareció lógica. Permanecí soltera hasta los treinta y tres años durante los cuales alcancé grados de extremo aislamiento, confinada en un hospital para tuberculosos, sirviendo en un instituto para indios. Luego contraje un matrimonio que era estrictamente monoándrico por mi parte y totalmente poligámico por la parte contraria. Tuve tres hijos de los cuales murieron los dos primeros. Recibí el acta de mi divorcio (cuyos trámites se había iniciado con la debida anticipación), ya en mi casa de Tel Aviv.

Añada usted a todo ello que soy tímida y que, mientras no fue mi obligación, no asistí a ninguna fiesta por temor a mezclarme con los demás, a confundirme, a abolir esa distancia que tan a salvo me mantenía de todo contacto sentimental.

Para sentirme acompañada yo no necesité, prácticamente nunca, de la presencia física del otro. Cuando era niña hablaba sola, porque soy Géminis. Antes de dejar de ser niña ya había comenzado a escribir versos y ¿cuál fue el resultado de mi primer enamoramiento? La redacción de un diario íntimo que surgió primero como un instrumento para acercar al objeto amoroso pero que acabó por sustituirlo y suplantarlo por completo. Derivé, del tema al que se suponían exclusivamente consagradas las páginas de un cuaderno escolar, a la crónica de los sucesos del pueblo entero. Crónica que después me ha servido para escribir cuentos, novelas, poemas.

Dentro de ese mismo orden de ideas, Rosario Castellanos le dijo a Beatriz Espejo en 1967:

Mis enamoramientos y mis desengaños se desarrollaban en un plano estrictamente imaginario. Estoy segura de que mis «grandes amores» jamás advirtieron que generaban en mí una gama variadísima de estados anímicos y una serie interminable de sonetos. Estas experiencias no trascendían desde el punto de vista real ni literario. En *Lamentación de Dido* la experiencia fue tan pobre como las anteriores; pero logró plasmarse en una forma literaria que todavía considero válida.

En gran medida, la prosa de Rosario encuentra su equivalente en su poesía; no hay disociación alguna como en la obra de Octavio Paz, por ejemplo. Rosario pasa de la prosa a la poesía y aborda los mismos temas. Mejor dicho, su grito de soledad se le impone siempre. Dice en *Trayectoria del polvo*, su primer libro: «En mi genealogía no hay más que una palabra: soledad», y en ese mismo libro insiste: «Nací en la hora misma en que nació el pecado y, como él, fui llamada Soledad». De niña Rosario se describe a sí misma como una criatura solitaria y culpable sin más compañía que la de su nana chamula, quien le enseña a comer, a hablar y a coser. Dócil, lo es hasta la mansedumbre. En la escuela es siempre estudiosa y sus compañeras la buscan para que les explique lo que no entienden. Dolores Castro, su amiga de infancia, cuenta que era una niña tan delgada y tan frágil que la directora la eximió de la gimnasia y del deporte, y cuando en 1939 la familia Castellanos, ya sin tierras —expropiadas por la Reforma Agraria—, se traslada a México, también en la Secundaria le prohibieron correr y jugar a la pelota, por lo que Rosario se queda leyendo. Tampoco va a fiestas, se excusa diciendo que irá con mucho gusto, «en cuanto engorde». En México, Rosario concibe la vida como un proceso de purificación para llegar a otro estrato y escribe, escribe, escribe. Desde niña se refugia en la soledad y sabe que escribir disminuye esa sensación; lo dice textualmente:

Mi experiencia más remota radicó en la soledad individual; muy pronto descubrí que en la misma condición se encontraban todas las otras mujeres a las que conocía: solas solteras, solas casadas, solas madres. Solas, en un pueblo que no mantenía contacto con los demás. Solas, soportando unas costumbres muy rígidas que condenaban el amor y la entrega como un pecado sin redención. Solas en el ocio porque ese era el único lujo que su dinero sabía comprar. Retratar esas vidas, delinear esas figuras forma un proceso que conserva una trayectoria autobiográfica. Me evadí de la soledad por el trabajo, eso me hizo sentir solidaria de los demás en algo abstracto que no me hería ni me trastornaba como más tarde iban a herirme el amor y la convivencia.

Escribe José Joaquín Blanco sobre Rosario:

Castellanos prefiere el ritmo de quien habla después del dolor pero conserva íntima y resignadamente sus marcas, incapaz de intervenir en los acontecimientos, que solo puede —«sauce a la orilla de los ríos», dice en «Lamentación de Dido»— sentirlos y expresarlos con inerme queja.

La frase de José Joaquín Blanco: «incapaz de intervenir en los acontecimientos», me impresiona porque la ligo inevitablemente a la suerte de la mujer en América Latina; y veo que Rosario, a pesar de su inteligencia, su talento, su vocación, su trayectoria académica, finca su vida en la circunstancia amorosa y al fracasar en ella siente que lo demás no importa, «se tiende sobre el lecho de agonía» y «sonríe ante un amanecer sin nadie». De no serle tan absolutamente fiel a su idea de la condición femenina, Rosario podría intervenir pero se empeña en el amor y su quehacer literario acaba siendo secundario. Si para el hombre el amor no suele ser sino el momento en que se enamora, para la mujer es inmanencia, la entrega absoluta, la selección de un modo de vida durable hasta la muerte: concebir a los hijos y criarlos. Para el hombre no es un fin en sí; su objetivo en la vida está en lograr lo que se propone, «realizarse». La mujer, para usar palabras de Rosario, permanece en los patios interiores, apaga las antorchas, termina la tarea del día. Cuando es joven, hace la reverencia, baila y se sienta a esperar el arribo del príncipe. Cuando es vieja, aguarda a que le den la orden de que se retire.

Rosario sigue la convención y asume en principio las cualidades llamadas femeninas: la abnegación, la renuncia, la docilidad, el sometimiento. No le cuesta ningún trabajo porque ella es, en esencia, una mujer dulce y complaciente. Nadie un poco avezado cree en los prestigios económicos, sociales, morales y sentimentales del matrimonio, pero es tan fuerte y vigente la institución que solo hasta ahora empieza a cuestionarse. Es extraño que Rosario haya estado tan poco preparada para la relación conyugal, pero si uno se remonta a su formación religiosa y a sus años escolares, resulta previsible, ya que la enseñanza que imparten las escuelas religiosas es absolutamente irreal y garantiza el fracaso de sus pupilas, y si no el fracaso, al menos, impide la realización de sus capacidades. ¿Qué es lo que esperaba Rosario? ¿Creía en el amor sublime? ¿Estaba en Babia? Se lo dijo muy claro a Margarita García Flores a propósito de la publicación de su libro *De la vigilia estéril*:

> En esa época yo hacía una vida de ascetismo, mayor que la de una monja y no tenía la menor capacidad ni siquiera para distinguir los sabores de las cosas. Era yo particularmente insensible a todos los datos de los sentidos y sin embargo mi libro está lleno de esos datos pero son de segunda. Los adquirí a través de la lectura. Supe que las cosas olían, supe que sabían, supe incluso que había diferencias entre hombre y mujer porque leí un libro, *Sexo y carácter*, y a partir de entonces comencé a encontrar la diferencia y a decir ¡viva la diferencia! Antes me era todo una masa indiscriminada de gente que se vestía de un modo o de otro, pero eso no tenía ninguna significación.

Si en sus poemas Rosario da amarga cuenta de su fracaso matrimonial —no hay más que leer la ironía en torno a su luna de miel en el cuento «Lección de cocina»—, en su prosa se integra a la familia de su cónyuge y asiste a las reuniones y festividades del clan, cumple con los ritos y ceremonias a los que Ricardo Guerra no llega. Rosario, solitaria, se aferra a lo que ella piensa, que puede ser su modo de estar sobre la tierra. Su familia política le demuestra en cuánta estima la tiene, pero el *mero principal, el niño Guerra*, se mantiene al margen, ausente siempre, mientras Rosario se esfuerza en sacar adelante su maltrecha vida amorosa. Nada ha salido como ella esperaba.

Rosario tuvo una visión previa de lo que podía ser su matrimonio y así se lo comunicó a Guadalupe Dueñas, de cuya casa en la calle de Puebla (misma donde vivió Villaurrutia) salió para casarse: «Fíjate que me va a pedir que me case con él y me voy a casar y sé que no le voy a gustar». Subsiste la creencia de sus años de adolescencia en que se convencía a sí misma: «Soy fea». Lo asentó en su poema «Autorretrato» dieciocho años más tarde: «Soy más o menos fea. Eso depende mucho de la mano que aplica el maquillaje». Una noche —me relató

Alaíde Foppa— se fue la luz en la Facultad de Filosofía y Letras y Rosario sintió que un muchacho la tomaba del brazo para ayudarla a bajar la escalera. Su reacción inmediata fue: «Cuando vuelva la luz y vea que soy yo, me va a soltar». Rosario siempre fue insegura. Sintió que solo la gracia podría suplir esta carencia. De joven hizo todo lo posible por parecer una monja. Tenía un enorme sentido del apostolado, de entrega a una causa, y ella fue quien llevó a Guadalupe Dueñas al Opus Dei, en donde los sacerdotes se quedaron asombrados por su espiritualidad, el alto nivel de su renuncia. En esa época, Rosario leía a San Agustín, a Santo Tomás, la Biblia, meditaba diariamente y su afán de absoluto la llevó a establecer una disciplina de trabajo que Lupita Dueñas envidiaba:

A mí me excitó el deseo de Rosario por conocer la religión más a fondo. Durante los tres meses que vivió en mi casa, me hizo estudiar la Biblia, leerla con método. Rosario estaba llena de decálogos, reglas de conducta; escribía diez páginas diarias en la madrugada y decía que un escritor sin disciplina jamás llega a serlo. También jerarquizaba sus lecturas con severidad, de suerte que toda su vida era de fervor.

Del fervor, Rosario pasa al desencanto. Además de su matrimonio, pierde también la fe; se instala en ella un sentimiento desconocido, el del rencor; en silencio rumia su despecho. Pierde un hijo, una hija, se siente despreciada, su papel de esposa le parece deleznable.

Se me atribuyen las responsabilidades y tareas de una criada para todo. He de mantener la casa impecable, la ropa lista, el ritmo de alimentación infalible. Pero no se me paga ningún sueldo, no se me concede un día libre a la semana. No puedo cambiar de amo.

¿Es la mujer un ser inerme ante los acontecimientos? En su poema más grande, «Lamentación de Dido», Rosario insiste:

La mujer es la que permanece; rama de sauce que
llora en la orilla de los ríos. Y otra vez repite:
Nada detiene al viento. ¡Cómo iba a detenerlo la rama
de sauce que llora en las orillas de los ríos!

La imagen del sauce vuelve una y otra vez. En «Judith», uno de sus poemas dramáticos, dice:

¡Ah, convertirme en sauce y llorar para siempre
en tus orillas! Y en Misterios gozosos: Por nada
                                    cambiaría
mi destino de sauce solitario
extasiado en la orilla.

La reiteración en torno al sauce que llora sin poder hacer nada se
alía a la imagen que Frida Kahlo nos da de su relación amorosa con
Diego Rivera: «¿Ustedes creen que las márgenes de un río sufren por
dejarlo correr?». Y a renglón seguido explica que ella es la margen del
río Diego Rivera. Esta imagen pasiva, triste, como de quien le es fiel a
una desventura, la escoge voluntariamente. Rosario, plantada junto
a las raíces del hombre seguirá ahí para siempre, suceda lo que suceda: «Inclinada en tu orilla, siento cómo te alejas. /Trémula como un
sauce contemplo tu corriente».

Rosario Castellanos hace literatura con su vida diaria; sus novelas
son autobiográficas; sus poemas, un reflejo de su desamor, la minuta
de sus sensaciones que caen siempre en la angustia de la soledad.
Sus artículos en *Excélsior*, enviados desde Israel, son una larguísima
nostalgia, ya no amorosa sino de su país. Rosario podrá ser una extraordinaria embajadora y cumplir con eficacia la tarea encomenda-
da, pero, a la hora de la verdad, lo único que le importa es extrañar
a México y a su hijo Gabriel cuando este se ausenta; convertirnos en
sus confidentes y hacernos partícipes de sus avatares domésticos, de
lo que significa instalar una embajada y transformarse en «la señora
avestruz»:

He ido transitando de un «Señora embajadora» o «embajadera» más
o menos correcto, a un más bien inseguro *ambassadrice* que pronto
degeneró (o ascendió) a «emperatriz». Desde donde no había más que
un paso (y lo dimos con la ayuda eficaz de mi hijo Gabriel) a «señora
avestruz». Es allí donde ahora me encuentro estacionada y no acierto a
imaginar cuál será mi próximo avatar.

Lejos de esconderse tras el formalismo de los «oficios», Rosario
ríe de sí misma, a veces, en forma despiadada. Relata con júbilo las
situaciones desafortunadas en las que se mete y es fácil imaginarla
sonriente frente a su máquina de escribir. Nos dice cuán jocoso es
treparse sobre la astabandera a colgar, media hora antes de la cere-

monia, al lábaro patrio que ha de izarse en lo alto de la sede de la embajada, y después bajar a ponerse una peluca para que no se identifique a *madame l'ambassadrice* con el chango que hace solo media hora luchaba por mantener en alto la bandera de México.

Al instalarse en Israel, Rosario arma su casa, mejor dicho la casa de México; escoge un comedor danés que va llegando por piezas, sí, piezas sueltas que no tienen ninguna relación entre sí y que ella se concentra en apoyar contra la pared en espera de algo con lo que puedan embonar; aguarda las cabeceras y las patas de la cama y, lo que es muy importante, va dejando la huella de su presencia y de su risa en todas partes, sí, la alegría de su risa porque, según Nahum Megged, Rosario fue feliz en Israel aunque esta felicidad no conste en sus escritos. Lo que sí consta es que Rosario, en los años setenta, se bastó a sí misma y de un modo misterioso estaba completa y comunicó esta sensación de plenitud a quienes la trataron. Rosario admiraba a su amiga María del Carmen Millán, y teniendo frente a ella su ejemplo, escribió desde Israel:

> Yo fui capaz de romper amarras y de partir y de permanecer temblando (al principio de miedo y ahora de maravilla) porque tengo entre mis manos ese tesoro desconocido que se llama libertad.

Rosario se complace en su nueva libertad y se regodea en lo antisolemne: nadie menos ceremonioso que ella. Sus temas más socorridos son sus pifias, los errores que, según ella, comete a todas horas. En realidad es el tono de sus cartas públicas y privadas lo que más la acerca al público, de suerte que, cuando muere, los lectores sienten que ha muerto una hermana. Vive la vida que vivimos todos, con torpeza que Rosario proclama a los cuatro vientos porque, ya en México, las burlas que Rosario hacía de sí misma y de su atolondramiento eran una fuente inconmensurable de risas que ella suscitaba a mañana, tarde y noche. El mejor amigo de Rosario en Israel, el doctor Nahum Megged contó que Rosario se perdía en su residencia de Tel Aviv, prendía la televisión y olvidaba subir el volumen, estuvo a punto de meter una mano dentro de una batidora (lo cual explicaría su muerte absurda) y no podía regar el jardín sin acabar empapada. Durante un verano mandó a todo su «servicio» de vacaciones, feliz y decidida a bastarse a sí misma. En la mañana del día siguiente se acercó a prender el gas y como no prendió se conformó con tomar café frío. Nunca se le ocurrió averiguar si había gas; dependía de los demás para todas esas minucias. Y es precisamente el relato humorístico de esa dependencia el que la hace entrañable porque había en ella algo vulnerable y expuesto; de poderlo la habríamos salvado como se salva a una niña advirtiéndole a cada paso: «no te acerques», «no te atravieses», «no corras», pero Rosario andaba lejos y sola, cumpliendo ese destino que la marcó desde la infancia.

Lo cierto es que el tono trágico-cómico siempre fue el suyo, el de quien no quiere sobresalir por sus aciertos sino por sus errores, y pone mucho más empeño en divulgarlos que en reseñar triunfos y preseas. Rosario no abruma a nadie con su éxito, al contrario, parece que todo le sucede de chiripada y es tan grande el énfasis que pone en su propia desorientación que uno termina por asombrarse de que logre siquiera atravesar la calle. En algunos atardeceres melancólicos he visualizado a Rosario como un Charlie Chaplin femenino o una Giulietta Masina, su moño en la cabeza y su bolero en *Las noches de Cabiria*; Rosario tenía la misma capacidad de encanto y proyectaba el mismo desamparo.

En sus artículos hace hincapié en que no habla un solo idioma salvo el español, que no le gusta viajar porque se pierde en las calles y olvida el nombre de su propio hotel, que ser turista la deprime, que no sabe nadar, que la única playa al alcance de sus limitaciones es Caletilla en Acapulco y que todavía allí se las arregla para ahogarse, porque siempre se ha sentido obligada a responder a cualquier reto, de la índole que sea, como cuando alguien le dijo al oído en Acapulco que brincara la ola:

Ni siquiera contesté. Cerré los ojos para aumentar el ímpetu de mi carrera y me lancé al seno del gran monstruo líquido. Nunca supe lo que hizo conmigo, pero me sentí arrastrada a distancias incalculables, rodeada de tiburones hambrientos y cada vez más próximos, náufragos. Hice cuentas: ¿tardaría mucho la escuadra inglesa en venir a rescatarme? Por cerca que yo estuviera de las costas británicas siempre tendría que tomarse su tiempo, así que más valía mantenerme a flote y el único método que usaba para lograrlo era aguantar la respiración.

Había llegado al límite de la asfixia cuando sentí que una mano humana me sacudía el hombro preguntándome qué me pasaba. Abrí los ojos y, oh, sorpresa. La ola me había arrastrado, pero a tierra, y yo había vivido mi odisea retorciéndome en la arena y rodeada de un público estupefacto.

Rosario juzga su obra con dureza, casi diríase que hace mofa de ella, cuando le declara a Margarita García Flores un historial de sus libros:

En 1948 coincidieron varias circunstancias para fraguar mi primer libro: la muerte sucesiva de mis padres (con lo que me convertí en una mujer independiente, dueña de una renta mediana pero bastante para mis necesidades); con el fin de un tratamiento psicoanalítico equivalía a un diploma de adaptación a mis circunstancias y la adquisición de uno de los muy escasos ejemplares de la antología de *Laurel* en el que estaba, íntegro, el poema de José Gorostiza «Muerte sin fin». Con tales ingredientes elaboré *Trayectoria del polvo*, en el que se sumaban mi concepción del mundo, mi autobiografía. Fue recibido con discretos aplausos de parte de mis compañeros de generación, con alguna nota alentadora de los mayores y con el silencio de los demás.

Yo procuré guardar la impavidez mientras redactaba los *Apuntes para una declaración de fe* (1949), que fueron calificados desfavorablemente. Por mi parte puedo decir que me produjeron un rubor que no puedo disculpar, ni puedo justificar diciendo que fueron pecados de juventud, porque ni era tan joven cuando los escribí ni era tan inconsciente. Era muy retórica y la mayor parte de las formas de expresión usadas allí no me son propias. Son ecos de quienes estaban muy próximos a mí o el deseo de seguir una moda, una tónica y un acento que predominaba entonces.

Luego aparece un libro que tuvo el título bastante desdichado por los juegos de palabras a los que se prestaba: *De la vigilia estéril*. Pero el título no es lo más grave del libro, sino las maneras de hablar. Hablo allí como si fuera de una pasión. Y eso es pura y estrictamente retórica.

Aunque es verdad que a Rosario Castellanos le costaba trabajo simplemente llegar de la mañana a la noche y solía autoconsagrarse al caer la tarde y llamar a sus amigos: «Miren, miren, he logrado no morir», esta imagen resulta sumamente discutible frente a las asombrosas anécdotas que consigna Beatriz Reyes Nevares en su biografía, la única, que yo sepa, escrita sobre Rosario Castellanos. Una mañana iba por la Avenida 5 de Mayo en el carro de su padre, quien manejaba. Este murió del corazón en forma instantánea. Rosario dio la vuelta, abrió la portezuela opuesta, hizo a un lado a su padre y condujo el automóvil con el padre muerto sentado a su lado, hasta llegar a su casa.

Emilio Carballido me contó que una noche, en la avenida Constituyentes, Rosario discutía dentro de su coche con Ricardo Guerra. Al verla, un policía se acercó:

—Señorita, ¿la está molestando el señor?

—Sí, me está molestando, lléveselo —respondió enojada.

El policía bajó al marido e hizo lo que Rosario había ordenado.

Si Rosario daba la impresión de ser una de las mujeres más frágiles sobre la faz de la tierra, necesitó una voluntad de hierro para llevar a cabo su obra: ser maestra, impartir sus cursos de literatura comparada en la Universidad, dar su cátedra sobre literatura latinoamericana en la Facultad de Filosofía y Letras, instalarse y manejar asuntos diplomáticos. ¿Se le hacía tarde? Sí. ¿Se caía? Sí. ¿Se angustiaba? Sí. ¿Se le corría el maquillaje? Sí, pero en la noche se sentaba frente a la máquina de escribir sin recordar su cansancio. Olvidaba el azúcar a la hora del mandado, pero podía hacer un poema en el momento mismo de poner su cabeza en la almohada y perfeccionarlo a la mañana siguiente. Tenía una extraordinaria facilidad para escribir y una capacidad de trabajo insuperable. Cuando le pedí un poema para *La noche de Tlatelolco* lo escribió en menos de lo que canta un gallo, y a las cuatro de la tarde del día siguiente me pidió insistente que fuera a recoger el *Memorial de Tlatelolco*.

A Rosario le pasaba lo que a todas las mujeres del mundo, se preocupaba por esas banalidades que solemos llamar tonterías y son parte esencial de la vida cotidiana y al comunicarlas las transformaba en *materia memorable*. Rosario era un ser al alcance de todos pero tenía algo que la hacía única: la gracia.

En México la cultura es acartonada y solemne y muchos de los escritores hablan de sí mismos en tercera persona y exigen revisar sus entrevistas, los *happenings* están rigurosamente cronometrados y los actos de libertad se importan directamente de Estados Unidos. En ese ambiente, Rosario Castellanos resulta un tanto sofisticada.

En un país en el que el poeta y funcionario Jaime Torres Bodet, después de redactar una misiva a la posteridad, se suicida sin dejarle ni un recadito a la compañera de toda su vida, ¿cuál puede ser la suerte de una mujer como Rosario Castellanos, que confiesa que se le quema el arroz, se le pierde la boleta predial y su marido la engaña?

En América Latina, es el hábito el que hace al monje. La riqueza, para serlo, debe exhibirse en las infinitas y ahora coloreadas planas de «Sociales» y es mejor hablar modulando la voz como la locutora

Carmen Madrigal dirigiéndose a sus radioescuchas que hacerlo con la voz de campanita en el bosque de Rosario. El *darse su lugar* significa convertirse en un paquidermo ¡oh, qué elefante tan elegante y relevante! Si Rosario Castellanos hubiera recurrido a la retórica del PRI, otro gallo le cantara, pero su actitud ante la vida es de confianza y de incredulidad y esto queda tan fuera de los cánones de la alta cultura, que Rosario es considerada inferior, *caserita*, simple, fácil de hacer a un lado. Su entronización viene con su muerte, pero mientras vivía se movió en un medio que la minimizaba. Se le consideraba graciosa, buena conversadora, pero sus novelas fueron consideradas documentos antropológicos, grises, oscuras, apocadas y la imagen que proyecta de sí misma es aprovechada por quienes no tienen el menor interés en que salga adelante. Las críticas de la revista *Vuelta* de Octavio Paz a sus traducciones de St. John Perse, Claudel, Emily Dickinson resultan sangrientas. José Joaquín Blanco concluye:

> Rosario Castellanos es una historia de soledad y una ambición literaria fiel y generosa que desgraciadamente exigía mucho mayor vigor y talento de los que ella pudo dedicarles en un medio que, además, le fue hostil. Escribió mucho y sus textos son acaso más valiosos por los obstáculos a los que se atreven que por sus resultados. Sus retos narrativos y poéticos fueron grandes y los realizó con una actitud admirable tanto en la crítica a la vida en Chiapas como a la situación opresiva de la mujer mexicana en los cincuentas que ella padeció ninguneada en los medios culturales por gente harto inferior a ella.

Rosario Castellanos jamás se reivindicó a la manera de otras figuras de nuestro medio artístico; nunca recurrió a la publicidad aunque no la evitó (en el momento, por ejemplo, en que Echeverría la nombró embajadora) y la visión que daba de sí misma jamás fue airada ni displicente sino intimista y en México lo que menos puede provocarse es la compasión. Somos aún esencialmente cursis: si nos tragamos los culebrones y pinturas de una Sofía Bassi, ¿cómo podríamos aceptar a un ser ajeno a las posturas efectistas como Rosario Castellanos? Cuando nombraron a Rosario «La Mujer del Año», Kena Moreno se preocupó:

> ¿Qué no se podría hacer un poco de ruido? Ella no se ha movido para nada; es más, no ha invitado siquiera a una persona que la escolte a su mesa la noche del banquete.

Lo cierto es que a Rosario le dio vergüenza esta ceremonia y si no buscó quien la acompañara, es por que no se atrevía a invitar a nadie; en esa época su autocrítica lindaba en la tortura. Después, Rosario relató la cena con un gran sentido del humor, como habría de reseñar otra cena en casa de Fernando Benítez, a la que fallaron los invitados, cosa que a Benítez compungía y a Rosario no, porque todo lo que se refería a su persona: desaires, golpes a su vanidad, citas fallidas, alimentaba su masoquismo y ella transformaba aquello que otros consideraban una vejación en un episodio más de su historia que mucho deseaba se pareciera al Cándido, de Voltaire, o al Adolphe, de Benjamín Constant.

Según testigos, Rosario destacó muy pronto tanto en el mundo universitario como en el diplomático. Durante la guerra del '73, no abandonó a Israel, cosa que los israelíes le agradecieron: Samuel Gordon decía que era imposible dejar de escucharla; su voz atraía como imán. Era una personalidad avasalladora, sin quererlo. Rosario jamás se ufanaba de ello, pero fue una espléndida embajadora. Durante su gestión, los contratos de petróleos de México a Israel incrementaron las ventas y nuestro país fue el mayor proveedor de Israel. Los intercambios de ingenieros agrónomos expertos en agricultura (el riego por goteo) dependieron de su entusiasmo, aumentó el número de becarios del CONACYT; Emmanuel Méndez Palma quedó impresionado por su eficacia y el interés que puso para ofrecerle a Israel carreras universitarias que podrían estudiar en México jóvenes israelitas: mecánica de suelos, sismografía, museografía y arqueología. Promovió una semana de cine mexicano y demostró que México tenía mucho que ofrecer. Rosario no pondera sus triunfos en sus artículos. ¿Será este el lenguaje *femenino*, el que está siempre culpabilizándose y adelantándose a las ofensas? Decir que lo hace bien le divierte menos que exagerar los pormenores de su cotidianidad, en que ella es el Tancredo. Rosario fue una mujer muy coqueta; se hacía tratamientos de belleza, le preocupaba engordar aunque su poesía dijera todo lo contrario; aclaraba que era de las que nunca tienen nada qué ponerse y al cuarto para las doce salen a comprar el primer trapo; en realidad ensayó muchos tipos de peinados, siguió la moda y en el oriente visitó bazares y adquirió perlas negras, azules y blancas. Cuando decide ingresar al Instituto Indigenista, en lo primero que piensa es en su aspecto físico: «Me hice un moño bien apretado, me despojé de todos los afeites y me fui a Chiapas a trabajar con los indios». Cuenta que sus dos peinadoras ignoran la existencia una de la otra. Una es de la vieja guardia y cada uno de los caireles y copetes con que adorna la cabeza de Rosario queda absolutamente tieso de goma arábiga, y no puede dormir más que sentada. La otra pertenece a la nueva ola: un brusco shampoo, una mecha por aquí, otra por allá y la gente no la reconoce porque no es el aspecto el que cambia, sino la conducta. Una produce una personalidad rígida y melindrosa, la otra es «imprescindible y enigmática».

¿No es la exageración señal de talento creador? Rosario dice no entender nada de nada, enfatiza sus «escasas luces» y hace la carrera de Filosofía con calificaciones excelentes e imparte cátedra. Trata a los *geniales* de México, el grupo Hyperión, compuesto entre otros por Jorge Portilla, Luis Villoro, Emilio Uranga, Ricardo Guerra —su marido—, y es invitada los domingos a tomar mate con el padre Valdés. Dice no entender nada pero supera a sus interlocutores. En otro terreno, sus novios no la abandonan, ella es la que los corta. A Wilberto Cantón, a Emilio Carballido, a Jaime Sabines, a Tito Monterroso, cuyo sentido del humor compartía, al propio Ricardo Guerra cuando escogió ir a España. Al obtener la beca, Ricardo le pidió: «Espérate y nos vamos juntos». Pero Rosario prefirió invitar a Dolores Castro y regresó al año y medio. Cree realmente en ella pero le gusta jugar a la fea. Blanca, con unos grandes ojos negros, Rosario será siempre una flor de invernadero. Sería bueno recordar la frase de Cécile Sorel: *Je ne suis pas belle, je suis pire.*

La idea que tiene de Rosario Castellanos el crítico José Joaquín Blanco es parcial, porque Rosario, además de religiosa y doméstica como él la llama, es crítica y autocrítica y su naturaleza resulta infinitamente más compleja que la que José Joaquín Blanco quiere endosarle. Pudo ser doméstica y religiosa, pero su vocación de escritora la convierte en la gran figura de la literatura femenina hasta el día de hoy. En los cuarenta, además, era difícil afirmarse como escritora, aunque también ahora es difícil y Rosario empezó a pedir perdón por ser inteligente y capaz de emitir sus juicios. No quería enojar a señor alguno con la demostración de sus capacidades; si ella había logrado entrar a la Universidad, por favor, que nadie se lo tomara a mal, perdón y clemencia, perdón e indulgencia, perdón y perdón. Rosario expone sus dudas, sin dejar de repetir que ella es tonta; tiene un enorme deseo de que sus condiscípulos la acepten, no por estar a su nivel, sino para que le permitan entrar al círculo mágico de sus conversaciones. No abandona su papel de «mujer-niña» que además no le cuesta ningún trabajo representar.

En su tesis *Sobre cultura femenina* (1950) sustenta nada menos que la mujer es inferior al hombre, que ella misma es inferior y pide perdón por atreverse a pisar un terreno que no es el suyo. Algunas de sus ideas erizan los cabellos y uno tiene que frotarse los ojos en repetidas ocasiones y preguntarse: «¿lo dice en serio?». Tan asombrosas resultan el día en hoy. Rosario cita a Schopenhauer, con el consabido lugar común de «un animal de cabellos largos e ideas cortas»; a Otto Weininger y Simmel, y se lanza a darles la razón:

Si compito en fuerza corporal con un hombre normalmente dotado (siendo yo una mujer también normalmente dotada) es indudable que me vence. Si comparo mi inteligencia con la de un hombre normalmente dotado (siendo yo una mujer normalmente dotada), es seguro que me superará en agudeza, en agilidad, en volumen, en minuciosidad y sobre todo en el interés, en la pasión consagrada a los objetos que servirán de material a la prueba. Si planeo un trabajo que para mí es el colmo de la ambición y lo someto a juicio de un hombre, este lo calificará como una actividad sin importancia. Desde su punto de vista yo (y conmigo todas las mujeres) soy inferior. Desde mi punto de vista, conformado tradicionalmente a través del suyo, también lo soy. Es un hecho incontrovertible que está allí. Y puede ser que hasta esté bien. De cualquier manera, no es el tema a discutir. El tema a discutir es que mi inferioridad me cierra una puerta y otra y otra por las que ellos holgadamente atraviesan para desembocar en un mundo luminoso, sereno, altísimo, que yo ni siquiera sospecho y del cual lo único que sé es que es incomparablemente mejor que el que yo habito, tenebroso, con su atmósfera casi irrespirable por su densidad, con su suelo en el que se avanza reptando, en contacto y al alcance de las más groseras y repugnantes realidades. El mundo que para mí está cerrado tiene un nombre: se llama cultura. Sus habitantes son todos ellos del sexo masculino.

Rosario menciona entonces a las que lograron colarse, las que entraron de contrabando: Safo, Santa Teresa, Virginia Woolf, Gabriela Mistral, que, según ella, violan la ley. Rosario asienta:

Estas mujeres y no las otras son el punto de discusión: ellas, no las demás, el problema, porque yo no quiero, como las feministas, defenderlas a todas mencionando a unas pocas. No quiero defenderlas. En todo caso, mi defensa sería ineficaz. Porque el implacable Weininger probó en su *Sexo y carácter* que las mujeres célebres son más célebres que mujeres. En efecto, estudiando su morfología, sus actitudes, sus preferencias se descubren en ellas rasgos marcadamente viriloides. Y de esto infiere que era el hombre que había en ellas el que actuaba, el que se expresaba a través de sus obras.

A Rosario quizá la salve la ironía que subyace en cada una de esas frases. Sin embargo, cuando ella dice de sí misma que ni siquiera está acostumbrada a pensar, lo dice en serio. Cuando pondera las inquietudes femeninas, las juzga y las rebaja; son aplazables. Lo único inaplazable en la vida de una mujer es su necesidad de tener un hijo; todo lo demás es secundario.

La lógica —insiste Rosario— pone a mi disposición diversas vías a las que denomina métodos. Vías lógicas como era de temerse. Pero yo no solo no estoy acostumbrada a pensar conforme a ella y sus cánones (ni siquiera estoy acostumbrada a pensar), no solo mi mente femenina se siente por completo fuera de su centro cuando trato de hacerla funcionar de acuerdo con ciertas normas inventadas, practicadas por hombres y dedicadas a mentes masculinas, sino que mi mente femenina está muy por debajo de estas normas y es demasiado débil y escasa para elevarse y cubrir su nivel. No habrá más remedio que tener en cuenta esta peculiaridad. Pero ¿hay un modo específico de pensar de nosotras? Si es así, ¿cuál es?

Pues bien, mi intuición directa, oscura y deseo ferviente que por esta única vez, acertada, me dice que si quiero justificar la actividad cultural de ciertas mujeres me es preciso, en primer término, haber llegado a la formación de un concepto de lo que es la cultura, llenando así ese vacío en el que mi pie ha continuado gravitando.

De la cultura sé, hasta ese momento, que es un mundo distinto del mundo en el que yo vegeto. En el mío me encontré de repente y para ser digna de permanecer en él no se me exige ninguna cualidad especial y rara. Me basta con ser y con estar. A mi lado y en mí se suceden los acontecimientos sin que yo los provoque, sin que yo los oriente. Todo está dado ya de antemano y yo no tengo más que padecerlo. En tanto que en el mundo de la cultura todo tiene que hacerse, que crearse y mantenerse por el esfuerzo. El esfuerzo ya sé que lo hacen los hombres y que pueden hacerlo en virtud de sus aptitudes específicas que los convierten en un ser superior al mío. Estas aptitudes, él lo proclama, no son anárquicas y caprichosas son o que obedecen a reglas, se vierten en moldes determinados.

Rosario sigue como animal de noria, una y otra vez, con su mente escasa, anárquica, caprichosa, acostumbrada a no pensar. Ella misma cuenta a Beatriz Reyes Nevares que los sinodales de su examen profesional, Leopoldo Zea, Eduardo Nicol, Paula Gómez Alonso y Bernabé Navarro, sonríen para después reír y a Rosario, lo sabemos, le gusta hacer reír. ¡Pero su tesis va en serio! Y he aquí lo asombroso, Rosario siempre tuvo un sentimiento de inferioridad, una enorme timidez, una inseguridad incubada en la infancia (y lo que se incuba en la infancia llega para quedarse) y, por lo tanto, Rosario cree a pie juntillas que el varón es superior a la mujer, y lo cree hasta que le demuestran lo contrario; ya en los setenta está totalmente desengañada. En el Centro Nacional de la Productividad, en una conferencia, Rosario no pide excusas; al contrario, les dice a las mujeres que luchen por la adquisición y la conservación de su personalidad, que defiendan sobre todo el derecho al estudio, que no renuncien a su carrera. Pregunta:

¿En cuántos casos la renuncia nos admite que el desarrollo de una serie de capacidades no cae en detrimento de la rutina? ¿En cuántos casos las mujeres no se atreven a cultivar un talento, a llevar hasta las últimas consecuencias la pasión de aprender por miedo al aislamiento, a la frustración sexual y social que todavía representa entre nosotros la soltería?

Rosario se dirige entonces a los hombres:

Si se muestran accesibles al diálogo tenemos abundancia y variedad de razonamientos. Tienen que comprender, porque lo habrán sentido en carne propia, que nada esclaviza tanto como esclavizar y produce en uno la degradación que se pretende infligir a otro. Si se le da a la mujer el rango de persona que hasta ahora se le niega o se le escamotea, se enriquece y se vuelve más sólida la personalidad del donante.

En el Museo Nacional de Antropología e Historia, su protesta fue rotunda. Rosario ha dado un viraje de ciento ochenta grados: las mujeres ya no son tontas, son víctimas; el sexo, lo mismo que la raza, no constituye una fatalidad biológica, es solo una condición, un marco de referencias. Rosario Castellanos condena la abnegación llamándola una virtud loca y enumera en el Museo de Antropología sus tablas de la ley: «No es equitativo —y contaría el espíritu de la ley— que uno tenga toda la libertad de movimientos mientras el otro está reducido a la parálisis».

La autobiografía en la obra de Rosario Castellanos es fácilmente reconocible. Emilio Carballido le aconseja recuperar su infancia en San Cristóbal y surge *Balún Canán*, que relata su soledad de niña. La injerencia de la nana chamula es definitiva, pero lo importante es la niña que mira la lluvia azotarse contra la ventana y se siente culpable de la muerte del hermano menor. Rosario tuvo un hermano, a quien llama Mario en la novela, y deseó su muerte: «¡Cómo no se muere para que a mí me quieran como a él!». Cuando murió de apendicitis, Rosario escuchó: «Ahora ya no tenemos por quién vivir. ¿Por qué murió el varón y no la mujercita?». Benjamín Castellanos, aunque ausente, siguió siendo el preferido, sus padres se encerraron con su dolor y la dejaron a solas con su nana. Rosario oyó decir a su padre, César Castellanos, cuando ella iba a buscarlo: «Ahora ya no tenemos por quién luchar». Quizá en esta culpabilidad de la infancia esté la clave del desarrollo posterior de Rosario, la clave también de su vocación de escritora, la de su soledad y su desamor:

> Tal vez cuando nací alguien puso en mi cama
> una rama de mirto y se secó.
> Tal vez eso fue todo lo que tuve
> en la vida, de amor.

Los chamulas pasan por el corredor de su casa silenciosos y furtivos. Más que vivir la vida, las mujeres la padecen. En *Oficio de tinieblas* Catalina Díaz Puijla, indígena, estéril, intenta romper su condición de oprimida volviéndose bruja. Tanto en *Balún Canán* como en *Oficio de tinieblas*, Rosario se apega a su realidad.

Mientras Carlos Monsiváis se dedica a interpretar la vida de la Ciudad de México, Rosario le da a su literatura una intención moral. No creo que los buenos sentimientos basten para hacer una buena literatura, pero sí creo que la postura moral de Rosario es consecuencia de su vida entera.

En su obra hay un dolor exacerbado. Otra mujer quizá no tendría presentes a hijos que murieron en el momento mismo de nacer o casi, pero Rosario les dedica poemas a los hijos que antecedieron a Gabriel, a los tristes, a los desventurados, a las solteras, a las abandonadas. Habría que recordar también que Rosario regala lo que le queda de sus tierras chiapanecas y decide regresar a San Cristóbal y trabajar en el Instituto Indigenista. Se corta el cabello al rape a la manera de Sor Juana, su vida es franciscana, sus alimentos frugales, su entrega absoluta.

Si en los primeros años sus objetivos fueron moralmente hermosos, en los últimos, al sentirse rechazada por su marido, Rosario decide escogerse a sí misma, incluir a su propia persona dentro de sus objetivos altruistas. Sin embargo, no logra romper del todo la imagen convencional que cree que la sociedad espera de ella; sus argumentos están siempre ligados a la condición femenina. «Mi madre en vez de leche me dio el sometimiento».

Conformada por siglos de tradición, no pudo hacer mucho más de lo que hicieron Salomé y Judith, las figuras bíblicas de sus poemas dramáticos quienes se ofrendan a sí mismas para salvar a su pueblo. Rosario tiene un aterrador juicio sobre el matrimonio en *Álbum de familia*:

> Es el ayuntamiento de dos bestias carnívoras de especie diferente que de pronto se hallan encerradas en la misma jaula. Se rasguñan, se mordisquean, se devoran, por conquistar un milímetro más de la mitad de la cama que les corresponde, un gramo más de la ración destinada a cada uno. Y no porque importe ni la cama ni la ración. Lo que importa es reducir al otro a la esclavitud. Aniquilarlo.

Rosario Castellanos fue una gran escritora mexicana, si no grande en sus logros, grande en sus aspiraciones. Y grande sobre todo el amor que suscitó y nos sigue inspirando. Antes que ella, nadie sino Sor Juana se entregó realmente a su vocación. Ninguna vivió para escribir. Rosario es fielmente eso: una creadora, una hacedora de libros. Sus libros —poesía y prosa— son el diario de su vida. Y su vida estuvo marcada por la muerte. Había en ella, como en la tragedia griega, la mitad de un rostro risueño y la otra de uno que llora. Su esfuerzo a lo largo de cuarenta y nueve años de vida —un esfuerzo moral— nos la hace valiosa, entrañable. Rosario completó su obra con su vida y entre las dos —vida y obra, rostro que ríe, rostro que llora—, acrecentó sus dones para devolverlos a la tierra «cual dádiva resplandeciente». Supo que escribir era su oficio, pero desde un principio vivió su doble condición: mujer mexicana, mujer latinoamericana, mujer y marginada. Testigo de su propio aislamiento y de su impotencia, quiso hacerlos evidentes. Nunca mintió, nunca fingió; salvaguardó siempre su verdad interna. Al hacerlo, ella misma se condenó de antemano, puso a la vista de todos el total de sus limitaciones. Nunca hizo nada por escapar a la maldición; en realidad no creo que deseara salvarse.

Cada vez que se ha hablado sobre Rosario Castellanos, al final alguien pregunta si se suicidó. Me parecería muy asombroso que Rosario supiera tanto de voltajes para calcular su súbita electrocución y cayera fulminada exactamente en el momento por ella deseado. No. Las mujeres somos más simplistas y lo hacemos —cuando queremos tener éxito— con medios más a nuestro alcance: las pastillas en la cantidad adecuada, el balazo, o de plano, nos tiramos desde lo alto de un octavo piso. Si Virginia Woolf llenó de piedras los bolsillos de su suéter es porque sabía que así aseguraría su muerte. Muchas veces había caminado a lo largo del río, lo conocía bien, sabía del empuje de la corriente y de la temperatura de sus aguas. En inglés cuando una suicida es devuelta a la vida suele decirse «She missed herself» (se falló a sí misma). Rosario se falló a sí misma. No era tan visionaria ni tan exacta, no podía prever el desenlace, por eso su muerte resulta terrible, por absurda y, sobre todo, porque cuando murió era feliz.

Lo que sí es cierto es que a lo largo de la literatura femenina, las mujeres son solteras o suicidas. Son también contestatarias, si no del régimen, al menos de su régimen interior, pero viven dentro de la sociedad, obedecen sus mandatos y procuran retratarla en sus escritos así como se retratan a sí mismas y, sin embargo, nunca dejan de sentirse culpables (la culpabilidad es la mejor arma de tortura), culpables de no reunir ese atadijo de cualidades llamadas femeninas: la dependencia del hombre, la dulzura, la obediencia, el halago, la sumisión, el recato, la inocencia, el azoro ante la maldad humana, la inconsecuencia, las artes culinarias.

De Virginia Woolf a Sylvia Plath, la lista es larga. En América Latina, habrá que recordar a Alfonsina Storni, que se dejó ir al fondo del mar, y cuyo cuerpo como el de Shelley fue encontrado sobre la arena; Antonieta Rivas Mercado, que empuñó la pistola frente al altar mayor de Notre Dame. Ellas no se fallaron. Pero ¿no se fallan mucho más las mujeres al dejar sus aptitudes en un cajón y vivir frustradas, sometidas a la disciplina de una comunidad que desde un principio les ha impuesto patrones de conducta sin tomar en cuenta sus aspiraciones? De hecho, las mujeres escritoras dieron su vida en una proporción mayor que los escritores. Y no es que fueran desequilibradas: vivían, viven en una sociedad desequilibrada, amenazadora, hostil a ellas. Esa misma sociedad que logró que no se aceptaran como escritoras. Temían incluso declarar que ese era su oficio como si el hecho de serlo las convirtiera automáticamente en alguna clase de esperpento. La italiana Natalia Ginzburg afirmó con absoluta objetividad:

> Mi oficio es escribir y lo conozco muy bien y desde hace muchos años. Confío en que no se entenderá mal; no sé nada sobre el valor de lo que pueda escribir. Sé que escribir es mi oficio.

Ningún hombre se sentiría obligado como lo hace la Ginzburg a justificar su profesión, es más, a justificar su vida; sin embargo, todas, desde Sor Juana Inés de la Cruz hasta Rosario Castellanos, escriben una larga excusa para que se les acepte, y Rosario va más lejos aún porque de plano se lanza a pedir perdón. ¿Por qué sienten las mujeres que deben responder a las acusaciones? Dentro de este contexto es asombroso que puedan producir si ni siquiera tienen la suficiente seguridad para aceptarse a sí mismas como profesionistas. Temen además que la escritura las margine como, de hecho, las margina. Una vez en la Facultad de Ciencias Políticas y Sociales, un estudiante dijo ante Susan Sontag algo que a ella hizo reír y a mí se me quedó grabado. «Nosotros sí queremos que nuestras compañeras se liberen, ellas son las que no quieren». Lo sentí auténtico. No es el hombre ni la sociedad el único enemigo, es la índole propia, los años de falta de entrenamiento, el ocio que va solidificándose. Y sobre todo, el miedo. En la conferencia en el Centro Nacional de la Productividad, Rosario asentó: «Los hombres no son nuestros enemigos naturales, nuestros padres no son nuestros carceleros natos». Un muchacho de un CCH me dijo hace poco: «Las feas son las que estudian». ¿Y trabajar? Trabajan las solteras, las divorciadas, las abandonadas o, de perdida, las feministas, que por serlo se han divorciado. «Un ser que trabaja —dice Rosario— es un ser que produce y que, por lo tanto, puede aspirar al respeto de los demás». ¿El respeto a su profesión? La mujer aún no lo conquista en México. Una mujer que trabaja es objeto de conmiseración. «¡Pobrecita, no pudo conquistar a nadie que la mantuviera!». Su trabajo es algo así como una estrategia retirada. Entre la mujer del siglo XX y la mujer que Josefina Muriel retrata en *Los recogimientos de mujeres en la Nueva España*, no hay mucha diferencia. Ambas se debaten en el endeble terreno de lo doméstico, ninguna de las dos sabe lo que es la autonomía, las dos tienen solo un destino: el matrimonio, y una finalidad: la de esposa y madre. Una mujer que pretende lo contrario es un bicho raro, su tribu la rechaza.

Por lo tanto, ejercer una vocación y transformarla en obra —como lo hizo Rosario Castellanos— es situarse en un lugar aparte y Rosario permaneció siempre aparte. Su niñez fue solitaria, en la adolescencia conoció el significado profundo de la soledad y su madurez también es signo no solo de soledad sino de soltería. La soledad marca su obra, es el hilo que cose todas las páginas de sus libros, el que corre de *Balún Canán* y *Oficio de tinieblas* a *Poesía no eres tú*. Este hilo es resistente, perdura como la figura solitaria de la niña inerme, desamparada de *Balún Canán*, la joven tímida y encerrada que no se atreve a hacer deportes ni a bailar, la «solterona» (así se autocalificaba Rosario porque se casó a los treinta y tres años), la esposa fracasada, la madre defraudada.

El último libro de cuentos, *Álbum de familia*, a pesar de abandonar los Altos de Chiapas y retratar figuras dizque liberadas, citadinas, también es un libro de soledad. Asimismo es un libro de soltería, porque Rosario, de hecho, no se realizó en el matrimonio; nunca supo lo que era «el amor amoroso de las parejas pares». Posiblemente idealizó el matrimonio (¿no lo hacemos todas?) pero esta idealización lo convirtió en un hecho intolerable. Rosario pasó del despecho a la culpabilidad. Cuando se fue a Estados Unidos a impartir cátedra a Wisconsin y a Bloomington escribió una y otra vez, castigándose, y sus cartas son reveladoras. Si la atmósfera en la casa de Constituyentes es irrespirable, Rosario se siente coautora. En todas sus misivas se culpa, habla de sus exigencias, sus demandas que vistas de lejos le parecen excesivas, sus cóleras, su actitud ante la vida. Si el matrimonio no funciona es porque ella no acepta la imperfección; ahora que regrese no idealizará nada, lo promete, no exigirá, tomará las cosas tal y como son, aceptará lo que venga. Rosario quiere canjear su angustia cotidiana por una sumisión que raya en la denuncia. Incluso se negará a sí misma, con tal de seguir adelante. Se cuelga de su marido tan desesperadamente que llega hasta la asfixia. Es tan grave esta actitud de Rosario que uno se pregunta cómo no logró con esta angustia física y mental la explosión del cuerpo en contra de sí mismo, la autodestrucción. La salvó su escritura. El hilo perduró y aunque no cosía las heridas, siguió uniendo una página a la otra mientras ella permanecía allí, lúcida, dolorida. «A veces, tengo la impresión de vivir en el infierno», exclamó una tarde en su casa de Constituyentes.

No hay que ser muy perspicaz para saber que Rosario hubiese llegado a secretaria de Educación o de Relaciones Exteriores o a senadora de la República o gobernadora de su estado. Desde su nombramiento como embajadora en Israel, y por su obra de maestra y de escritora, era ya la primera figura femenina en México. Esta asimilación que el Estado hizo de una persona, es la que los jóvenes le reprochan. Rosario en el fondo sabía verse, era autocrítica. Si tenía un gran sentido del ridículo para los demás también lo tenía para ella. Cuando fue nombrada embajadora, Rosario había dado el paso definitivo hacia el divorcio. Vino luego un verdadero torrente de cenas, desayunos, comidas y Rosario se arrojó a ellos como quien se echa al mar; tenía que salvarse, este nombramiento era un salvavidas, la posibilidad de una nueva manera de vivir en un nuevo país, lejos de costumbres y afectos pasados. Rosario no lo sintió como una oficialización, basta para ello consultar sus escritos, pero sabía, claro está, que en México no se les dan a las mujeres posibilidades de destacar y, más que ascenso, Rosario lo vio como la oportunidad de una nueva vida. Gabriel, además, aceptó irse con ella; la reunión con su hijo la emocionaba, la posibilidad de dedicarle más tiempo, de abandonar esta actividad compulsiva que la hacía correr en México de un lado para el otro impartiendo clases y conferencias con un desgaste tremendo, producto de una generosidad poco común, pero que ya rayaba en el girar de un trompo que en la velocidad esconde su mareo. Rosario, en Israel, tendría que asentarse, y Nahum Megged afirma que los años transcurridos fueron de felicidad, de haber encontrado por fin la paz; Raúl Ortiz también la vio tranquila, contenta. Lo cierto es que aun en las más desgraciadas circunstancias Rosario sabía brindar felicidad a los demás; contaba las cosas con tanta gracia que la desdicha pasaba a segundo lugar.

¿Cuáles son las constantes de la vida y de la obra de Rosario Castellanos? El sentirse víctima e ir superando este sentimiento o neurosis o modo de estar sobre la tierra a través de la ironía, la inteligencia y la creación. Se identifica con los indígenas porque también son víctimas. Posiblemente si no hubiera sido la víctima de unos padres limitados e indiferentes, no sería escritora. Más tarde, el fracaso de su matrimonio le presenta problemas de afirmación y en la contienda uno actúa como verdugo, el otro como víctima. En el matrimonio, Rosario parece anularse, es tal su necesidad de salvarse y justificarse por medio del otro. Rosario escoge el papel del vencido, del derrotado, el de la víctima. Las mujeres —tanto por formación como por indolencia— nos deslizamos fácilmente en el papel de víctima y en él nos escudamos. En Israel, Rosario Castellanos, sola y libre, estaba aprendiendo a completarse sola; crecía una Rosario a quien no le importaba perder al hombre puesto que se había ganado a sí misma. Una Rosario no víctima empezaba a vivir.

Si hago tanto énfasis en la vida de Rosario Castellanos es porque su obra la refleja. Además, nunca la escondió, al contrario, la exhibió tal y como era; no escondió siquiera una traqueotomía, huella imborrable de un momento en que volvió el rostro a la pared. No pretendo saber más que otros o hacer revelaciones, solo puedo decir lo que vi. Lo que sí quisiera es que la vida de Rosario Castellanos fuera el mejor alegato para que todas las mujeres que tienen alguna vocación creativa siguieran adelante y creyeran en sí mismas.

6

SE NECESITA MUCHACHA[6]

Escribe Simone Weil que una de las obligaciones eternas a favor del ser humano es no dejarlo sufrir hambre. Los egipcios pensaban que ningún alma se justifica después de la muerte si no puede afirmar: «No dejé a nadie sufrir hambre». Nuestro continente es el del hambre. La FAO estima que de los setecientos dos millones que viven en el mundo al borde de la inanición, más de la mitad están en América Latina.

Según la Organización para la Cooperación y el Desarrollo (OCDE) en enero de 2016 había en México 2,216,000 desempleados; 4,750,000 personas mayores de quince años no saben leer ni escribir, y cuarenta por ciento de la población no tiene acceso a ninguna institución o programa de salud pública o privada.

Más que las estadísticas deberían golpearnos los hechos. Una mujer que hurga en un bote de basura dice más que todas las cifras. Un hombre tirado en la acera, encogido sobre sí mismo, su cuerpo asomándose a través de hilachas, debería marcarnos para siempre. Pero ¿se nos graban los ojos de los niños cubiertos de cataratas, que en México llamamos nubes, los pies descalzos que atraviesan rápidamente el asfalto? Es fácil tener buenos sentimientos frente a la fotografía del niño hindú de la UNICEF con sus terribles ojos inmensos porque siempre se puede decir que India y su lepra están lejos, pero ¿un frijolito mexicano que aguarda sentado como un perro u otro que en el camellón, entre el río de automóviles, ofrece chicles con sus mocos verdes colgándole de la nariz provoca piedad? ¿No es el disgusto el sentimiento que priva?

Las oligarquías de México, Perú, Brasil, Argentina, Guatemala, El Salvador y Uruguay no tienen entre sus preocupaciones la del ham-

---

[6] Prólogo al libro de Ana Gutiérrez. *Se necesita muchacha*. México: Fondo de Cultura Económica, 1983. pp. 7-86.

bre ajena. Más bien, los patrones racionan las tortillas con las que alimentan a su sirvienta. Los pobres son simplemente «los otros», la carne de cañón, los pelados, los perros que se meten entre las piernas, los condenados de antemano, los indios, la plebe, *los jodidos*, el coro oscuro y mugriento de los esclavos, *el servicio*. Porque de esa masa prieta y anónima salen los criados, peones acasillados, hombres y mujeres, sobre quienes descansa el buen funcionamiento de la hacienda, hombros encorvados, manos y pies amaestrados, trotecito indio, cabeza gacha, panzas hinchadas, que los dueños en su infinita miopía confunden con mansedumbre y quietud. Los grandes latifundistas cavan en esa arcilla lodosa que no puede ser más que doméstica. Con la mano la aplanan, le dan forma y la ponen a secar al sol. Cuando se resquebraja la tiran. ¿Qué otro destino pueden tener los cántaros rotos?

Dice Eulogia en *Se necesita muchacha:*[7]

> Algo así sería por lo que me han hecho de todo, se me ha quedado como un miedo por el sufrimiento que me han dado y de eso será, pues, toda esa timidez que no se me quita.

En cuanto a individuos los sirvientes tienen miedo y en cuanto a agrupación humana también. El miedo los tulle, los paraliza de por vida. Los acompaña desde que abandonan el campo y llegan a la ciudad. Una nueva vida se les avienta encima y los agrede. Aterrador es el congestionamiento, la calle que hay que cruzar en medio del estruendo de los automóviles, el ajetreo en las aceras, la burla, la turbulencia, la indiferencia, el ulular de la sirena de la Cruz Roja que de pronto congela el alma, y las calles, estas calles hechas solo para perderse. Una vez en *el servicio* el cuento es otro, pero el miedo no disminuye. La casa, sus puertas que hay que abrir y cerrar, los enormes espacios de vidrio por los cuales atraviesan a veces, estrellándose, la luz eléctrica, los enchufes que dan toques, los excusados, los collares de la señora, las corbatas del señor, los bibelots, las relaciones en que priman la eficacia y la premura, todo las desconcierta y las atemoriza.

---

[7] Cristina Goutet lo publicó con el seudónimo de Ana Gutiérrez. En 1982 apareció una primera versión que se llamó *Basta: testimonios/Sindicato de Trabajadoras del Hogar*. Este libro se publicó gracias a la Beca AVINA de Investigación Periodística para el Desarrollo Sustentable, que se otorga en Perú.

Muchas de ellas son otomíes, hablan *la idioma*, se tapan la boca y solo de vez en cuando relampaguean sus grandes encías rojas y si no se les entiende, tampoco ellas entienden. Están acostumbradas al buenos días, buenas tardes al pasito menudo y cabizbajo de los que cruzan en el campo, el buenas noches murmurado al atardecer cuando regresan de la parcela, y de pronto se encuentran con la ciudad rota en todas partes, la gente también rota, la prisa, los empellones, la gesticulación. «Yo no voy a salir porque todos me testerean». En el *Defe* alguien que saluda no mueve a respeto sino a risa, es un provinciano, un indio al que bajaron del cerro a tamborazos. Una sirvienta que les dirige la palabra a los invitados mientras sirve la cena infringe la regla, no está bien entrenada.

A la patrona solo puede hablársele en el lenguaje y la forma que ella escoge. El miedo se acendra, miedo al patrón, a la patrona, miedo a costumbres y a ritos inexplicables, bocinas negras que suenan y de las que sale una voz humana, aparatos eléctricos que de pronto zumban y se echan a andar al unísono en un infernal sacudimiento de cables y tornillos como en la película de Joyce Buñuel. Incluso si el miedo yace en estado latente de modo que solo se resiente en ocasiones como sufrimiento, permanece dentro del hombre y equivale a una parálisis del alma.

En México, la otra cara de la moneda son los centros comerciales —como Perisur, Oasis Coyoacán, Santa Fe, Antara— en los que se agrupan cientos de tiendas en torno a tres grandes almacenes: el Palacio de Hierro, Liverpool y Sears. Dentro del escaparate está la patrona con sus vestidos, maquillajes, cremas, pelucas, detergentes y aparatos para adelgazar. Afuera, abriendo la boca, la sirvienta flanqueada por la escoba y el recogedor.

Solo en Perisur —según cifras publicadas en internet en 2015— ingresa aproximadamente un millón de pesos diarios a lo que hay que sumar el cobro del estacionamiento que es de los más caros. A Perisur no tienen acceso los que no pueden consumir ni mucho menos exhibir su riqueza. Allá no puede entrar un albañil, una criada. Perisur solo tiene que ver con un sector reducido de la población, el que puede comprar extravagancias tan caras como imbéciles: cuernos de marfil (para que hagan juego con los propios) a doscientos cincuenta mil pesos, guacamayas (para que hagan juego con la esposa) a treinta mil pesos y globos, sí globos, leyó usted bien, globos por la estratosférica suma de ochenta pesos. Si se sabe que el salario mínimo en el DF es de $73.04 pesos diarios, el globo (aire contenido dentro de un pedazo de plástico) representa alrededor del ciento nueve por ciento de su día de trabajo.

Nadie que vaya a Perisur sabe lo que es el hambre. Alonso Rivero, de Liverpool, dio un dato esclarecedor.

> Esto no es un centro de diversiones, sino un centro comercial; aquí la gente viene a comprar (…) y los restaurantes que existen se crearon en función de que si les da hambre a quienes vienen a comprar puedan comer «algo» pero que no solo vengan a comer.

¡Qué filosofía! Nada, absolutamente nada se dirige a los sesenta y cinco millones que viven en nuestro país y no saben lo que es adquirir estatus ni prestigio, ni ser «gente de categoría» o «gente que tiene el don». A esta misma gente que tiene el «don» de Domecq le parece normal comprarse un vestido de cinco mil pesos.

Uno de los problemas más graves de las sirvientas es el desarraigo. En la ciudad, al contacto de costumbres y tradiciones (si así pueden llamarse las formas impuestas por la patrona) les son cercenadas sus raíces o ellas mismas las van arrancando de cuajo, en un proceso cuyo dolor viene más tarde, ya que en el momento mismo la rapidez del cambio impide tener conciencia de él.

Las patronas con las que se enfrentan les resultan seres incomprensibles, su modo de ser y sus humores imprevisibles como lo son los aparatos eléctricos que un día funcionan y al día siguiente, ¡zas!, echan un humito y ni para atrás, ni para adelante. Así, las patronas que se pasean marcianas por la casa, con su mascarilla de yema de huevo, su bata y sus pantuflas, entran con su jugo de naranja en la mano, sus tubos.

Si una sirvienta describiera a sus patronas sucesivas abarcaría una gama infinita, desde la que la llama *hija* a usanza de los hacendados aunque le toque limpiar el excusado, hasta la ausente, la que tiene en su mirada enormes distancias, la frustrada por la vida, la cornuda, la de los tranquilizantes y euforizantes, la que nunca parece verla y la viste de uniforme: «el negro con el delantal de encaje para las visitas», «el de las rayitas rosas, el de las rayitas amarillas, el de las rayitas azules para el diario»; hasta la que se siente «buena onda» y pretende integrarla a la familia haciéndola cómplice y atarantándola a confidencias de «chava alivianada y sin barreras sociales».

Allí están las patronas con sus interminables conversaciones telefónicas, sus lamentaciones, «ay, no sabes cómo traigo las manos porque me quedé sola durante un mes y tengo las uñas hechas un verdadero asco, qué desastre, me urge un manicure pero a gritos, ahora que tengo una muchacha voy a ir al salón» o «desde que entró me la paso llevando a arreglar la licuadora o la aspiradora, no sabes, esta Inocencia tiene unas manitas», su psicoanálisis, sus clases de bridge, su «anoche llegué otra vez a las dos de la mañana», su Liverpool y su mal humor por la dieta de la toronja, su «Inocencia, vete a buscar mis llaves, las dejé arriba, creo, pero córrele porque ya se me hizo tardísimo», hasta sus depresiones, sus largas explicaciones también telefónicas acerca de su «yo» ninguneado, el ser y la nada que de pronto las embiste cual toro de Miura y las deja bien agujereadas porque así son de canijas las crisis existenciales: la señora Velasco, la señora Islas, la señora Ballina, la señora Guzmán, la señora Navarrete.

Las muchachas son totonacas, mazahuas, mixtecas, chontales, otomíes, mazatecas, choles, purépechas. Todas indígenas. Hay pocas tarahumaras porque Chihuahua está lejos. México, Bolivia, Perú, Guatemala, El Salvador, Honduras, los países de población indígena son surtidores de sirvientes y de artesanía popular. Hace quinientos años que su situación es la misma. Un escritor francés, A. de t'Serstevens, escribió *Le Mexique, pays à trois étages* y colocó a los indígenas en el sótano. En el piso alto estaban los alemanistas (era el sexenio de Miguel Alemán) y «la iniciativa privada», muy hábil para hacer fortuna en nuestro cuerno de la abundancia. Y claro está, también los millonarios que produjo la Revolución Mexicana y que Carlos Fuentes retrata en sus dos mejores novelas: *La región más transparente* y *La muerte de Artemio Cruz*. En el segundo piso ubicaba a los que aspiraban al primero, la clase media balbuciente que quería vivir como en Estados Unidos, y en el tercero, al pueblo, la pura raza.

Este México del sótano es el de la carne de cañón, el que no produce y por lo tanto solo sirve para servir a los demás. Este es el México oscuro, el profundo, y aunque nadie lo crea, el bronco. El de los plomeros, los ropavejeros, los *maistros* electricistas, albañiles, taqueros, afiladores de cuchillos, los camoteros, los vendedores ambulantes, los que limpian parabrisas, los barrenderos, los boleritos, los papeleros, los cortineros, los vendedores de boletos de lotería. Es el México de abajo, el de «¡México, México, ra-ra-rá!». El de Jesusa Palancares y el de la Revolución.

De Santa Lucía Miahuatlán, Santiago Tlazoyaltepec, Santa Cruz Zenzontepec, San Lorenzo Texmelucan, San Andrés Paxtlán y otras poblaciones oaxaqueñas que de tan miserables rayan en la indigencia total, llegan las sirvientas al *Defe* para trabajar en casa de los Azcárraga, los Peralta, los Larrea, los Arango, los Garza Sada. Los extremos se tocan: el México de arriba y el de abajo, la planta alta y el sótano. El de en medio no es ni chicha ni limonada. Todavía no pinta, los del sótano aún están solos pero son muchos.

Allí están paradas en la esquina con su pelo suelto hasta la cintura; su suéter lilita, cremita, rosa; sus zapatos de tacón que entorpecen su andar, y son, para sus patronas, fácilmente reconocibles: Petronila, Tomasa, Aurelia, Ausencia, María, Cecilia, Honorata, Salustia, Felipa, Domitila, Tiburcia, Romanita, Efraina. Cruzan sus manos sobre su vientre; les brilla la cara redonda. El pelo alisado. Los ojos. Les brillan los zapatos, la piel. Qué piel fresca, pulida. A veces Petronila dice algo, las otras se lo festejan. Todas ríen. Entonces enseñan lo mejor de su rostro: sus dientes fuertes y blancos, dientes como de maíz, dientes de Popol Vuh, dientes de América Latina, dientes que son los elotes de todas las mazorcas, dientes hechos por la tierra, el aire, el viento. Los conductores dentro de sus coches pasan junto a ellas y no las ven. No importan. Son las criaditas, las gatas domingueras. Ellas en cambio esperan con su carita de luz y luna, las lunitas. Esperan ¿qué? Es su día de salida. ¿Qué van a hacer? Nada o casi nada. Quizá den la vuelta en *Chapultepé* o vayan a la Villa, esa sí que es una excursión, se chupen una paleta helada o compren un barquillo. Se conforman con poco. Sentarse en el pasto del parque, cuidando de no arrugarse el vestido, es ya una pura gloria, recargarse contra el árbol, recargarse más tarde en su brazo, decir «ya se me declaró», aunque resulte casado, es el trayecto obligado. Más que conclusión, la frasecita adolorida: «Pues me engañó» es un lugar común, como lo es también la excusa: «Me dijo que me quería y yo se lo creí». Pues sí, todas creemos. Y a todas nos hacen guajes.

Durante el sexenio de Echeverría en que se le dio tanto empuje a las artesanías, una joven tejedora, verdadera gran artista, ganó el primer premio en un concurso de artesanías. Cuando el director del Fideicomiso para el Fomento de las Artesanías, Tonatiuh Gutiérrez le entregó su premio en Oaxaca, esta inquirió:

—Oiga y ¿usted no necesita criada?

Incrédulo Tonatiuh respondió:

—¿Tienes una amiga que esté buscando trabajo?

—No, es para mí.

Tonatiuh prometió mandarla a la escuela, ver por ella y se la trajo a México, a su casa. Durante el día era criada y en la tarde se iba a la escuela. No volvió a tejer. Empezó a arreglarse, a pintarse, salía a la calle muy pizpireta hasta que la embarazó un amigo de sus amigas. La tejedora nunca sintió la suficiente confianza como para decirle a Tonatiuh lo que le sucedía, simplemente desapareció. Entonces, Tonatiuh se preocupó: «Y ahora ¿qué voy a decirle a sus padres?». Embarazada, la muchacha se fue a refugiar con una tía, pero como era muy joven, estaba muy delgadita, mal de salud, la tía se asustó y le dijo que no la podía tener en su casa. Volvió a aparecer en su pueblo de Oaxaca pero no con sus padres, sino que allá fue a pedir asilo a la casa de una vecina. «Es que me da demasiada vergüenza con mis papás». Se destrozó la chica que antes era una auténtica artista. El niño se le murió al nacer y por poco se muere ella también. Ya no fue tejedora, ni madre, ni hija de sus padres, ni sirvienta de sus patrones. Este relato es el de la confrontación de dos mundos absolutamente distintos. Esta tejedora, como muchas otras, venía de una comunidad pequeña en la que todos se conocen y se saludan y en la que las labores del hogar tienen otro sentido.

Fátima, en *Se necesita muchacha*, advierte:

A nuestros papás en el campo no les alcanza para mantenernos, por eso nos mandan como corderos porque a los patrones les conviene que el hijo del pobre sea su sirviente.

Curiosamente, los padres que en el pueblo las cuidan, no las dejan salir de su casa, las protegen, celan su integridad, un buen día se deslumbran y así de golpe y porrazo, sin pensarlo mucho les permiten venir a la ciudad solas. Después de todo la vida está compuesta de imponderables. ¿O será la ferocidad de su esperanza? Quién quite y les vaya bien, quién quite y mudándose mejoren, quién quite y se les aparezca la Virgen de Guadalupe, quién quite y esta las recoja bajo su manto y les llene el ayate de rosas blancas. En todo caso, las envían para bien. Y casi siempre les va mal. Se encuentran con una cultura que no es la suya, y no es que no sepan hacer el quehacer, «al fin indias», como dicen las patronas, es que su realidad es otra y sus costumbres son otras. Su metate, su agua clara, el río en el que lavan, la ropa que retuercen golpeándola contra la piedra, su piso de tierra barrida nada tiene que ver con una cocina Delher o una batería Vasconia. Por eso cada una de esas vidas es una tragedia, solo por excepción logran tener un hogar, llevar una vida más o menos estable. La gran mayoría se desquicia. Están desorbitadas; de repente en medio del ruido y de la indiferencia de la ciudad, reciben una avalancha de nuevas emociones, de sensaciones desconocidas, su destanteo es terrible, pueden hacer lo que nunca les dejaron en su casa, son presa fácil de cualquiera y los hombres con quienes se topan, igualmente inestables y desquiciados, se aprovechan de la situación. Y nadie las puede ayudar. Cata, recuerdo, enloquecía por Piporro, un artista de cine de bigote y pistola a quien un día descubrió dentro de la caja idiota. Cayó fulminada. Pasó de ver la tele a ir todos los domingos a los cines donde exhibían sus películas. Entre semana las repasaba mentalmente. Su delirio llegó a tal grado que a sus amigas les presumió que trabajaba en casa de Piporro y me pidió que no la fuera a delatar: «no me vaya usted a echar de cabeza», así es que cada vez que yo contestaba el teléfono respondía religiosamente: «Casa de Piporro». Hasta que Guillermo Haro me puso el alto porque ya estaba yo sugestionadísima y dispuesta a que nuestra casa pasara a manos de Piporro. Cata se fue al Norte —de donde es Piporro— con un camionero que la embarazó. De vez en cuando llama por teléfono; ya no ríe y lo que más me entristece es que no pregunta si he sabido algo de Piporro, cosa que siempre inquiría al verme hojear los periódicos.

Así es esta recochina vida. Muchas sirvientas se embarazan y allí termina su historia. Viven su maternidad como un castigo y muchas abandonan a sus hijos en el Hospital General cuando no han intentado antes deshacerse de ellos. El «feliz alumbramiento» de los hospitales privados con sus cigüeñas y su moño azul o rosa en la puerta del cuarto de maternidad, según el sexo del niño, se convierte en un acontecimiento traumático. Para poderlas sacar del pabellón de maternidad del Hospital General hay que donar sangre o cincuenta pesos o una canastilla-ropón. Si no hay un solo familiar que done sangre, la «enferma» no tiene derecho a visita. Por lo tanto vive su maternidad como un drama y la suya no es la sofisticada depresión posparto de la que hablan los médicos sino el enfrentamiento con una realidad atroz.

Si México es colonial, Perú es feudal. Tras de las bardas de las naciones se esconden tantos siervos como tesoros. El hermano del expresidente Prado tiene una colección de piezas arqueológicas incas solo comparable o quizá superior a la que tienen en México Josué Sáenz y Jacqueline Larralde de Sáenz y otra de cuadros religiosos que probablemente se equipara a la que pudiera reunirse en varias casas coloniales de Coyoacán y de San Ángel. En Perú, las capas más altas son absolutamente inaccesibles (también en México) y para llegar a ellas se necesitan recomendaciones, tarjetas de presentación, títulos; en fin, atravesar el formalismo y el protocolo que divide las clases sociales aún separadas por un abismo. Víctor von Hagen pudo penetrar en la sociedad limeña gracias a que es alemán y su apellido tiene un von, la partícula *de* que singulariza, *un nom à particule*, dicen los franceses, pero su tarjeta de visita con la esquina doblada no logró que amainara el odio que sintieron por él cuando leyeron lo que escribió acerca de los privilegios de la oligarquía. El hermano del expresidente Prado, después de mostrarle a Von Hagen su fabulosa riqueza, le preguntó al saber que venía de México:

—¿Verdad que en México no hay casas como esta?
—No conozco una sola.
—Es que en México han tenido la desgracia de tener revoluciones —se lamentó el coleccionista—; nosotros, en cambio, estamos intactos.

A un restaurante de Lima, entró un grupo de mexicanos encabezado por Francisco de la Maza. Como el mesero no los atendía, De la Maza lo llamó:

—Oiga, caballero, ¿no nos va a servir?
Entonces se levantó un hombre de la mesa contigua:
—¿De dónde vienen ustedes?

—Somos mexicanos.

—Ay, pues sí, tenían que ser extranjeros porque aquí a un mozo jamás se le dice caballero.

—En México, en cambio —respondió De la Maza— a todos y a cualquiera se le llama caballero hasta que demuestre lo contrario.

Von Hagen plasmó en sus escritos de la insolencia de la aristocracia peruana.

Caballero llaman las sirvientas a su patrón, en cambio ellos las llaman *so choca*, *so india*, *chola cochina*, y cuando se les antoja las violan caballerosamente. El «caballero» que le toca a Avelina es un botón de muestra, el de Fátima otro, el de Narcisa ni se diga, al de Petronila se le une la esposa y le grita: «¿De mi esposo cómo va a ser? Tú eres una mujer cochina, chola. ¿Por qué te vas a meter con mi esposo?». Además de que el hombre se aprovecha, cuando uno de los hijos de la patrona embaraza a la sirvienta, esta ya no la deja irse. O lo que es peor, le advierte: «Si tú vas a salirte, tu hijo se queda aquí»; así le sucede a Petronila, del barrio de Dolorespata, la patrona le espeta:

> Ay, tú no eres igual que nosotros, así que tú tienes que irte, tienes que dejarnos al chiquito. Él no es cualquier gente, no es como ustedes, es un niño fino. Tienes que entregarlo.

Algunos padres, por lo contrario, aconsejan a sus hijos aprovecharse de la sirvienta para que esta no se vaya y siga dentro de la casa. Si protestan, retienen al hijo que va a nacer, porque ese sí es de su familia. A Narcisa, proveniente de Sicuani, la entregan bajo papel, es decir, la venden. Ella misma adquiere conciencia de ello a pesar de sus once años y dice: «Como le daba platita, cincuenta solecitos, cien solecitos, como si estuviera vendiéndome». A partir de esta venta, las tribulaciones de la niña no cesan. Narcisa nunca hace el trabajo con suficiente rapidez. La señora sale a las diez y regresa a las doce. «Entonces, yo recién estaría lavando, tontita que no me daba cuenta. Me dijo: "¿Hasta ahora estás lavando? Oye, esa ropa ni siquiera has enjuagado. Yo pensaba que habías extendido y estabas cocinando"». Narcisa recurre a su madre: «Mamacita, yo no me quedo acá porque me pega y se enoja cualquier rato. Quiere que yo haga en un ratito las cosas». Y así aguantó Narcisa dos años hasta que su patrón que se la pasaba en el Club de Leones le roba doscientos cincuenta millones de soles al banco.

Yo dormía detrás del patio, tapada con unos cuantos plastiquitos, aunque llueva, sobre unos cueritos. Así me dormía, le decía:

—Mamita, me hace frío así afuera, dame un poco más de frazada.

—¿Ah sí? ¿Por qué no te compras con tu sueldo? Si cien soles, estoy dando a tu papá.

Pero esa plata mi papá se lo tomaba; no la entregaba tampoco a mi mamá.

Cuando el caballero se robó del banco, hemos fugado al Cuzco y el caballero se entró al hospital como si estuviera enfermo para que no lo persiga la policía. Estuvimos en un cuarto donde su suegra. Allí tuve que dormir en un costal, ellos y sus hijos en catre, y yo en el suelo. Su suegra no daba de comer casi. Yo en el cuarto atendiendo a sus hijos. De hambre le decía a la señora: «Adelántame, mamita, de mi sueldo para que me compre pancito, porque tengo mucha hambre», pero nada.

Más tarde, dice Narcisa:

Porque le tenía un miedo a la señora… Digamos como a una bruja que me iba a hacer algo, así tenía miedo de hablar hasta con mis amigas cuando se juntaban en la calle. Me decían: «Hola» y yo me hacía la tonta. La señora me hacía lo que le daba la gana, como nadie veía por mí.

Las chicas que entran a trabajar en el *servicio*, como Narcisa, le dicen a los patrones *papá* o *mamá* cuando no *madrina*, y por lo mismo están totalmente a su merced.

«[…]Porque cuando conversaba en la calle, ya sabía que la señora me iba a golpear», dice Narcisa.

Me pegaba; tiras me hacía, tiras, tiras. Así estaba, con la cara toda granada la primera vez que me vine al Sindicato.

Un sábado, el 15 de noviembre, esa fecha la tengo señalada, la señora se fue al cine. Yo estuve en la casa solita, planchando hasta las siete de la noche. Entonces vino el caballero, borracho. Me miró de pies a cabeza, me asusté todavía: «¿Qué será? ¿o alguien viene?», pensé.

—Entra, papá, ¿qué ha pasado?» —le dije.

—Y tú, ¿qué cosa estás haciendo?

—Estoy planchando los uniformes de los niños.

Solitita estaba yo, solo había una perrita que era mi compañera.

—¿A qué hora va a volver la señora Emperatriz?

—No sé a qué hora vendrá —le dije.

Estaba borracho, ya cayéndose que no podía ni pararse. Entonces lo subí ayudándolo, como siempre lo hacía acostar de borracho, como si fuera mi papá, y esa noche no sé lo que ha pasado:

—Allí atrás está el camión, vamos te voy a llevar a pasear.

—¿Cómo voy a ir a pasear, si tengo quehacer?

Algo estaría adivinando yo entonces:

—Anda, acuéstate, papá, te haré acostar.

Como yo tenía quehacer siempre, entonces me agarró y quería echarme a la cama.

—¿Qué te pasa papá?

Me dio un empujón, me agarró de la manga, una chompa roja que yo tenía, eso ha roto, no quería soltarme, pero felizmente, Dios es grande, logré escaparme, me bajé gritando, no sé cómo he bajado las gradas, hasta creo que estuve un ratito en el suelo en el primer piso. Se quedó en la cama borracho. La señora regresó a las diez, yo estaba de susto, de miedo, temblando. No le dije nada de miedo, tenía miedo.

Los castigos corporales se repiten en todos los casos que documenta el libro de Ana Gutiérrez, *Se necesita muchacha*: Aurelia, Eulogia, Tomasa, Petronila, Yolanda, Miguelina, Modesta, Sara, Dominga, Fortunata, Narcisa, Tiburcia, Magdalena, Flora, Avelina, Lucía, Fátima, Bonifacia, Herminia, Jesusa, Aurora, Honorata, Simona; todas, absolutamente todas, son víctimas.

Las patronas nunca son totalmente buenas o generosas, solamente son *buenitas* o *un poco buenas*. Una de las señales de que son buenas es que los amos y las sirvientas, la patrona y la chola coman juntos lo mismo, frente a la misma mesa. Pero de allí en fuera, el relato de la vida de cada muchacha es solo una larga sucesión de infamias:

Cuando llegaba tarde, me tenía parada en la pared, con piedras en las dos manos, así encruzada.

Esa señora muy mala había sido. Mucho me pegaba, me pateaba, seis meses nomás me quedé porque me pateaba, por eso no me aguantaba, ¡esa señora medio loquita había sido, pues!

Ella me pegó con palo grueso en la pompa, todos los vecinos han mirado, y el Cirpiano parado, no ha dicho nada. Y la señora insultado lo que sale de su boca. ¿Qué tal golpe yo recibía? Donde ha caído el palo, verde estaba mi cuerpo.

Si unos días antes llevaban a pastar al *chancho* (el puerco es más fácil de cuidar porque avanza lentamente, no corre como el borrego), en la ciudad les aguarda el mundo de los que pegan, los ricos. Dice Fátima, cuya sabiduría es impresionante:

Los maltratos siempre confusionan. Por ejemplo, a un niño de seis siete años entregan a la madrina, a la patrona y ella dice que va a criar como a un hijo. «Algún día vas a ver cómo va a ser realmente tu hijo. ¿O quieres que sea como tú, ignorante en los campos? Debes despachar a tu hijo para que algún día sea como yo». Así saben traer, entonces a ese niño le gritan, le dan su manazo a la cabeza, lo jalan de la oreja, lo hacen andar sin zapatos, entonces el niño se desacierta como un niño asustado. No está en sus cinco sentidos. En su pensamiento está muy desesperado. Y sus hijos de la señora le gritan: «¡Cholo!». Y por otro lado la señora: «Niñito le vas a decir a mi hijo», le da puñetes, patadas, le golpean la cabeza, entonces el chiquito se va volviendo como un loquito, ya no piensa como debe ser, ya piensa disparates. Siempre el pobre recibiendo maltratos tiene que tener un feo carácter, además a la vista somos las más sufridas, nos cae mal cualquier cosa por lo que hemos sufrido y tenemos una cólera y desesperación, yo hasta ahora no puedo olvidar tampoco; así hemos crecido los hijos de los pobres.

Antes —dice en otro párrafo Fátima— cuando estaba en la casa de la patrona y que veía que ella trataba muy distinto a sus hijos y a mí, entonces pensaba: «¿Por qué habrá habido pobres y ricos? Así habrá querido Dios, ni qué hacer» porque siempre yo veía que había dos clases de cristianos. A mi papá le preguntaba:

—¿Por qué somos pobres, papá?

—Nosotros somos pobres porque no nos ha educado nuestro papá o sea, no podemos igualarnos a los ricos. Los ricos son muy diferentes, no podemos igualarnos nunca porque tienen harta plata.

—¿Por qué tienen harta plata?

—Porque son gente decente.

Así decía mi papá. Entonces yo pensaba: «¿Por qué serán estas cosas?» y de todo le echaba la culpa a Dios nomás. «Dios tiene la culpa para que haya pobres y ricos, qué vamos a hacer pues», así era mi pensamiento cuando era chiquita. Siempre veía que había pobres y ricos. Pero no trabajaba, me recuerdo, con pensamiento de volverme patrona, sino de ayudar a mis papás y que ya no entreguen a mis hermanitos. Hasta le dije a mi papá:

—Papá, ya no debes tener más hijos, porque cuando vas a tener más hijos, ¿dónde todavía van a sufrir mis hermanitos? Tú no verás cómo nos trata la patrona. Tú ves por lo que he venido a visitarles gorda y bien vestida, que he sido bien considerada como su hija pero nunca me han tratado así. Estás viendo papá cómo delante de ti me trata como a su hija, pero cuando no estás: «Oye, so india, cuidado que te avises a tu papá por lo que te hemos insultado». Por eso me quiero salir.

—¿Qué vamos a hacer hija? Hay que humillarse nomás, así somos los pobres, todos los pobres sufrimos así. Si te contestas, si te respondes a la señora peor te pega, y yo ¿qué voy a hacer?

Entonces yo lloraba:

—¿Por qué no me defiende mi papá? ¿Para qué me ha traído a este mundo, para que me abandone?

Los latinoamericanos nos hemos repuesto de la Conquista a pesar de que los conquistadores arraigaron en nuestro país y de ellos nacimos, pero todavía hoy padecemos las consecuencias de la brutal supresión de todas las tradiciones consideradas bárbaras.

En México, aun sin conquista militar, las relaciones sociales son factores peligrosos de desarraigo. El poder del dinero y la dominación económica enferman. Todos los móviles —o cualquiera— pueden ser remplazados por el deseo de lucro. El grueso rebaño que viene del campo a engrosar los cinturones de miseria se topa de golpe y porrazo con una sociedad cuyo valor primordial es el dinero. Si en su tierra podían (más o menos) intercambiar semillas, mercar el borrego o la marrana, si en el campo no le negaban un taco a nadie, aquí en la ciudad, el que no tiene un quinto no sirve, no puede, es basura que el viento se lleva.

Si les va mal al vivir en el DF incluso en las peores circunstancias les va menos mal que en su tierra. Se integran a una vida que no comprenden pero que creen que es *la neta, la pura vida*. Vienen de la inmensidad que es la República Mexicana.

En la ciudad sienten oscuramente que participan en la vida del país. Su tierra, en cambio, es solo un inmenso páramo vacío en el que deambulan como ánimas en pena, fantasmas de sí mismos, a la manera de los personajes rulfianos. En la ciudad, por más mala que sea su situación, sus condiciones son mejores o al menos más entretenidas. La ilusión de una muchacha es salir de su pueblo y vivir en el DF aunque sea de sirvienta.

En los países más pobres del mundo y de América Latina como México, Perú, Guatemala, Ecuador, El Salvador, se da el fenómeno de *el servicio*, la servidumbre. En Europa, Franco hizo de España depauperada y sangrante un país de criados en 1939. Los republicanos se mudaron en busca de trabajo, los hombres a las fábricas como *eventuales*, las mujeres se convirtieron en recamareras y cocineras. Los franceses tratan siempre a los extranjeros de *bicots, pieds noirs, metecques*. Son los indígenas los que proveen la mayor cantidad de sirvientes en nuestro continente. Uruguay, por ejemplo, que había conseguido un alto grado de civilización en América Latina y a la que llamábamos antes de la asonada militar *la Suiza de América*, contaba entre sus logros que el servicio doméstico estuviera en manos de mujeres que laboraban unas horas y conservaban su libertad, su autonomía y por lo tanto su dignidad. En México, las muchachas de *entrada por salida* poco a poco se han multiplicado; vienen a la casa por unas horas a desempeñar un trabajo que si no necesita estudios superiores requiere de conocimiento y eficacia, cobran *sus horas*, se despiden y se van a su casa o a bailar si les da la gana.

Gloria Leff señala que en la Ciudad de México, una de cada cinco mujeres que trabaja es sirvienta y la cifra va en aumento. En Chile, la mitad de la población femenina económicamente activa se dedica al servicio doméstico, y en Perú, las dos terceras partes de la fuerza de trabajo femenina prestan servicios en casas particulares. Gloria Leff visualiza así el futuro:

> Las posibilidades que tienen las empleadas domésticas de cambiar de tipo de trabajo una vez que se encuentran en las ciudades son casi nulas. Es evidente que la forma de industrialización que se ha dado en México, al igual que en el resto de los países capitalistas dependientes, ha sido en base a una tecnología ahorradora de mano de obra. Además, los requisitos de ingreso a la industria son cada vez más rígidos y la calificación con que cuentan estas mujeres es muy baja. Por ejemplo, en el Distrito Federal, que cuenta con las oportunidades ocupacionales y los niveles educativos más altos de toda la República Mexicana, casi un 50% de las sirvientas son analfabetas y un 30% empezó pero no terminó la primaria. Ello no impide que estas muchachas, al igual que miles de

trabajadores, sean utilizados como ejército industrial de reserva. Se les emplea en momentos de auge productivo despidiéndolas en situaciones de crisis.

Pocos mexicanos se enorgullecen de su vida en el campo; al contrario, en México ser campesino constituye ahora el último peldaño en la escala humana. Nada tienen que ver los campesinos mexicanos con los *paysans avares* de los que habla Claudel, aquellos que sorben el contenido de su plato sopero para después limpiarlo con un buen trozo de pan y enjuagarlo con vino tinto. Los mexicanos son campesinos porque son pobres. Encarnan la canción de «Nacidos para perder» al pie de la letra y vienen a la ciudad precisamente para dejar de ser campesinos.

Muchas sirvientas se avergüenzan de la vida que encuentran a su regreso a casa: «Yo, de plano, ya no me hallo; no me gusta ni la comida, puras tortillas y frijoles». «No me hallo, palabra, mis papás no platican nada de nada». «Allá la gente es mucho muy corta, nadie les ha abierto el entendimiento». «Yo qué voy a ir a sembrar; es muy pesado. Y luego tanto trabajar para sacar tan poquito, no tiene chiste».

La tarea del campo es una de las que hay que huir, librarse a la mayor brevedad. El canto del azadón y del surco, la oda a la faena en la tierra no existe más que en la literatura del siglo pasado y en las parábolas del Evangelio que el señor cura lee a tropezones cuando visita la iglesia, allá cada mes cuando le toca ese circuito. Pero no se refieren a nuestra tierra sino a otra, a los idílicos campos bien arados, a la vid y no al maguey, a los olivos y no a los espinos, al trigo y no al maíz. ¿Cuándo habló evangelista alguno de la tuna cardona? ¿Cuándo del nopal? Allá en los bíblicos campos es fácil cultivar; aquí la tierra es, como lo dice Rulfo, un pellejo de vaca, dura, desolada y vacía. Las palabras del señor cura nada sugieren, no suscitan emoción alguna, quién sabe dónde estarán estos campos rubios que ondulan al sol, dónde las uvas moscatel.

Los sermones no logran retener la atención de sus feligreses que solo atienden el rechinar de sus tripas. Lo mismo sucede con los libros de texto gratuito de educación primaria. Poco o nada tienen que ver con la vida diaria y los beneficios de higiene, salud y energía de los cuales habla el maestro, eso solo habita en las páginas impresas, jamás en la vida real ni mucho menos en la del niño campesino. ¿Qué puede significar para él leer en un texto de la SEP que cada miembro de la familia debe dormir en su recámara con la ventana abierta y hacer sus abluciones matutinas con agua caliente si toda la familia se hacina en un cuarto, comparte la misma cama cuando no se tira en el suelo en petates, y si hay agua, es porque la acarrean de la toma más cercana? La niña de Tomatlán que exclama: «¿Para qué aprendo si de todos modos voy a comer frijoles?», refleja un estado de ánimo absolutamente congruente. ¿Para qué aprendo si lo que me enseñan en la escuela nada tiene que ver con mi realidad? ¿Para qué estudio si no voy a poder aplicar nada de lo que me enseñan? ¿Para qué sigo yendo si lo que me espera en el futuro es esta miseria en la que vivo y vivieron mis padres y los padres de mis padres y los abuelos de mis abuelos y vivirán mis hijos porque para mí no hay sino esto que ustedes ven: este baldío y esta condena?

Se necesita muchacha tiene muy pocos antecedentes. Uno valioso, escrito también en Perú, en 1973, de Alberto Rutté García, patrocinado por el Centro de Estudios y Promoción de Desarrollo, con el título de *Simplemente explotadas* (parodiando a *Simplemente María*, la telenovela). En México, no conozco una investigación que le dé la palabra a las propias sirvientas como lo hace en Perú Ana Gutiérrez en *Se necesita muchacha*. María Nord publica el relato *Yo y Campo Alegre* pero se trata de un texto literario. Mary Goldsmith escribe en *fem.* (Vol. IV, núm. 16) un texto sobre el tema del trabajo doméstico asalariado en América Latina: México (Garduño, Grau, Leff, Luna, Salazar); Perú (Rutté García, Smith, Chanoy); Brasil (Saffioti, Jelin Filet, Abreu); Colombia (Rubbo y Tanssig); Chile (Alonso Larrina y Saldies).

El valor del trabajo de Ana Gutiérrez reside en los testimonios recogidos de viva voz y en su propuesta final: el Sindicato de Trabajadoras del Hogar del Cusco, fundado en abril de 1972 por Egidia Laime, reconocido oficialmente tres meses después. Si para Jesusa Palancares, protagonista de *Hasta no verte Jesús mío*, los sindicatos no fueron ninguna panacea ni mucho menos el remedio a sus males, el de Perú parece ser la solución al problema de quienes lo integran. Tununa Mercado define muy bien al sindicato al consignar los gritos de Tomasa, Eulogia, Aurelia y Petronila, Dominga y Herminia:

En medio de este grito lacerante que si convoca a la piedad o a la indignación es solo por la injusticia que revela y no porque quienes testimonian se lo hubiesen propuesto, en esa «herida en la carne y en el alma» (sería difícil encontrar otros términos para dar cuenta de la crueldad y el sufrimiento que ponen al descubierto los relatos), poco a poco comienza a insinuarse un brote, imperceptible al principio, pero que va teniendo volumen real: la conciencia que cobran estas mujeres de su situación.

En la escuela, la compañera Cirila me dijo: «Hay un grupo». Yo cuando escuché de grupo, ahí mismo dije: «Llévame, ¿dónde es?», porque siempre en Lima pensaba: «¿Por qué no nos juntaremos? ¿Por qué no hablaremos todas las empleadas? No creo que yo nomás sufría, no creo».

En el segundo momento de esa gestación concreta, progresivamente inalienable, de la dignidad humana, está la integración al sindicato, que comienza a ser entendido como una recuperación del afecto, hasta ser un movimiento estrictamente político y, lo que es más, clasista.

El sindicato es sagrado porque nació de las lágrimas, de los golpes, de ese sufrimiento visceral del que habla Tununa Mercado, de la desigualdad absoluta entre sirvienta y patrona. Egidia Laime (ahora fallecida) repite lo que los patrones exclamaban al verla: «nosotros no somos como tú, con pollera y montera»… Pero yo veía —continúa Egidia— que tienen igual nariz, boca, pies, manos. Me dieron una taza oxidada y un plato quemado, viejo. Así me he despertado».

Aunque en México, algunas agrupaciones se han ocupado de las sirvientas: la JOC (Juventud Obrero-Católica) y el CASED (Colectivo de Acción Solidaria con Empleadas Domésticas) así como el Hogar de Servidoras Domésticas, A. C., en Cuernavaca, no han logrado aún el espíritu ni las reivindicaciones del sindicato peruano de Egidia Laime en la provincia de El Cusco.

Como lo dice Ana Gutiérrez, la legislación peruana provee una ley propia a dicho sector laboral que es claramente discriminatoria y en la gran mayoría de los casos, no se aplica siquiera. Para mencionar solo los aspectos más importantes, esta ley no fija un sueldo mínimo vital, establece ocho horas de descanso nocturno (y en consecuencia hasta 16 horas de trabajo diario). En México, doce artículos, del 331 al 343, capítulo II de la Ley Federal del Trabajo, defienden a los trabajadores domésticos, o sea, a los que «prestan servicios de aseo, asistencia y demás propios e inherentes al hogar de una persona o familia». El artículo 333 estipula que «los domésticos deberán disfrutar de reposo suficiente para tomar sus alimentos y descanso durante la noche», pero esto resulta tan elástico que los trabajadores domésticos en muchas casas se acuestan a las once o doce de la noche después de dar de cenar y se levantan a las seis de la mañana o antes, a hacerles el desayuno a los niños que salen para la escuela. Elena Urrutia se encargó de levantar el último censo en su encopetado rumbo de El Pedregal y se dio cuenta que los que sumaban más horas de trabajo a la semana eran precisamente los criados, porque su jornada iba mucho más allá de las ocho horas estipuladas. Entre todos los trabajadores asalariados su situación era la peor. Esperanza Brito de Martí es explícita y hace remontar la creación de esta ley al sexenio avilacamachista:

> Al establecer las normas para fijar los salarios de las domésticas, los legisladores tomaron en cuenta la erogación que para la patrona representa dar casa y sustento y consideraron este gasto como parte del salario de la trabajadora, equivalente al 50% del sueldo que la trabajadora perciba en efectivo. Es decir, que el sustento es igual al 33% del salario. En el Distrito Federal, el salario mínimo era de $163.00 diarios y $4,890.00 mensuales. Calculando los alimentos y habitación equivalente al 33.33%, la trabajadora doméstica debía percibir en efectivo $3,260.00 mensuales.

Aunque muchas veces tanto la habitación como los alimentos dejen qué desear, las sirvientas duermen en no pocas ocasiones en el cuarto de los tiliches, junto al periódico amontonado, el sillón desfundado, las sillas rotas, etcétera. Sin embargo, las patronas cuando corren a la esclava esgrimen el sustento como un arma: «¿Acaso te cobro lo que comes y el agua caliente de día y de noche?». En muchas casas se hacen dos comidas: una fina, «cocina francesa», y otra para la cocina. Muchas patronas alegan: «Al fin que a ellos ni les gusta. Mi hijo siempre pasa a la cocina a echarse un taco de la comida de los criados».
Ana Gutiérrez asegura:

> Gracias a la trabajadora del hogar el Estado minimiza los servicios colectivos (especialmente en lo que se refiere a guarderías infantiles, comedores, lavanderías). Su presencia permite a una parte de las mujeres trabajar ganando un sueldo sin proporción con el que dan a la empleada, y a la otra parte, descansar. ¡Tremendo potencial improductivo y reaccionario!

146

Si sobre los hombros de una empleada doméstica descansa el funcionamiento de la casa, si gracias a ella la patrona puede trabajar o dedicarse a lo que quiere, si por ella hay comida y limpieza, los artículos de la Constitución que garantizan su bienestar son prácticamente inexistentes, su redacción por demás vaga y sus sueldos se sujetan a la buena voluntad de la patrona que nunca ni por equivocación ha leído la Ley Federal del Trabajo. La patrona además paga cuando quiere y muchas veces queda a deber hasta dos, tres meses. «¿Cuántas patronas cooperan para la instrucción general del trabajador doméstico, artículo 337 II, y cumplen con sus obligaciones en caso de enfermedad del trabajador, Art. 338 I, II y III?», se pregunta Elena Urrutia. ¿Cuántas dan el permiso con goce de sueldo por maternidad? La feminista Esperanza Brito de Martí es contundente:

> Lo cierto es que la mayoría de las mujeres que contratan trabajadoras domésticas no saben que la ley las obliga a colaborar con la educación de la empleada y, si lo supieran, no tendrían idea de cómo cumplir con este deber. Muchas de ellas han recibido tan solo una educación rudimentaria y si no sienten la necesidad de ampliarla, mucho menos van a considerar que una mujer que se encuentra por debajo de ellas en la escala social requiera de instrucción. En México, el panorama de la trabajadora doméstica es sombrío.

Los sueldos se pagan, repito, al gusto de la patrona, sin recibos ni timbres, sin más garantía que la de la mano que da y la que recibe. Los «tres meses» a la hora del despido son casi siempre hipotéticos, porque muy pocas sirvientas están enteradas de ese derecho. El monto del sueldo lo fijan los rumbos y no es lo mismo trabajar en las Lomas que en las colonias venidas a menos. En las Lomas, en Tecamachalco, en San Ángel, en el Pedregal de San Ángel, en San Jerónimo, en Coyoacán y Tlalpan los sueldos son más altos, pero también la vida tras de las altas bardas en medio de las calles solitarias pierde sabrosura. Allá no cae un paletero ni por equivocación, no hay una miscelánea a un kilómetro a la redonda y hasta los lecheros le hacen el feo a las que salen a abrir la puerta: «Está bonita la gatita, pero no vaya a salir un guarura a madrearme», «estos no son mis rumbos, no me siento en confianza», y se siguen de largo hasta la Portales. Cuando empiezan a ejercer su influencia los gringos, el sueldo sube pero la exclusividad restringe la vida y muchas prefieren un barrio más popular, el de la panadería (consuelo de todas las sirvientas). «Ya me voy al pan, señora».

La miscelánea y la nevería dulcifican la vida; las criadas de las Lomas y del Pedregal suelen ser atufadas y mal humorientas a pesar del sueldo. Y con mucha razón, están más presas que las otras, escondidas tras las bardas y las alarmas antirrobo que convierten el jardín y sus alambrados de púas y vidrios rotos arteramente encajadas en lo alto del muro en verdaderos campos de concentración. ¿Qué príncipe azul va a subir por encima de estas bardas peligrosas?

El libro *Se necesita muchacha* aborda la realidad peruana, sobre todo la de la provincia del Cusco, pero la realidad de la pobreza es la misma en todo el continente y las muchachas de uno y otro país forman una sola masa compacta y miserable. Todas podrían cantar a coro la canción de «Estamos en las mismas condiciones», de Gabriel Ruiz. Algunos estudiosos norteamericanos, como Michael Harrington, Margaret Mead, Robert Redfield, Oscar Lewis, escribieron trabajos muy valiosos acerca de la cultura de la pobreza y siempre se recurre a investigaciones de universidades norteamericanas que obtienen información de primera sobre la realidad del llamado *tercer mundo*. Aunque siempre mencionan a sus «informantes», salvo en el caso de Oscar Lewis en *Los hijos de Sánchez* y en sus libros posteriores, estos no se convierten en autores ni en autoridades de lo que relatan, y solo a través de los latinoamericanos mismos surge la voz autónoma, la de Jesusa Palancares o la de Juan Pérez Jolote, recogida por Ricardo Pozas, la de Domitila Barrios de Chúngara que hace oír su grito de luchadora de las minas de los Andes bolivianos a través de Moema Viezzer, la de las veinticuatro peruanas cuyo testimonio grabó Ana Gutiérrez y cuentan su historia con palabras que hieren por las injusticias, golpes, jalones de pelo, quemaduras, hambrunas, patadas y humillaciones de las que son objeto. Tal parece que en Perú el idioma se hace más chiquito, *estito nomás*, los diminutivos no se limitan a los adjetivos, los sustantivos sino también los artículos. La gente no halla cómo pasar inadvertida, borrarse para que la acepten. Nada piden, solo *estito*, muy poquito, apenas un adarme, una migaja. Si de ellos dependiera, se harían invisibles hasta aniquilarse totalmente.

Yolanda, que proviene de Yauri y tiene veintitrés años, regresa a la infancia, aniña el lenguaje, quiere asegurarse del cariño de su madre, achicando sus palabras. Relata todo lo que su madre le enviaba de Yauri a Arequipa donde la obligó a trabajar: «Ella había mandado un cordero enterito, chuños, media arroba de habas tostadas, casi todas peladitas». Pero la patrona no le da nada, solo un platito de habas y le dice: «Estito manda tu mamá». *Estito.* ¿Qué ha recibido Yolanda en la vida, salvo *estito*? El marido de su prima abusó de ella cuando tenía ocho años y *eso más todavía* después de que la madre la despachó a trabajar con esta prima, cuyo marido, el que la violó, era su patrón; pero Yolanda insiste en el amor materno, le da vueltas y vueltas a su vida; en realidad todas queremos creer que somos amadas, todas insistimos «mi madre lloraba por mí», ¡oh prueba de amor!, «mi madre no quería que fuera como ella, por eso me envió con mi madrina (la patrona) para que asistiera a la escuela, aprendiera a leer y a escribir. Lo hizo después de vender la última borrega». «Mi madre me hacía cariños, las monjas me querían, me enseñaron a coser», todas nos agarramos de estos prodigiosos miligramos de amor; nos prendemos a ellos como la miseria al mundo y los blandemos cual papel de china, banderas que agitamos frágiles y quebradizas, nos convencemos: «sí, sí, yo fui una niña querida, muy querida, nada más que la canija miseria, la necesidad hizo que pronto tuviera que irme, salirme de mi casa».

«Nosotros teníamos ganadito, ovejas, vaquitas», dice Aurelia. El *ganadito* es acreedor de su cariño, así como la patrona es *buenecita*. El lenguaje se va reduciendo hasta casi no oírse, como si se disculpara. Hay que hacerlo pasar como un murmullo, solo los patrones, el cacique, hablan golpeado, como hablan sus espuelas, sacándoles chispas a las piedras al caminar. No, no, aquí el lenguaje debe escurrirse, que no vaya a ofender. Por eso los demostrativos se vuelven diminutivos, los adjetivos terminan en *ito, ita, itos*. Las palabras piden perdón. Como ellas mismas son empequeñecidas hasta el aplastamiento. Su lenguaje refleja su situación de infamia. Solo el patrón puede usar palabras sonoras. Ellas no deben verse ni oírse; son simplemente comparsas, telón de fondo para la buena marcha de la casa.

Lo primero que salta a la vista es que todos los testimonios se parecen, lo cual hace decir a Ana Gutiérrez: «Estos relatos presentan una monotonía aterradora. Puede ser. Es la monotonía misma de la explotación». Todos hablan de lo mismo, del hambre, del maltrato, del abandono. Dice Aurelia, la primera informante:

> Cuando ellos estaban comiendo, yo tenía que estar así nomás, y después, de lo que sobraba aumentan esa comida con agua y eso nomás me daban… Yo renegaba pues, ¿por qué me das como para un perro, aumentando con agua?

Los casos de cada una son reiterativos y muy semejantes, espantan.

> Yo me daba cuenta que a sus hijos trataba como merecían y a mí como a un perro —dice Fátima—. Yo tenía que amanecerme limpiando, fregando las ollas hasta media noche, demasiado me hacía, pues. Si no lavaba bien la ropa, me pegaba con la ropa: «A ver huele, huele. Así se lava. ¿Hasta cuándo vas a aprender a lavar, oye, chola?».

Hasta que otra señora se compadece y le dice: «Demasiado te pega esa señora, tal vez con el tiempo puedes volverte trastornada, en la cabeza te pega, te pellizca», solo para que le suceda con otra patrona lo mismo.

En Perú, a diferencia de México, los anuncios son explícitos: «Se necesita muchacha cama adentro», o sea *de planta*. Las muchachas que trabajan *cama afuera* son las que en México llamamos de *entrada por salida*. Sin embargo, a muchas de *cama adentro*, la patrona les ordena que traigan su propio catre, colchón y cobija. En México, los cuartos de servicio suelen ser mugreros, con sus espejos rotos, los ganchos de alambre de todas las tintorerías, las pilas de periódicos y los triques que algún día servirán de algo y el consabido colchón manchado de sangre. Allí en medio de esos palos destartalados, la sirvienta se hace su agujero y se va a tirar en el camastro, se peina ante el fragmento de espejo roto, a jalar el excusado siempre descompuesto, a sacar sus chivas de la caja de cartón a ver en qué clavo atora su vestido de los domingos. Muchas les tienen que subir la bastilla al uniforme de su antecesora o bajárselo según el caso: «Lo compré hace dos meses —advierte la patrona— pero Nacha era retedescuidadota. Todavía aguanta».

Desde el momento en que desciende de su cuarto de azotea, la sirvienta se introduce en la intimidad de la familia y la vive. Se encariña con los niños, aunque algunos sean expertazos en patadas en las espinillas y jalones de trenza. Los gritos de *mula* y *mensa*, las canciones de Cri Crí: «Ay mamá, mira esta María, siempre trae la leche muy fría, que me la lleve a calentaaaaaar», están a la orden del día. Pancha se identifica con la vida que llevan los miembros de la familia aun a riesgo de romper esos lazos afectivos al irse. Batalla con todos los calzones de la «unidad doméstica» y los lava una y otra vez. Escucha los pleitos, pero como no es nadie no interrumpe, todo puede pasar frente a este fantasma que ni a testigo llega. ¿Qué importa lo que piensa si nadie se ha preocupado por averiguar si piensa? Le teme a la patrona, al poderoso, al *señor* aunque no intervenga en la vida doméstica. «El señor como si nada era», advierte Fátima. Se entera, como lo dice Tito Monterroso, de todas nuestras *porfiadas miserias*; sin embargo, esta confianza no la hace subir un ápice en el escaño social de la «unidad doméstica»; puede llegar hasta a confidente pero la patrona, después de desahogarse diciéndole que su marido es un desgraciado, le preguntará colérica quién se acabó el pedazo de queso que estaba en el refrigerador.

Una patrona se cruza con su sirvienta por lo menos veinte veces al día. Nadie más cercano. «Veo a la muchacha más que a mi marido». «Estoy más horas con la criada que con cualquiera de mis hijos». De alguna manera ambas comparten sentimientos de inferioridad y ambas están insatisfechas. De allí la frase: «Mi patrona es retedispareja» y «No sabes qué muchacha tan mal geniuda, no sabes qué feo modo tiene». Ninguna sabe abordar a la otra aunque estén equipadas con los mismos impulsos, los mismos afectos. Su conducta emocional resulta caótica, imprevisible. Resulta significativo un cuento de Pita Amor en *Galería de títeres* en que la patrona aristocrática mangonea altanera a su sirvienta frente a las visitas y en la noche, ya en la soledad, le ruega que no la abandone. La intimidad adquiere entonces proporciones gigantescas. Muchas *mucamas*, *doncellas* o *gatas* adoptan el modo de la patrona por una suerte de mimesis. «Tu sirvienta contesta el teléfono igualito a ti. Dice *aló* como tú, tanto que hasta las confundo». Los franceses las llaman *femmes de chambre* porque su perímetro es el de la recámara.

De ahí que en Chile, en la marcha de las cacerolas, las sirvientas se aliaran a sus patronas, secundándolas. La presión de la patrona es la de la olla exprés. Cuando delega su autoridad en la criada de más confianza, esta ejerce sobre las demás una tiranía a la que la propia patrona no se atrevería.

En México se les llama *criadas* porque han sido criadas dentro de la hacienda o la casa de la ciudad, criadas como criaturas, es decir, amamantadas por los patrones. Las sirvientas han sido levantadas del suelo, enseñadas y amordazadas por la rutina, concebidas, hechas para la esclavitud dentro de una opresión de la cual a veces ni siquiera tienen conciencia. El encierro se lleva a cabo tras las gruesas paredes de la finca. Por eso su vida es casi monástica y no se les ofrece otra alternativa. Tampoco ellas se asoman a la calle. Como lo dice Jesusa Palancares: «El que no conoce a Dios a cualquier burro se le arrodilla». ¿Qué ven ellas más allá de su prisión? ¿Para qué más han sido criadas sino para el fogón, el metate y el aventador? Su única salvación es integrarse; a la renegada del metate le va mal; el hombre abusa de ella, la revuelca, le pierde el respeto y en el respeto del hombre está el de la sociedad entera. Si el hombre la repudia, también la sociedad.

Entre menos recursos económicos tiene la patrona más hostiliza a su sirvienta porque lo único que puede diferenciarla de ella son los gritos y sombrerazos. Enviarla a este y otro «mandado», vigilar sus entradas y salidas, la reafirma en su estatus social. Las sirvientas tampoco aprecian a los intelectuales de izquierda que viven como de derecha porque «el gobierno les manda canastas de Navidad y hablan hasta la madrugada y no hay modo de hacer limpieza ni de abrir la ventana para sacar toda la humareda». Solo en muy contadas ocasiones la intimidad con la sirvienta rinde frutos.

Surge la famosa división entre académicos y manuales: el cerebro y las manos. La patrona tiene otro destino, ha cultivado su cerebro, es más, lo ha alimentado, lo ha costeado el Estado. Está muy bien que otro ser humano, sin destino, ni oficio ni beneficio, la criada pues, haga lo que a ella le quitaría un tiempo valiosísimo. Por eso otra vierte detergente y pone a blanquear las sábanas. María probablemente se encuentre de nuevo frente a la estufa, abriendo el gas, no para meter su cabeza dentro del horno como Sylvia Plath (lo cual ya es un privilegio de la clase dominante), sino vigilando la olla de la leche que hierve, para darles a los niños el desayuno número 17,159,374,628,430,000.

El problema de las sirvientas siempre se ha abordado igual. Ira Furstemberg, casada con Alfonso Hohenlohe, declaró que se aburría en México porque las señoras no hablaban sino de niños y de sirvientas. Un gremio confronta al otro y los campos en que las contrincantes libran la batalla son la estepa de la sala, el río del planchador, el pantano de la cocina, las coladeras que se tapan. Sin embargo, sospecho que hay algo más y que el rencor de las patronas va mucho más allá de los reales o supuestos agravios. Resulta que la sirvienta puede irse y a la hora que decide *me voy* no hay quién le ponga el alto. Se va. La patrona tiene que quedarse y mirar desde la puerta a la gata que se aleja, llevándose su caja de cartón mal amarrada para desaparecer en la esquina tan mágicamente como llegó. En cambio ella tiene que quedarse a cuidar la casa, cerrar la puerta con llave, pagar la última boleta del impuesto predial, atender al señor, aguardar la quincena. No tiene días de salida, ni puede cambiar de amo. Entonces descubre que nada esclaviza tanto como esclavizar y que por encima de ella está su sacrosanto esposo, su casa, sus pantuflas, su decencia, su responsabilidad, Dios, la Virgen de Guadalupe, sus hijos, la sociedad, y que jamás podrá abrir la puerta, abrir su cerebro, lavarlo con Fab Limón, ponerlo a tender al sol y comunicarle al mundo: me voy porque sí.

¿Por qué es tan silenciada en México la situación de las sirvientas? Porque su misma condición de sirvientas, como ya lo vimos, borra su voz. A las sirvientas, cuando están, se les olvida; toda su formación, el entrenamiento que reciben tiende a nulificarlas. Una buena sirvienta no debe hacerse oír ni ocupar espacio, debe pasar inadvertida. Es como el quehacer doméstico. Le sucede lo que a la escoba y al recogedor: solo existen cuando no hay. De que un gremio conforma a otro no cabe la menor duda, de que los dos bandos son enemigos, he aquí una prueba.

Cuando en 1975 se celebró en México el Año Internacional de la Mujer, el personaje más interesante y vital resultó ser Domitila Barrios de Chúngara, quien demostró además que los intereses del feminismo se dividen en clases sociales en la Tribuna, dice Domitila:

Y una señora que era la presidenta de una delegación mexicana, se acercó a mí. Ella quería aplicarme a su manera el lema que era Igualdad, Desarrollo y Paz y me decía:

«Hablaremos de nosotras, señora… Nosotras somos mujeres. Mire señora, olvídese usted del sufrimiento de su pueblo. Por un momento, olvídese de las masacres. Ya hemos hablado bastante de eso. Ya la hemos escuchado bastante. Hablemos de nosotras, de usted y de mí, de la mujer, pues».

Entonces le dije:

Muy bien, hablaremos de las dos. Pero, si me permite, voy a empezar. Señora, hace una semana que la conozco a usted. Cada mañana usted llega con un traje diferente, y sin embargo yo no. Cada día llega usted pintada y peinada como quien tiene tiempo de pasar en una peluquería bien elegante y puede gastar buena plata en eso, y sin embargo, yo no. Yo veo que usted tiene cada tarde un chofer en un carro esperándola a la puerta de este local para llevarla a su casa, y, sin embargo, yo no. Y para presentarse aquí como se presenta estoy segura de que usted vive en una vivienda bien elegante, en un barrio también elegante, ¿no? Y sin embargo, nosotras las mujeres de los mineros tenemos solamente una pequeña vivienda prestada y cuando se muere nuestro esposo o se enferma o lo retiran de la empresa, tenemos noventa días para abandonar la vivienda y estamos en la calle.

Ahora, señora, dígame: ¿tiene usted algo semejante a mi situación? ¿Tengo yo algo semejante a su situación? Entonces, ¿de qué igualdad vamos a hablar entre nosotras, si usted y yo somos tan diferentes? Nosotras no podemos en este momento ser iguales, aun como mujeres, ¿no le parece? Pero en aquel momento, bajó otra mexicana y me dijo: «Oiga, ¿qué quiere usted? Ella aquí es la líder de una delegación de México y tiene la preferencia. Además, nosotras aquí hemos sido muy benevolentes con usted, la hemos escuchado por la radio, por la televisión, en la tribuna. Yo me he cansado de aplaudirle».

A mí me dio mucha rabia que me dijera eso, porque me parecía que los problemas que yo planteaba servían simplemente para volverme un personaje de teatro al cual se debía aplaudir. Sentí como si me estuvieran tratando de payaso.

Oiga, señora —le dije— ¿y quién le ha pedido sus aplausos a ustedes? Si con eso se resolvieran los problemas; manos no tuviera yo para aplaudir y no hubiera venido desde Bolivia a México, dejando a mis hijos, para hablar aquí de nuestros problemas. Guárdese sus aplausos para usted, porque yo he recibido los más hermosos de mi vida y esos han sido los de las manos callosas de los mineros.

Y tuvimos un altercado fuerte de palabras. Al final, me dijeron: «Ya que tanto se cree usted, súbase entonces a la tribuna».

Me subí y hablé. Les hice ver que ellas no viven en el mundo que es el nuestro. Les hice ver que en Bolivia no se respetan los derechos humanos y se aplica lo que nosotros llamamos *la ley del embudo*: ancho para algunos, angosto para otros. Que aquellas damas que se organizan para jugar canasta y aplauden al gobierno tienen toda su garantía, todo su respaldo. Pero a las mujeres como nosotras, amas de casa, que nos organizamos para alzar a nuestros pueblos, nos apalean, nos persiguen. Todas esas cosas ellas no veían. No veían el sufrimiento de mi pueblo… no veían cómo nuestros compañeros están arrojando sus pulmones trozo más trozo, en charcos de sangre… No veían cómo nuestros hijos son desnutridos. Y claro, que ellas no sabían, como nosotras, lo que es levantarse a las cuatro de la mañana y acostarse a las once o doce de la noche, solamente para dar cuenta del quehacer doméstico, debido a la falta de condiciones que tenemos.

Ustedes —les dije—, ¿qué van a saber de todo eso? Y entonces, para ustedes, la solución está con que hay que pelearle al hombre y listo. Pero para nosotras no, no está en eso la principal solución. Cuando terminé de decir todo aquello, más bien impulsada por la rabia que tenía, me bajé. Y muchas mujeres vinieron tras de mí…

Durante mi adolescencia pasé muchas horas en el cuarto de la azotea. Subía a «platicar» y nada me emocionaba tanto como las historias que allí escuchaba. Tiburcia, Enedina, Concha y Carmen se envolvían en sus recuerdos y en la ilusión del novio, la salida del domingo. Las veía desenmarañar su largo pelo con su escarmenador después de haberlo lavado y enjuagado en el lavadero. ¡Qué bonito rechinaba su pelo! Tuve una nana cuando ya no estaba en edad de nana y su devoción fue infinita. Se llamaba Magdalena Castillo y nos dio su vida a mi hermana y a mí. Cuando «entró» apenas habíamos cumplido los diez y los once años; ella tenía diecisiete o dieciocho. No nos llevaba ni siete años y nos dio su vida. No se casó para no dejarnos. No se casó. Nunca. Nunca se fue. Sus años más importantes, entre los veinte y los treinta y cinco nos los dio. Nos dijo: «Tómenlos», para que con ellos hiciéramos papelitos de colores, tiritas de papel de china, lo que se nos diera la gana, le bailáramos encima el jarabe tapatío, la zapateáramos encima bien y bonito. Y de hecho lo hicimos. Le hundimos nuestros taconcitos de catrinas cebadas a lo largo de todo el cuerpo. Le acabamos las trenzas ahora adelgazadas, la despachamos a su casa a la hora de nuestra luna de miel y le dijimos que volviera a cuidar a nuestros hijos. Aún estaba fuerte. Aún podía. Y regresó. Del cuarto de azotea recibí dádivas. Siempre me dejaron oírlas platicar. Solo una vez, una ordenó lanzándome una mirada negra: «Bájese niña, ¿que no le basta con lo que tiene allá abajo?».

En el cuento «Esperanza, número equivocado», del libro *De noche vienes*, como lo dice Sara Sefchovich, la criada Esperanza accede a un estatus más alto:

> Durante 30 años, los mejores de su vida, Esperanza ha trabajado de recamarera. Solo un domingo por semana puede asomarse a la vida de la calle. Ahora, ya de grande y como le dicen tanto que es de la familia se ha endurecido. Con su abrigo de piel de nutria heredado de la señora y su collar de perlas auténticas, regalo del señor, Esperanza mangonea a las demás.

En *Love Story* si Lupe pule la plata y sacude los muebles antiguos es, ante todo, la detentadora del equilibrio emocional de su patrona. En *Balum Canán*, Rosario Castellanos hace que toda su infancia descanse en su nana Rufina que la lleva de la mano y le enseña a reconocer las cosas de la tierra. Damiana Cisneros es la sirvienta de Pedro Páramo y a quien el patrón le ordena: «¡Damiana! Encárgate de esa cosa. Es mi hijo».

En las casas ricas son las mismas criadas las que estipulan lo que les toca a cada una. «Esto a mí no me toca», su mínima y pueril defensa. Decir que no a algo es ya una pequeñísima victoria, delimitar el campo de trabajo es una manera de afirmarse, tecnificar un poco esta tarea que lo abarca todo y viéndolo bien, significa levantar la casa, tomarla literalmente en brazos, alzarla, acomodar los trastes en la alacena, que toda vaya para arriba gracias a estas manos que levantan, suben en lo alto, yerguen, construyen, acomodan, arman, ponen de pie. Eulogia, en *Se necesita muchacha*, llega a la conclusión:

Y así a veces el sufrimiento hace que uno, al no hallar en quien desfogarse, piense que tal vez con el compañero pueda desfogarse. Pero uno sin darse cuenta en eso puede caer en un fracaso peor.

Fátima, en cambio, no se hace ilusiones:

Así como somos sirvientas en la casa de la patrona, en la casa del hombre igual estamos atendiendo, es igual controlado. Los hombres, no nos consideran como a ellos mismos, sino que nos tratan como a una sirvienta, como a un perrito.

Pobrecitas perritas que vienen de Tungasuca, Ayaviri, Juliaca, Apurimac.

En general, los hombres y las mujeres tendemos a olvidar la humillacion y la infelicidad apenas salimos de ella y, en el caso de las sirvientas, el olvido es una tentación irremediable. Se acostumbran a que les vaya mal y por más mala su situación siempre hay otra *más pior*. Son pocas quienes recuerdan los dolores del parto; solo los revive un nuevo parto y entonces se abren a la comunicación y quieren hablar. Pero si no, pasan a un estado de inconciencia. «Todo se me ha olvidado». Están tan acostumbradas al dolor que protestar les parece impúdico. Además la larga tradición cristiana infunde la resignación y entre todas las lecciones, esta les ha entrado con sangre. Por eso mismo lo notable de estos relatos que desentierran los recuerdos, es que rompen el aislamiento de la sirvienta y su grito es un llamado a la unión: «Ustedes que están encerradas en casa de ricos no están solas, hay otras iguales en igual situación. ¡Unámonos!».

Ante la inminencia de su divorcio una mujer de buena posición se puso a llorar desconsolada: «¿A dónde puedo ir? Mis padres han muerto. No sé hacer nada». Si esta situación dramática se le presenta a una mujer que se supone «educada», ¿qué pueden esperar las demás que se encuentran en absoluta desventaja? ¿A dónde irán? A las sirvientas violadas, en México, se les llama despectivamente *cuzcas*; la patrona está convencida de que no son sino mujerzuelas, abusivas, aprovechadoras, zorras, taimadas, provocadoras, mustias, bien que se lo tenían guardado, bien que a eso vinieron. Con su muchachito a cuestas es difícil que consigan trabajo. Si la patrona las admite, les baja el sueldo porque, «¿quién va a alimentar a la criatura, tú o yo?». Devaluadas, sí, las mujeres lo han sido a lo largo de la historia; seres golpeados, vilipendiados, y nadie más atropellado que estas muchachas sobre quienes caen todas las maldiciones del mundo. Una agrupación humana sometida durante mucho tiempo a tensiones y degradaciones, sufre a largo o mediano plazo las consecuencias. El treinta y tres por ciento de los norteamericanos que estuvieron en Vietnam tienen conflictos psicológicos, están sujetos a depresiones; veinticuatro por ciento han cometido crímenes o actos delictivos. Se puede alegar que las sirvientas no viven en estado de guerra, que nadie las bombardea, que nadie intenta matarlas, pero si la opresión es menos abierta, no es menos persistente. Y las secuelas psicológicas saltan a la vista.

El proceso que sufren los pobres es de desarraigo agudo. Aun sin salir de México han sido mortalmente exiliados y admitidos de nuevo dentro de su propia geografía, tolerados a título de carne de cañón. No pertenecen ni a su casa, ni a la del patrón, ni tampoco a la fábrica, ni a los sitios de recreo, ni a la cultura mexicana que jamás, ni por equivocación, los ha tomado en cuenta. «Yo soy fistereña», dice Elena. Sí, Elena no es de aquí. Es extraña a su propia tierra y, junto a Dominga, Petra, Casimira y Yolanda, es un bicho raro que nadie quiere. Ninguno se responsabiliza de su sobrevivencia; su extinción deja a todos indiferenes y su círculo de acción es tan reducido que su problema no trasciende, a nadie le importa, es fácil de solapar. Simona cuenta en *Se necesita muchacha* de un profesor de religión que les preguntaba: «Ustedes, a ver, ¿en qué peligro se ven?». Y ella respondía:

> Siempre, nosotras las empleadas nos vemos en todos los peligros. Cuando venimos del campo, nosotras jóvenes, no sabemos nada y siempre estamos en peligro. Somos como un perrito en la calle, allí siempre sin cariño, sin nada, tristes y siempre nos puede pasar algún peligro y no solo del hombre, sino también de las mujeres, o sea de las señoras que no nos tratan bien sino a golpes; nosotras queremos un poco de cariño y que no nos hagan comprender a golpes; pero a golpes y a gritos nos hacen comprender cualquier cosa, entonces más brutas nos volvemos.

Denunciar los golpes, como lo hacen las participantes en *Se necesita muchacha* es levantar la cabeza y decir *basta*. Si su necesidad amorosa no queda colmada, si su vida quedó trunca a los veintiocho años, por lo menos, Egidia Laime —en torno a quien giran los testimonios— fundó un sindicato, una candela, un lugar de encuentro y de apoyo, un centro de estudio en el que se lucha no solo por conseguir una vida mejor sino por cambiar una sociedad.

7

ALAÍDE FOPPA

Colibrí en el huipil[8]

«¿Me dará tiempo de escribirlo?».

En su cama, a su lado, no hay un hombre. El sitio lo ocupan tres libros, unas cartas abiertas y extendidas, los anteojos, el periódico de ayer, un cuaderno en blanco, una pluma, unos tres o cuatro cartones de invitaciones que se asoman fuera de sus sobres, la agenda, la libreta de teléfonos y el propio teléfono con su cable. Anoche, cuando le ganó el sueño, durmieron con ella sus mudos acompañantes. Hoy, a las ocho de la mañana, Alaíde vuelve a palparlos. Se cala los anteojos, busca la pluma, el cuaderno y escoge una página en blanco.

Quiere escribir un poema. Late desde la madrugada en sus sienes, lo ha de haber concebido en la duermevela, en esa hora en que no se sabe si se sueña o se piensa dormido. «Tengo que escribirlo». Se pasa la mano por el cabello chino. «Tengo que escribirlo». Luego se ordena mentalmente: «Voy a ser razonable. Primero voy a consultar mi agenda». Abre la agenda gruesa, muy gastada, abultadísima de boletas y recibos del gas, del teléfono, cartoncitos crema y verde de los pagos de la luz, notas de remisión y teléfonos anotados a las volandas. Busca el día de hoy, negro de compromisos. «Ay, a las nueve tengo que estar en la Universidad porque vamos a reunirnos los maestros». Automáticamente toca el timbre para que Esperanza le suba el desayuno.

Alaíde Foppa de Solórzano le pide a Esperanza, su sirvienta, que abra las cortinas de su recámara, mientras pone la charola del desayuno sobre sus piernas.

---

[8] Prólogo al libro *Alaíde Foppa. Antología*. Gobierno del Distrito Federal. México: 2000, pp. 6-18.

—¿Por qué no entra más luz?

—El jardín está oscuro, señora.

El jardín de Alaíde siempre ha sido un jardín de sombra. En torno a los árboles, la hierba escasea. Entonces, se ve la tierra negra.

—Tengo mucha prisa. Sería bueno que abriera usted la llave del agua de la tina para el baño, Esperanza.

Desde la recámara se oye el chorro del agua.

—¡Qué cantidad de citas tengo hoy, no sé cómo voy a poder!

—Hace usted demasiadas cosas, señora. Dice el señor que no para...

Alaíde ordena la comida.

—Tengo que recoger a Luis en la escuela, me lo pidió Laura porque hoy tiene ensayo con Gloria Contreras para su función de baile en la UNAM. No olvide comprar los bollos esos con ajonjolí de La Baguette, Esperanza, son los que más le gustan al señor; tome usted el dinero de mi bolsa, tenemos cuatro invitados a comer, son pocos, no se queje; voy a pasar al banco, recoja usted la ropa de la tintorería, ¿puede hacerme ese favor? No es mucha. No tengo tiempo de ir. ¡Ay, Esperanza, no sé que haría sin usted! ¡Qué feo día! ¿Qué me pondré? Algo caliente, el traje gris Oxford, la blusa verde y los zapatos cafés, los cómodos, siempre tengo que caminar mucho desde el estacionamiento hasta la Facultad de Filosofía...

Sobre la silla yace el vestido largo rosa de muchos botoncitos que Alaíde llevó anoche a la Embajada de Italia, las zapatillas doradas, las medias lacias, la ropa interior, todavía un poco abultada como si recordara que contuvo un cuerpo. La recámara huele a Alaíde, tiene su perfume.

¡Qué extraño nombre, Alaíde! No es Adelaida, es Alaíde, de Guatemala no, no es indígena, será una abreviatura, no es italiano, ¿será árabe?, ¿de dónde vendrá? *Alaíde Foppa*, parece un nombre antiguo para una criatura antigua. Alaíde sin embargo es moderna y vive en México en la ciudad más antigua del nuevo mundo, la más poblada; una ciudad que la atosiga; qué lento el tráfico, se calienta siempre el motor del coche, ¿cuánto tendrá de gasolina? Qué fuerte el sol sobre el toldo. No puede quedarse varada en el Viaducto como la semana pasada, ni tomar el Periférico en sentido contrario como se lo reprochan sus hijos llamándola despistada. Alaíde tiene que cambiarle la llanta delantera para ir el fin de semana a la finca de aguacates en Milpa Alta de los Giménez Cacho; le advirtieron en el taller que no saliera a carretera con dos llantas lisas, qué lata, «creo que me va a dar gripa; no tengo tiempo para la gripa; no puedo darme el lujo de enfermarme», hoy también es su programa de radio *Foro de la mujer*, en Radio Universidad.

¿El poema? ¿Dónde quedó el poema? Alaíde se consuela en la tina: Hay tantos buenos poemas sobre la manzana, ¿para qué un poema más? Es muy presuntuoso de mi parte». Escribe en «Poema de la manzana». Ni siquiera recuerda cuando escribió «El corazón»:

> Dicen que es del tamaño de mi puño cerrado.
> Pequeño, entonces,
> pero basta
> para poner en marcha
> todo esto.
> Es un obrero
> que trabaja bien,
> aunque anhele el descanso,
> y es un prisionero
> que espera vagamente
> escaparse.

En la casa siempre llena, la vida social es muy intensa. Primero son las fiestas infantiles de piñatas y magos para los nietos Luis y Mariana Lojo, hijos de Laura; después las *tocadas* de los adolescentes, las *lunadas* en el jardín, las fogatas que acicatean la discusión, los ceniceros colmados, las *cubas* que se renuevan; Julio, el mayor, su guitarra y sus canciones de protesta; Mario y sus ideales; Juan Pablo y su admiración por Mario; Silvia y Laura y sus aspiraciones y desplantes. Desde muy chicos, los cinco hijos participan en la vida de los adultos, opinan sobre política en la mesa, su futuro, la religión, ir o no a misa; en la casa no hay televisión, la plática en torno a la mesa suple las telecomedias. También en la recámara de Alaíde se continúan las reflexiones políticas, a la hora en que Alfonso, el padre, exiliado político, luchador de izquierda, hace la siesta.

Julio, el mayor, es muy extrovertido, lo cual facilita la comunicación. Laura, rebelde y bellísima, sus altos pómulos, la gracia de sus movimientos de bailarina, su sonrisa dentro del rostro moreno parecido al del padre; Silvia, la médica, toda entrega y generosidad; Mario guapísimo e inteligente. Alaíde se recuesta en su cama, los pies sobre la colcha, y rememora a cada uno de sus hijos, quienes de repente pueden ser de una ternura increíble; Juan Pablo recuerda la lectura de unos poemas, su brazo en torno a los hombros de su madre; frente a las posiciones antirreligiosas a ultranza de sus hijos, Alaíde lee un salmo de Salomón y los calla. Ha entablado un combate permanente contra el dogmatismo y las expresiones absolutistas; su postura los ayuda a matizar, pero lo que más los conmueve es que su madre les lea poesía.

A los hijos les encanta conocer a los amigos de sus padres. Cada vez que viene alguien importante se queda en su casa de la Florida. Pablo Neruda, Miguel Ángel Asturias, y Dominique Éluard, la esposa del gran poeta francés Paul Éluard. Con ella traduce Alaíde un hermoso libro al francés: *El libro vacío*, de Josefina Vicens, y muchos más.

En la entrega de Alaíde hay mucha ingenuidad. Todo lo hace ella misma. Pudo haber delegado algunas tareas pero no, corre siempre. Es maternal y se preocupa muchísimo. Hoy tiene que ir a la imprenta por ejemplares de la revista *fem.*, meterlos en la cajuela de su automóvil, llevarlos a la librería Gandhi, a ver si alguien la ayuda; guardar algunos para repartirlos en la tarde. Todas las reuniones son en su casa. Allí, según Marta Lamas, se sirve el mejor té de la Ciudad de México y la mejor agua de limón de todo el país. A Alaíde, a veces la atraviesa una ráfaga de espanto: «No tengo tiempo ni para reflexionar», pero ¿no viven todas así, en este tornado de obligaciones que las hacen correr de un lado a otro? Así es la vida de Isabel Fraire, poeta; de Margarita García Flores, en la UNAM, de Carmen Lugo, de Flora Boton, de Lita Paniagua. Para todas sus amigas, la semana transcurre a galope; la ciudad impone su ritmo acelerado y ellas son feministas, se bastan a sí mismas. Los nietos de Alaíde comen en su casa a mediodía y, a las cuatro y media en punto, Alaíde examina en el estudio de Fanny Rabel cada una de sus telas y grabados del Taller de Gráfica Popular. Menos mal que la casa de Fanny le queda rumbo al Politécnico porque después irá hasta allá a dar una conferencia sobre el *Miguel Ángel* de la Capilla Sixtina. No le resulta difícil, a Miguel Ángel Buonarroti lo conoce tan bien que hasta ha traducido su poesía, y, a las nueve, cena en casa de Luis y Lya Cardoza y Aragón. A esa sí la acompaña Alfonso, quiere mucho a los Cardoza, también a los González Casanova, Pablo y Natasha, tan ocurrente ella, pero hace años que Alfonso ha dejado de asistir a las embajadas, tan es así que ahora las invitaciones llegan solo a su nombre: *Alaíde Foppa. RSVP. Répondez s'il vous plaît.* Miembro del Partido Guatemalteco del Trabajo y director del Seguro Social en el gobierno de Arbenz, Alfonso introdujo varias reformas en beneficio de los desposeídos. A la caída de Arbenz, en 1954, tuvo que asilarse en la Embajada de México en Guatemala y de allá salió con Alaíde a nuestro país, donde nació el primero de sus hijos, Julio. Aquí han nacido sus cinco hijos y todos le deben su formación política. Alfonso es de una solidez admirable.

A las cenas y comidas en su casa asisten guatemaltecos refugiados en México: siempre alguien interesante, Mario Monteforte Toledo y Mireya, su mujer, íntima amiga de Alaíde, Tito Monterroso, Carlos Illescas, José Luis Balcarcel, Luis y Lya Cardoza y Aragón. Asisten también Raquel Tibol, Julia Cardinale, Gutierre Tibón, José Luis Cuevas, Julieta y Enrique González Pedrero, Francisco López Cámara y sus nietos, Margo Glantz, Luis Rius, el arzobispo de Morelos Sergio Méndez Arceo, Arnold Belkin, Raúl Leyva, Demetrio Aguilera Malta, los hermanos pintores Pedro y Rafael Coronel, Cristina Ruvalcaba, también pintora, el crítico Jorge Hernández Campos, Horacio Labastida, Annunziata Rossi, María Pia Lamberti, poetas, dramaturgos, críticos de arte, personalidades de paso. La conversación es estimulante. En casa de los dinámicos Solórzano, el ambiente es fogoso, capitaneado por una mujer muy elegante, hermosa, cálida, con mucho mundo, dueña de una cultura superior.

Alaíde nació el 3 de diciembre de 1914, hija única de Tito Livio Foppa, escritor teatral argentino de origen italiano, y de la terrateniente guatemalteca Julia Falla, propietaria de fincas cafetaleras, mujer preparada y fuerte, quien fue concertista. La niña Alaíde trae la cultura en la sangre, ha vivido entre libros, pinturas, representaciones teatrales; nacida en Barcelona se educó en España, Suiza, Francia, Argentina, Bélgica e Italia donde su papá fue diplomático. Niña privilegiada será también una mujer privilegiada. Obtuvo su doctorado en Filosofía y Letras, en La Sorbona, París, cuando Alfonso Solórzano, su futuro esposo, ya era cónsul de Guatemala. Al casarse, Alaíde estaba embarazada del presidente de la República de Guatemala, Juan José Arévalo, de quien se enamoró. Alfonso sería un padre para Julio Solórzano, el único padre. En México, Alaíde decidió hacer otra maestría pero con tres hijos resultó difícil y no pudo terminarla.

Hoy por hoy nadie comprende cómo Alaíde se da tiempo para abarcar los cuatro intereses de su vida; los cuatro pilares que la sostienen: la crítica de arte, el feminismo, la poesía (límpida y clara como ella), la vida académica y la docencia. Por si esto fuera poco, Alaíde todavía se dedica a la traducción simultánea del italiano al español o viceversa para redondear su presupuesto, porque a la casa en la esquina de Hortensias y Camelia la sostienen dos profesionistas: Alfonso y Alaíde. Ambos viven de su trabajo. ¿Cómo le hace Alaíde para ser esposa, madre de cinco muchachos, ama de casa y darse tiempo para atender sus cuatro inquietudes personales? Es casi un milagro. Ahora que los hijos han crecido, también ellos organizan reuniones y fiestas en casa y si Alaíde dice que bueno, que vengan cuarenta, se irrita cuando aparecen ciento veinte. A pesar de su enojo, participa en la fiesta y llega un momento en que no hay distinción entre ella y los amigos de sus hijos. Julio, el mayor, trabaja en el Museo de Antropología y es ayudante de Siqueiros, sus compañeros del taller se acercan a Alaíde-crítica-de-arte, lo mismo que los jóvenes estudiantes de Sociología de la UNAM que estudian con Juan Pablo buscan a Alaíde po-lí-glo-ta y ca-te-drá-ti-ca. Las compañeras de la carrera de medicina de Silvia, las compañeras de Laura, la bailarina, su maestra Gloria Contreras, todos acuden a la casa de Alaíde, a su espléndida mesa, a su calidad humana. Alaíde tiene una capacidad real de hacer amistad con gente mucho más joven que ella. Y si no, que lo diga Marta Lamas que se considera su hija por tanto apoyo que recibió y tantas tristezas, alegrías y lecturas compartidas.

Alaíde les cuenta que ha vivido en cincuenta y ocho casas a lo largo de su vida, que conoce el desarraigo terrible de los trashumantes, que Guatemala es su país y quisiera regresar, que en la frontera entre México y Guatemala se cometen abusos y atroces injusticias, que doña Julia Falla, su madre, la espera cada año. Alaíde Foppa le ha dado a México miles de poemas, críticas de arte, prólogos, conferencias, clases, traducciones, crónicas, un libro de conversaciones con Cuevas y análisis pictóricos que compiten con la temible Raquel Tibol. Y ahora *fem.*, la revista feminista que absorbe casi todo su tiempo.

> Una poesía
> nació esta mañana
> en el aire claro.
> Estaba distraída,
> se me fue de la mano.

El crecimiento de sus hijos la lleva a un mundo de absoluta entrega, muy rico, pleno, vehemente, que la complementa y la entusiasma. Sus hijos sueñan con una Guatemala libre y se disponen a luchar por ella. La UNAM es un semillero de ideas y de ideales, de romanticismo y de entrega. De la cátedra de Sociología de la Facultad de Ciencias Políticas y Sociales algunos han optado por la guerrilla. Los privilegiados Mario, Juan Pablo y Silvia se internan en Guatemala cada vez que pueden. Mario primero fundó un periódico: *El Diario de Guatemala*, y cuando ametrallaron el edificio decidió permanecer en Guatemala a irse a la clandestinidad. Juan Pablo, de veintisiete años, es todo pasión y al lado de Mario quiere seguir luchando. Silvia, que siempre fue una niña generosa, se recibe en la Facultad de Medicina de la UNAM, y dedica sus conocimientos a los campesinos y a los pobres de Guatemala para optar finalmente por la guerrilla. Julio sale becado a la Universidad Lomonosov de Moscú. Si la politización de los hijos viene de su padre —Alfonso Solórzano es un comunista de hueso colorado—, la politización de Alaíde proviene de sus hijos.

Un destino puede cumplirse en unos cuantos días, una vida puede adquirir un nuevo sentido en menos de cinco minutos. El 19 de diciembre de 1980, después de buscarla en todos los hospitales y puestos policiacos, la madre de Alaíde, doña Julia Falla, afligidísima, le habla a Laura desde Guatemala para comunicarle que nadie sabe dónde están Alaíde y el chofer Actún Shiroy que la llevó de compras al mercado. Doña Julia tiene razón al atormentarse. En los últimos meses, la familia Solórzano ha estado sujeta a pruebas tremendas. Primero murió Juan Pablo, el menor de los Solórzano, en un enfrentamiento con el ejército guatemalteco —nadie sabe dónde quedó su cuerpo—; más tarde, Alfonso Solórzano, tremendamente afectado por la muerte del hijo, murió atropellado al atravesar la avenida Insurgentes frente al cine de Las Américas. Según Marta Lamas:

Inconscientemente fue un acto suicida porque Alfonso estaba muy deprimido por la muerte de Juan Pablo. Se culpabilizaba; sentía que él, comunista, había metido a tres de sus hijos en la guerrilla y como mucha gente de izquierda, no había medido las consecuencias.

A Alaíde, estas dos muertes la cambiaron. Vendió la casa de Hortensias en la colonia Florida a toda prisa; se compró un diminuto departamento en la calle Inglaterra en Coyoacán; repartió sus muebles y se mudó en un dos por tres porque le urgía cambiar de vida. Acelerada, enfebrecida, con su nuevo proyecto de vida de viajar y conseguir solidaridad internacional para la guerrilla, convirtió su duelo en acción. Esperanza, su leal empleada, la visitaba una vez a la semana para hacer lo indispensable. Alaíde ya no necesitaba nada. Decidida a participar mucho más activamente en la lucha que libra Guatemala se dedicó en cuerpo y alma a honrar la batalla emprendida por sus hijos. Su compromiso surgió del dolor, del sufrimiento y de la conciencia. Fue activista en AIMUR (Agrupación Internacional de Mujeres contra la Represión) y en Amnistía Internacional; creó la cátedra de Sociología de la Mujer en la Facultad de Ciencias Políticas y Sociales de la UNAM y fue maestra de tiempo completo en la Facultad de Filosofía y Letras. En su programa de Radio Universidad, *Foro de la mujer*, entrevistó a las indígenas mayas quichés que protestaban por el saqueo del actual gobierno y lo acusaban relatando cómo los militares las persiguieron y las torturaron y cómo muchos campesinos se han refugiado en la sierra a pelear. La población maya fue la más castigada por los gobiernos autoritarios de Romeo Lucas García (1978-1982) y Efraín Ríos Montt (1982-1983). Las mujeres de las comunidades mayas reprimidas por el ejército quedaron al frente de sus hogares hasta que optaron por unirse a la guerrilla. Desde Seguridad Nacional se los calificó de «enemigos internos», las declaraciones de Francisco Bianchi, asesor del general Ríos Montt, son ejemplo de los atropellos que se cometieron contra el pueblo quiché:

> La guerrilla ganó a muchos colaboradores entre los indios. Por tanto, los indios son subversivos… ¿Y cómo se lucha contra la subversión? Claramente, hay que matar a los indios, porque están colaborando con la subversión.

Entre los años 1982 y 1983, se produjeron entre dieciocho y veinte asesinatos diarios en Guatemala, sin contar las desapariciones. Jamás se llevó a los culpables al banquillo de los acusados.

Dos días más tarde, después de su programa de radio, Alaíde salió a visitar a su madre, doña Julia. No conocía realmente lo que significa el peligro, tampoco le temía. ¿Cómo se va a temer lo que no se conoce? Marta Lamas la acompañó al aeropuerto: «Este año de 1980 ya no nos puede suceder nada malo; ya todo lo malo que tenía que pasar pasó», le dijo Alaíde.

> Un lento silencio
> viene desde lejos
> y lentamente
> me penetra.
> Cuando me habite
> del todo,
> cuando callen
> las otras voces
> cuando yo sea solo
> una isla silenciosa
> tal vez escuche
> la palabra esperada.

En agosto de 1980 (su marido murió el 19 de agosto de ese año), Alaíde viajó a Guatemala a llevar sus cenizas; después viajó sola para visitar a su madre como lo hacía cada año. Las noticias no fueron buenas para su mamá: primero la muerte de Juan Pablo, después la de Alfonso, pero había una buena: el nacimiento de la hija de Silvia, Julieta, una niña que había visto la luz en la clandestinidad. «¡Ojalá y pudiera traerse a la criatura a México, ojalá!». Alaíde era fuerte, nadie creería jamás que tenía sesenta y siete años porque no los representaba. Redonda, de estatura más bien baja, era una mujer muy bonita, muy pulcra, siempre muy arreglada. Sus labios plenos, su sonrisa que irradiaba luz hablaban de su belleza.

Estaba muy orgullosa de ser la madre de un guerrillero, Juan Pablo; muy orgullosa de Mario, el periodista de oposición, probablemente el más brillante e inteligente de sus hijos; muy orgullosa de la doctora Silvia Solórzano Foppa, médica y guerrillera; orgullosa de la gracia y la belleza de Laura. Alaíde quería vivir su vida dedicada a la causa que abrazaron tres de sus hijos; hacía ya tiempo que decidió desprenderse de su vida anterior.

Recuerdo que cuando le robaron su coche en el estacionamiento de Filosofía y Letras no pareció importarle. Es cierto, manejaba muy mal; era muy despistada, sus hijos le hacían burla porque perdía no solo la pluma fuente sino hasta las páginas de la conferencia que tenía que dar esa misma noche, y no se diga las llaves, los títulos de propiedad. O no veía el reloj que traía puesto y lo buscaba afanosamente. Hasta que dejó de buscarlo todo salvo esa vida espiritual y honda que la muerte de los bienamados le hizo cavar dentro de sí misma, ese silencio al que nadie llega y en el que se dialoga con el propio corazón:

> Dices que es tarde,
> ¿para qué?
> El tiempo
> no lo mide el sol
> ni se lo lleva el viento.
> Mira cómo lo gastan
> tus manos
> sin darse cuenta.

El 19 de diciembre de 1980 en la ciudad de Guatemala, un día antes de su regreso a México, el auto de doña Julia Falla fue interceptado por policías del G2, el Ejército de Guatemala, en pleno centro de la capital. Desde ese día Alaíde Foppa desapareció. Quién sabe a dónde se la llevaron, quién sabe por qué, solo el ejército guatemalteco lo sabe y solo la guerrilla lo sospecha y lo teme como lo previó Mario, el guerrillero.

A partir de ese momento, sus amigos se movilizaron en México. Manifestaciones, mítines frente a la Embajada de Guatemala, visitas a funcionarios, programas de televisión y protestas en los diarios. El periódico *Unomásuno* publicó a partir de la fecha de su desaparición un desplegado cotidiano que más bien parece una jaculatoria: «Hoy hacen veinticinco días que Alaíde Foppa desapareció en Guatemala. Hacemos responsable a ese gobierno por su vida». Y firmaba el Comité Internacional por la Vida de Alaíde Foppa. Así se han ensartado los días, un día más sin Alaíde, un día más sobre un montón de días, un día más como una paletada de tierra sobre una situación atroz, intolerable. El día en que el escueto desplegado no aparezca lo extrañaremos o diremos: «Ya se acabó», o nos habremos acostumbrado tanto a él como a cualquier anuncio, el de los colchones América, por ejemplo, el de Dormimundo. Porque tal parece que en América Latina resulta más fácil convivir con la tragedia y la injusticia que con la libertad.

Muy pronto nos familiarizamos con la desgracia y la integramos a nuestra vida cotidiana.

A los seis meses, todavía nada. En seis meses suceden muchas cosas. Un niño deja sus zapatos; hay que bajarle la bastilla a la falda de la niña que crece de la noche a la mañana. A otro le sale la muela del juicio. Los amantes se separan. Los amantes se reconcilian. Unos nacen, otros mueren. En Guatemala, por ejemplo, desde que el general Romeo Lucas García asumió el poder, en 1978, han muerto o desaparecido más de cinco mil hombres y mujeres según César Arias, representante de Amnistía Internacional, ese organismo que se dedica a apesadumbrar a la humanidad y a molestar a los gobiernos del mundo con su absurda insistencia en los derechos humanos. Solo en el mes de marzo de 1981, para no ir más lejos, el número de víctimas fue de trescientos treinta y nueve según *Noticias de Guatemala*, que publica el Comité Mexicano de Solidaridad con el Pueblo de Guatemala.

Si antes la represión se ejercía en contra de los sectores rurales; los indígenas cuyos cadáveres eran lanzados a fosas comunes, ahora, y sobre todo desde la toma de la Embajada de España, en enero de 1980, la represión atañe a todos; el 11 de marzo de 1981 es secuestrado el doctor Jorge Romero Emery, decano en funciones de la Facultad de Derecho, universitario digno, interceptado por ocho miembros de las bandas del ejército cuando se dirigía a la Universidad. Los cadáveres baleados aparecen quemados, con los ojos vendados y las manos atadas como en el caso de la ciudad de Escuintla, al sur del país, o se degüellan como en el de las ocho personas halladas en Chimaltenango.

Treinta y siete cadáveres fueron descubiertos en un barranco profundo situado en la cercanía de San Juan Comalapa a unos catorce kilómetros de la ciudad de Guatemala y muchos tienen alrededor del cuello lazos que han sido apretados con trozos de madera como torniquetes. Su muerte se atribuye a estrangulación con el garrote. «Garrote vil», dirían en España. El gobierno de Romeo Lucas García se ha llevado a muchos por delante sin más protesta que la de nuestra impotencia.

La lucha de Marta Lamas —una de las fundadoras de *fem.*— por recuperar a Alaíde no tiene descanso. ¿Acaso no está perdiendo a su madre adoptiva, a su mejor amiga? Cuando todos creían que Alaíde solo se solidarizaba con sus hijos, en realidad, su papel resultó más significativo. Después de la muerte de Juan Pablo, de Alfonso, su marido, y de Mario, pensó volverse la embajadora en Europa de la causa de la guerrilla.

En realidad el Ejército Guatemalteco no la agarra por ser madre de los guerrilleros Juan Pablo, Mario y Silvia sino por ella misma —asegura Marta Lamas—. Se da cuenta que puede hacer mucho escándalo con las conexiones que tiene en Francia, en Italia, en Bélgica y en España y que puede ser un elemento importantísimo para la causa de la guerrilla. Alaíde hablaba cinco idiomas a la perfección. A partir de la muerte de Alfonso, Alaíde se dedicó a contactar a intelectuales y políticos europeos para conseguir su solidaridad con la guerrilla. Asistía a una reunión de intelectuales en Nicaragua y le sellaban el pasaporte. Fue una de sus primeras misiones clandestinas porque a todos, salvo a mí, les decía que se iba a una reunión de feministas a Costa Rica. No es cierto. Iba a Nicaragua a una reunión de intelectuales que apoyaban a la guerrilla guatemalteca. El ejército lo sabía y por eso interceptaron su automóvil, mataron a su chofer y la secuestraron. Además, Alaíde se comprometió a ser *correo* y llevar y traer documentos. Los hijos no lo sabían; no se enteraron sino hasta mucho tiempo después, en diciembre, cuando Alaíde se encontraba en Guatemala visitando a doña Julia. Mario, arriesgándose muchísimo, bajó de la sierra a llamarla por teléfono y le dijo: «Mamá, vete a la embajada, al aeropuerto, regrésate a México, aquí corres mucho peligro». Alaíde accedió pero, inconsciente del peligro, decidió ir antes al mercado a comprar los últimos encarguitos para sus amigos mexicanos y en el mercado la secuestran con el chofer. Si cuando recibió la llamada, se hubiera refugiado directamente en la embajada, quizá se habría salvado —lamenta adolorida Marta Lamas.

En el caso de Alaíde Foppa, la organización cometió un error gravísimo. Sus miembros aceptaron que Alaíde fuera parte de ella sin enseñarle las mínimas medidas de seguridad. En la reunión en Nicaragua conservaron los nombres verdaderos de los participantes. ¿Por qué no arreglaron con los sandinistas que a la gente no le sellaran el pasaporte? Cometieron errores, hubo mucha improvisación. A nosotras, las de *fem.* nos comunicaron la muerte de Alaíde después de un año cuando debieron hacerlo de inmediato.

Alaíde murió al tercer día, de un paro cardiaco a raíz de las torturas. Esa información le llegó a la gente de la guerrilla en Guatemala. La mantuvieron en unos separos militares. Al chofer Actun Shiroy lo mataron de inmediato pero a ella la torturaron. No habló. En realidad, los de la organización fueron poco cuidadosos. Son esos errores que cometió la izquierda y la guerrilla y que en el caso de Alaíde resultaron fatales.

El Congreso de Escritoras, celebrado en México del 3 al 6 de junio de 1981, ni siquiera pudo llevar el nombre de Alaíde Foppa, a pesar de que Elena Urrutia habló de su ausencia en el discurso de inauguración, porque —según dijeron— peligraba la vida de las feministas, escritoras y periodistas invitadas de Centroamérica que debían regresar a su país de origen y nadie quiere nuevas desaparecidas en nuestro continente, otras Alaídes Foppas. No fuimos capaces de rendirle a Alaíde poeta, a Alaíde mujer, a Alaíde trabajadora, a Alaíde madre de familia, a Alaíde amiga, a Alaíde fundadora de *fem.*, a Alaíde crítica de arte, a Alaíde impulsora de vocaciones, a Alaíde defensora de las mujeres, a Alaíde feminista, ese mínimo homenaje. No pudimos o no supimos.

Sería lógico pensar que ser feminista es integrarse a un contexto más amplio: el de la explotación de las mayorías; se pensaría también que ser escritor en países como el nuestro es darle voz a los que no la tienen. No supimos siquiera poner una manta en el muro tras el presidium a partir del primer día del Congreso, 3 de junio de 1981, que dijera: «De no estar desaparecida, Alaíde Foppa participaría en este Congreso». U otra que anunciara: «IV Congreso Internacional de Escritoras: Alaíde Foppa». O un cartelón en el que se leyera con letras rojas: «Alaíde Foppa, estás con nosotras». ¿Sabemos en América Latina defendernos unos a otros? ¿Nos protegemos? ¿Nos tendemos la mano? ¿Nos amamos?

Vamos y venimos, enseñamos nuestro pasaporte como Alaíde sacó el suyo de su bolsa cuando viajó a Guatemala a ver a su madre, nos lo sellan, le hacemos el juego a la vida, porque hay que seguir viviendo, carajo, hay que ser positivo, ¿verdad?, estar del lado de la vida, ¿verdad?, y en ese juego pasan los meses y un buen día cuando alguien menciona la desaparición como un hecho consumado contra el que nada se puede, estamos en franca convalecencia: «Ya pasó, ni modo manito; nos vemos en el Sanborns, en el Vips o donde se te antoje; vamos a comer, yo tengo hambre». Hay otros rollos que atender; cada noche nos brinda un nuevo acto cultural y político de solidaridad en el que se pasan charolas con copas de vino blanco; cada noche, en

México, resulta fácil satisfacer nuestras buenas intenciones sin necesidad de irnos a la guerrilla; allí está la vida que irrumpe y gana la partida, la vida que ríe, la vida que tiene que seguir a toda costa, la vida en contra y a pesar de todo, la vida que todo lo neutraliza, la vida sepultura de la muerte, la vida fuerte, la vida a carcajadas frente a una mesa de café mientras a una mujer la interrogan y calla y no da nombres y vuelven a interrogarla esta vez torturándola y en ese esfuerzo muere de un infarto porque a los sesenta y siete años no es tan grande la resistencia, el cuerpo ya dio de sí, fueron cinco los hijos, hubo batallas, exilios y soledad y otra vez a empezar de nuevo, a poner casa, cincuenta y cuatro casas a lo largo de la vida:

Cinco hijos tengo: cinco
como los dedos de mi mano,
como mis cinco sentidos,
como las cinco llagas.
Son míos
y no son míos:
cada día
soy más de ellos,
y ellos,
menos míos.

El día de la última plenaria del Congreso la escritora Ikram Antaki envió al presidium un mensaje: «Se está desvirtuando la esencia del Congreso; creo que hay que parar en seco, la prensa nos puede acusar de ser únicamente foro político y no literario». Claro, el nuestro debía ser un Congreso de Literatura sin protesta, ni conclusiones ni petición a gobierno alguno. No hay que confundir lo académico con lo político. Con mucha anticipación se dijo que el tema era el de la literatura y en un continente como el nuestro no hay por qué hablar de hambre ni de analfabetismo ni de secuestros o desapariciones, ni de revolución, Dios mío, ya estuvo bueno de tanta retórica de la muerte.

Guardé el papelito sin firma con la letra redonda y negra, muy clara, muy firme. En el Congreso nadie preguntó si Alaíde tenía los ojos verdes o cafés, si luchaba por causa alguna, si sonreía con frecuencia, cómo era su poesía. ¿Para qué? Allí estaban los carteles con el dibujo de Fanny Rabel pegados a los muros. Eso bastó para tranquilizar las conciencias. Nadie turbó la paz de los sepulcros, ni una voz disonante, de veras nada. Las ponencias (de poner) se sucedieron; algunas las pusieron en la mesa como huevos de oro, otras como huevos sin cascarón porque no les daba el sol; textos y más textos sobre la obsesión de la obra perfecta.

Todavía existen mujeres para quienes el arte y la literatura son terrenos sagrados, un espacio intocado en el que no se mencionan las batallas sociales y yo me pregunto el porqué de la escritura femenina o masculina o como quieran llamarla cuando lo que importa es la escritura para la vida; me pregunto: ¿de qué sirven nuestros pensamientos, la mano, la pluma y el papel si con ellos no defendemos a los que desaparecen, a los oprimidos, a los que luchan, a los torturados? Hasta hace poco se encontraba entre nosotros una mujer, compañera, amiga, escritora que compartía la vida que seguimos llevando tranquilamente y resulta que ahora no podemos levantarnos en asamblea y exigir que se nos diga qué le pasó, dónde y cómo está, qué delito cometió, quién la juzgó y si se le condenó; si así fue, que se nos condene también a nosotras porque vivimos como ella, trabajamos como ella y deseamos para América Latina lo mismo que ella. Mayakovsi escribió: «La partícula más mínima de cualquier hombre vale más que todo lo que he hecho y hago». En 1968, un deportista negro al enterarse de la masacre del 2 de octubre en Tlatelolco también dijo que ninguna Olimpiada valía lo que la vida de un solo estudiante. ¿Qué no podrían volver a integrarse todas las partículas mínimas de todos los que han sido desaparecidos?

Domingo 10 de enero de 1982.

Confirmado: Alaíde Foppa fue asesinada.

Al mes de la desaparición de Alaíde, su hijo Mario, «una gente excepcional, la persona más inteligente que he conocido en mi vida», aclara su hermano Julio, murió en un enfrentamiento con el ejército. Los cuerpos de Alaíde y Mario no han podido recuperarse. Yacen en alguna fosa común en Guatemala, su tierra, la tierra de otro gran exiliado, poeta, el más ilustre y entrañable, don Luis Cardoza y Aragón:

Promesa
Cierro los ojos
en esta hora incierta,
tan llena de tormentos,
y oscuramente siento,
alejada y misteriosa,
la existencia
de no sé qué dicha futura:
una promesa
que florecerá un día
bajo el dorado sol
de una mañana
más clara que las otras.

En ese mismo año de 1980, año de la desaparición de Alaíde, murieron Erich Fromm —quien vivió entre nosotros en Cuernavaca—, Jean Paul Sartre, Roland Barthes, Romain Gary y otros cerebros notables. Alaíde no era célebre ni tenía realmente los méritos suficientes para serlo, según los cánones de los que edifican monumentos y lápidas para la posteridad, pero su desaparición la convierte en un símbolo, y de símbolos vive el hombre. Alaíde es el símbolo de la lucha de las latinoamericanas contra la infamia de la desaparición, apenas un pequeño colibrí, pájaro del amor, que las mujeres quichés bordan en su huipil en señal de duelo cuando su hombre no regresa de la guerra, de la cacería, o es, como hoy, asesinado en un campo de maíz a traición y se le calcina en una zanja como a los treinta y nueve campesinos que se atrevieron a tomar, en señal de protesta, la sede de la Embajada de España en Guatemala el 31 de enero de 1980.

Hoy el hermoso rostro de Alaíde se nos aparece de vez en cuando en los momentos duros y nos ponemos a pensar junto con la poetisa Isabel Fraire cómo es posible que no nos diéramos cuenta de que era tan bello. Escribe Isabel:

I

Aquí estamos sentados   mudos y llorosos
    esperando que aparezcas   sabiendo
que probablemente   no   te volveremos a ver

hojeando los periódicos en busca de noticias
            vemos tus fotos viejas
¡qué hermosa eras!   pensamos
                (yo no sabía que fueras tan hermosa)
son fotos tomadas hace muchos años
            en que ya se mezclaba
        la profundidad y la tristeza
            a una belleza femenina
                    inusitada
                        espléndida

una belleza que luego se fue añejando
                    dulcemente
            cada vez más borrosa
        más tierna y confidente   menos esquemática
como la orla de las olas en la arena
            cada vez más eterna

las balas comienzan ya a rozarnos la piel aunque vengan de lejos
y todos notamos que hablamos de ti en tiempo pasado
            y nos corregimos   mordiéndonos la lengua
            y buscamos   tu rostro   en el espejo

II

pero en el espejo   no encontramos tu rostro
porque no vemos nunca otra cara que la nuestra
o la cara que se nos asemeja
                    o quisiéramos tener
no hay otro rostro nunca en el espejo
es un solo rostro el que con tal detenimiento
        examinamos   siempre   en el espejo
        en el espejo de los otros rostros
                encima de los hombros

de la bufanda   del collar de perlas
   del cuello de tortuga
      la corbata
         o el brassiere
nunca encontramos más que un solo rostro
      el nuestro
ese es el que nos falta   cuando falta el tuyo
pero hay muchos otros rostros   muchos   muchos

III

el chofer de tu madre   secuestrado contigo tenía un rostro
     ¿tiene?   ¿tenía?
     ¿lo habríamos visto aún teniéndolo enfrente?
    nadie mira a los choferes
      a las secretarias que sonríen mecánicas
        encima de la máquina
       respondiendo a sonrisas mecánicas
      de personas que jamás las miran
        cuando les hablan
      o si acaso las miran no las ven

      secretarias choferes dependientes cajeras
      tanta gente sin rostro en cuyos ojos
      jamás nos buscaríamos

a quienes sólo vemos como esquemas
     corteses buenos días   dudosas caravanas
      lento trabajo y tedio
        que sólo alivia
      un radio de mal gusto
        que nos molesta

para encontrar tu rostro   Alaíde
   habrá que buscar también los otros
       innumerables rostros
    que nos faltan

IV

porque sabemos
              que no es sólo tu rostro el que falta en el espejo
        el conocido
          o el desconocido u olvidado
ni sólo el rostro del chofer de tu madre a quien raptaron contigo
            y que habrá corrido la misma o peor suerte
                  a manos de los militares

en Guatemala
              son muchos   muchos   rostros
              los que faltan
      son tres   o cuatro   ocho diez   o veinte diarios

los que como tú de pronto faltan estudiantes
maestros
obreros campesinos acribillados torturados
acuchillados
estrangulados eliminados diariamente con fría
eficiente
saña

y cada rostro   falta   en algún espejo
        es esperado diariamente

                              como esperamos el tuyo
          y mientras no aparezcan
                    en el espejo
                        seguirá faltando también tu rostro
                  y el nuestro

V

había en Londres un chiquillo de diecisiete años
                  que es de la edad de mi hijo
y tenía por coincidencia el mismo nombre de mi hijo
era un joven exiliado que había logrado huir de Guatemala
            después del asesinato de su padre

durante unos meses
   se había hecho cargo de él un amigo del padre
   hasta que también a él lo asesinaron

fue difícil sacar de Guatemala a este muchacho
   porque el gobierno había logrado congelar su seguro de vida
   y no había dinero para su pasaje
ni seguridad de que lo dejaran irse
  pero por fin salió

    y vivía solo en Londres
    aprendiendo a respirar de nuevo
    y pensando en su madre y en su hermana

luego su hermana de quince años
  comenzó a recibir cartas amenazantes
   en que se ofrecía matarla poco a poco
    con gran refinamiento
   y hablando de lo agradable que sería
     jugar con ese cuerpecito

  el autor de las cartas (¿los autores?)
    se relamía de gusto
    tal es la gente que gobierna Guatemala

y ahora también la hermana está exiliada en Londres
   y en esta Navidad los dos tiemblan por la madre
   ¡y son de los afortunados!
    ¡de los que tienen forma de obtener
    dinero para el viaje
     y escapan con la vida!

VI

la Navidad de pronto es esta búsqueda
  de todos esos rostros
     Alaíde

 el tuyo conocido
  el otro tuyo

que jamás conocimos
el que tú misma tal vez no llegaste a conocer
no sabías que tenías
el de tantos   todos entrañables   que de pronto faltaron
dejaron de asomarse   al espejo   de la vida diaria
al espejo de los ojos que los mirarían   por la mañana
encima de la almohada
encima del café
del escritorio
frente a frente
por las calles

rostros a veces vistos
y a veces ignorados
pero siempre reales para alguien
indispensables
aunque sea para la diaria rutina
o la amarga ternura
la charla ya automática

o la mirada a fondo

que de pronto recupera en el espejo de esos ojos ajenos
el propio rostro largo tiempo esperado

todos esos rostros   también nos hacen falta   como el tuyo
los seguimos esperando
seguiremos
hasta que algún día sus ojos
se asomen a los nuestros
y nos reconozcan.

8

ROSARIO IBARRA DE PIEDRA

Diario de una huelga de hambre[9]

La sed con calor es más y el sol cala muy fuerte sobre el atrio de Catedral. La Catedral se asienta y hierve. Con razón, el rojo de su tezontle se ha oscurecido. Las botellas de Tehuacán, en un rincón, refulgen como diamantes. Nadie las ha abierto aún. Solo algunas mujeres, al persignarse en la pila de agua bendita, se pasan tantita por la boca, mojan sus labios resecos. Altanera, la Catedral mira la vida pública a través de las rendijas en sus espesos muros. No ve mucho, la pobre, porque los mexicanos no suelen vivir la calle. Sin embargo, ahora, ochenta mujeres han venido a vivirla a ella. Pegadas a sus muros, buscan protegerse de los rayos que restallan sobre su espalda, lijando su superficie. De vez en cuando penetran en su interior y hurgan en sus bolsas del mandado junto a los confesionarios. Sus pisadas son más nerviosas que las de los fieles pazguatos o los turistas de boca abierta que frente a los monumentos arrastran los pies. Como que saben a dónde van. En 1968, los estudiantes subieron por su torre de empinados escalones y echaron a volar las campanas; ella oyó sus pisadas de tenis, sueltas y febriles, las sintió como cosquillas y, curiosamente, no le dieron opilaciones; al contrario, su repique era una viva gloria en el pecho. De tal manera, los estudiantes quisieron regresar a ella. Si en julio de 1968 se propusieron *ganar la calle*, en los meses que siguieron, su objetivo fue *tomar el Zócalo*, manifestarse en la Plaza. Poseer esa Plaza era gritar desde el centro mismo del país, desde el ombligo de la luna, la entraña de Tenochtitlán, el infinito lecho de Cortés y la Malinche, la región más transparente del aire, allí donde la luz aletea. Tomar la plaza era un acto trascendente y mágico, tocar

[9] *Fuerte es el silencio*. México: Era, 1980, pp. 78-137.

sus campanas, liberar una bandada de palomas hacia los cuatro puntos cardinales, hacia los confines de la tierra; por eso, todas las marchas terminaban inevitablemente en el Zócalo. Una tarde de agosto, después de la jubilosa manifestación de más de cuatrocientas mil personas, el 27, los muchachos decidieron permanecer, quedarse de pura tanteada toda esa noche y el tiempo que fuera necesario, para instar al gobierno a iniciar el diálogo; encendieron fogatas en la explanada, se sentaron en torno a su calor. No transcurrió mucho para que se abrieran las puertas del Palacio y varias columnas de soldados salieran corriendo con bayoneta calada. En la calle, catorce tanques esperaban para desalojar a tres mil estudiantes. Fue el principio del fin.

Diez años después, la Catedral ha sido tomada. La han poseído las mujeres. «¡Qué bárbaras! —me dice Neus Espresate—, mira que escoger Catedral para hacer allí su huelga de hambre!». Sonríe admirativa. «Mira que se necesita... El problema es: ¿las dejarán?».

Como sombras, algunas mujeres atraviesan el atrio: otras se meten y horadan la penumbra, las veo afanarse en torno a sus bolsas de plástico, sus suéteres y sus chales hechos bola; una viejita de plano se ha metido dentro de un confesionario y duerme. Por su rostro inquieto se entrecruzan las rápidas pesadillas del cansancio. Sentadas en el suelo, las piernas estiradas, dos señoras apoyan su cabeza contra el muro. Afuera, los muros les sirven para recargar y exhibir los grandes retratos de sus hijos impresos en un cartel blanco y negro: Jesús Piedra Ibarra, Rafael Ramírez Duarte, Javier Gaytán Saldívar, Jacob Nájera Hernández, Jacobo Gámiz García, José Sayeg Nevares, José de Jesús Corral García, Francisco Gómez Magdaleno y tantos muchachos más que nos miran desde su foto tamaño miñón ahora amplificada, sus rasgos agrandados a la fuerza, sus cejas más negras, más grave aún la expresión de sus ojos serios, ojos de credencial, ojos de «este soy yo, mírenme bien, soy yo, y soy responsable de mí mismo, de este espacio ovalado que ocupo». Diez años después del Movimiento Estudiantil, los mexicanos jóvenes siguen desapareciendo. Sus madres, sentadas en las bancas de madera, son vírgenes de dolores, prietas, agrias figuras maternas, figuras que solo esculpen el rencor, la fatiga y el aire catedralicio que en su entorno, por quién sabe qué fenómeno físico, parece aislarlas en un espacio blanco. ¿Por qué blanco si todas las madres de los presos, desaparecidos y exiliados políticos están vestidas de luto? Bueno, no todas, las que pueden, las que tienen alguna ropa oscura, porque se trata de mujeres muy pobres.

Anoche bajaron del autobús que las trajo, cada una por su lado, de Sinaloa, de Sonora, de Guerrero, de Monterrey, de Jalisco; son ochenta y tres mujeres y cuatro oaxaqueños en una huelga de hambre que empezó el lunes 28 de agosto de 1978. Ahora pasan de mano en mano una botellita de Tehuacán: «¿Gusta?», me pregunta Celia Piedra de Nájera con esa gentileza que en algunas ocasiones parece una despiadada ironía:

—No, gracias, ¿cómo les voy a quitar su agua?

—Ahí tenemos más.

—De todos modos no, se lo agradezco.

Todas acudieron al llamado de una sola: Rosario Ibarra de Piedra, quien ahora va y viene en el atrio porque los tehuacanes tienen que quedar en la sombra y hay que hacerles un tendidito, los volantes aún no llegan y ya deberían andarse repartiendo en la calle, muchos periodistas no están enterados y la comisión que debió avisarles aún no rinde su informe. El sol pega y hierve el tezontle rojo de los muros; pienso en la moronga que se oscurece a medida que avanza el día en los comales de las taquerías cercanas a Catedral, fuera del atrio, en la banqueta, la gente pasa indiferente a pesar de una manta roja muy larga que dice en letras negras: «Los encontraremos». Una hilera de mujeres sostiene una cartulina blanca. Anuncian: «Huelga de hambre», cada una con una letra. La de la segunda «H» parece especialmente agobiada; se ha enroscado su suéter en la cabeza para atajar el sol, lo mismo han hecho varias otras, de suerte que vistas de lejos bien podrían ser placeras regateando en el mercado. Y es triste que lo sean; están en la plaza, ¿no es cierto?, y regatean exigiendo al gobierno la vida, la presencia de sus hijos. Para una madre, la desaparición de un hijo significa un espanto sin tregua, una angustia larga, no sé, no hay resignación, ni consuelo, ni tiempo para que cicatrice la herida. La muerte mata la esperanza, pero la desaparición es intolerable porque ni mata ni deja vivir.

Una tarde en mi casa dejé sola a Rosario Ibarra de Piedra mientras iba a contestar el teléfono, entre tanto empezó a llover. Cuando volví la encontré llorando:

—¿Qué le pasa, Rosario?

—Es que pensé que donde quiera que esté, mi muchacho ha de estarse mojando.

A Rosario, tan valiente, tan controlada siempre, por quién sabe qué mecanismo descompuesto la lluvia figurada sobre la espalda de su hijo le abre las compuertas del llanto. Agua rápida, despeñada. Tanta agua ha corrido desde los primeros meses de su búsqueda, cuando la esperanza era violentísima, la del encuentro, la recuperación, tanta agua hasta ir a dar al Canal del Desagüe: «Señora, tenemos aquí dos cuerpos que encontramos en el Gran Canal, a lo mejor son de los suyos, en todo caso, venga a reconocerlo». Y sí, allí sobre la plancha fría, dizque higiénica, dos cadáveres de muchachos atados de pies y manos cada cual con un solo balazo: uno en la nuca, el otro en la frente; ninguno de los dos mayor de los dieciocho; los dos en estado ya de descomposición. Pero esos no son los únicos; en la autopista México-Querétaro, Rosario corrió al encuentro de tres cadáveres abandonados, también vendados, y otros dos que sacaron de una zanja cercana al aeropuerto. «Pa' que escarmiente —le dijo uno de la Federal de Seguridad—, pa' que les digan a sus hijos que no se metan con nosotros». Pienso en el archivo gigantesco que vi en Ginebra, donde se alinean los desaparecidos de guerra, los nombres de los judíos exterminados. Al menos merecieron una tarjeta dentro de un cajón de lámina que sale con la sola presión de la mano y exhibe nombre, edad, señas particulares, lugar y día de la muerte. Aquí en México, ¿en qué archivo de Gobernación, en qué expediente, en qué ficha se pierden los pasos de un muchacho que nació hace diecisiete, veinte, veinticinco años? Seguramente la Federal de Seguridad recurre a la CIA, a la diligencia con la que consigna la historia de cada posible disidente, desde el nacimiento de su vello impúber hasta que entra a la prepa y pega sus primeros carteles, hace sus primeras pintas, se pone de pie frente a sus compañeros para echar su rollo en la asamblea, emocionadísimo, feliz, parado encima de su barril de pólvora. De allí a ser miembro del Comité de Lucha de la Facultad solo hay un paso, después viene la huelga, la organización de las brigadas, el *volanteo*, el darse cuenta, como lo dijo Sartre, de que «nadie se salva solo».

Quizá sucede lo mismo con otras madres, ahora en estos meses mojados y grises de agosto con sus atardeceres encapotados; quizá se sueltan a llorar sin pretexto, un llanto retrasado, que ya nada puede retener y del cual se disculpan cubriéndose la boca con su pañuelo. Una de ellas se me acerca, veo en su bolsa del mandado de plástico verde un rollo de papel higiénico. «De veras, si las dejan dormir aquí, ¿dónde harán sus necesidades?». A Rosario Ibarra de Piedra, muy delgada, muy frágil dentro de su vestido negro, la siento sobreexcitada;

va de un grupo a otro, cierra los ojos bajo el sol y dice parpadeando: «Ahorita vengo. Corro a la caseta porque necesito hacer una llamada como la que le hice a usted; traigo un montón de veintes para los días que vienen». Camina sobre sus tacones negros, camina mucho dentro del atrio; va del interior de Catedral hacia la calle, regresa porque algo olvidó. Me asombro: «¿Cómo va a aguantar?». Siempre he visto que los que hacen huelga de hambre procuran economizar energía y calor y permanecen acostados. Así en 1961, vi en San Carlos a Juan de la Cabada, a Benita Galeana, a los dos Lizalde, Enrique y Eduardo, a José Revueltas, a Carlos Monsiváis y a José Emilio Pacheco, arrebujados en las cobijas, desmelenados y ojerosos como niños a quienes el sueño se les enreda en las pestañas. Se habían solidarizado con la huelga de hambre de los ferrocarrileros y de Siqueiros en Lecumberri. (Nombro a Siqueiros no para significarlo sino porque él no era ferrocarrilero). Así vi días después a los militantes presos Alberto Lumbreras, Gilberto Rojo Robles, Dionisio Encinas, Miguel Arroche Parra, Filomeno Mata, el Viejito, como le decían, y a Demetrio Vallejo lleno de sondas y amarrado con vendas a su cama de enfermería de Santa Marta Acatitla; así habría de ver años más tarde, en 1968, a Gilberto Guevara Niebla, verde y sobre todo enojado, en su crujía A, extraviado en medio de un insoportable hedor a limones podridos que los policías habían dispuesto que se recogieran en una sola celda repleta de cáscaras, contigua a la suya.

Ahora miro a estas mujeres trajinar, asolearse, olvidadas de sí mismas; me preocupa sobre todo Rosario, quien no cesa de sonreír animosa, alegre casi. Me aclaró por teléfono:

Ya le pregunté a mi esposo y dice que no pasa nada, que el cuerpo puede aguantar muchos días con agua y azúcar y sal; chuparemos limones con tantita sal, con azúcar y agua, mucha agua. ¡Hasta sirve para eliminar toxinas!

También comentó alborozada desde su caseta telefónica:

No llevamos ni una hora aquí y ya han venido de varias agencias internacionales, de la Associated Press, la Reuters la Efe de España y una checoslovaca. Les avisé también a Marlise Simons del *Washington Post* y a Alan Riding del *New York Times*. Hemos tenido mucha respuesta, un gran apoyo. Nos van a acompañar algunos muchachos del PRT. Al rato viene un reportero del *Unomásuno*. Se portan bien estos del *Unomásuno*. Véngase usted pronto, Elena, no me vaya a decir que no puede, que los niños, que la escuela, véngase lo más pronto que pueda.

Y ahora que estoy aquí, Rosario me hace una pequeña señal con la mano y corre hacia la calle, vuela casi. Con razón, el subsecretario de Gobernación, Fernando Gutiérrez Barrios, le dijo: «¡Es usted la dama más tenaz que he conocido!». De verdad hay que ser tenaz para luchar contra la incertidumbre, la ausencia y el deseo de capitular factores más fuertes que el enemigo mismo.

Y ellas ¿de quién son enemigas? Miro sus ojos negros, desvalidos, duros a veces, sus ojos que desvían la mirada (¿qué diablos querrá esta gringa?) sus ojos de pobre. Sé que muchas no acudieron al llamado de Rosario. Algunos padres respondieron a propósito de su desaparecido: «Nosotros ya le mandamos decir su misa». Ahora mismo no son pocas las que se persignan ante el Cristo cada vez que se meten a Catedral. Se enrebozan frente al atrio; podrían ser miembros de una peregrinación, devotas cumplidoras de alguna manda; de hecho a dos de ellas se les asoma su escapulario, y es fácil imaginarlas prendiendo una veladora para que la Virgen les haga el milagro: la aparición de su hijo. Dentro de Catedral me siento junto a la señora García de Corral. Es una mujer maciza, que supongo alta; la voz gruesa. Habla golpeado. La creo norteña porque no se inhibe ni se apoca a diferencia de otras mujeres que se arrinconan como pajaritos asustados (al menos así las veo en este primer día de huelga). Yo misma obedecería si me sugirieran en la tranquila sombra de esta iglesia: «Vamos a rezar un rosario». Pero la pregunta la tengo que hacer yo y no es piadosa.

—Nosotros somos de Ciudad Juárez, Chihuahua —responde Concepción García de Corral—. En 1974, mataron a mi hijo Salvador Corral García; en 1976, aprehendieron a mi hijo José de Jesús, quien está desaparecido, y, en 1977, mataron a mi hijo Luis Miguel Corral.

—Tres hijos. ¿Y todos guerrilleros?

Esta pregunta no les gusta a las madres; ninguna, salvo Rosario, responde directamente. La mayoría niega estar enterada de las actividades del hijo y del motivo de su detención. Algunas explican con muchos pormenores cómo fue el arresto, pero ninguna sabe decir por qué. Al contrario, repiten una y otra vez, el rostro marchito: «Mi muchacho era bueno, no le hacía daño a nadie». La señora García de Corral no se anda con contemplaciones ni me debe explicación alguna, ella viene a lo que viene:

—Yo ando buscando al desaparecido. Lo aprehendieron en Puebla y dijeron que lo habían llevado al Campo Militar número Uno.

—Y ¿tiene más hijos?

—Sí, pero no quiero hablar de ellos ni dar sus nombres, no me los vayan a matar también. Lo único que quiero es que me digan dónde está el desaparecido, Luis Miguel, que tiene veintiséis años.

Cuando Rosario buscó a su hijo en todas las dependencias gubernamentales, pensó que otras mujeres debían estar en su mismo caso —no podía ser ella la única— y resolvió encontrarlas. Su esfuerzo culmina en esta huelga de hambre en Catedral a la que han acudido ochenta y tres mujeres, que piden la amnistía general.

Regresa Rosario; sé que es Rosario incluso antes de verla, lo sé porque reconozco su taconeo sobre las baldosas. Voy hacia ella:

—Rosario, ¿no se parece esta huelga a la de las «Locas» de Plaza de Mayo, ustedes de negro y plantadas casi frente al Palacio de Gobierno?

—Sí…

—Pero esta no es una dictadura; este gobierno no es el de Argentina, Rosario.

—Pero si no actuamos, puede llegar a serlo —sacude la cabeza con vehemencia como lo hace en cada ocasión en que digo algo que le desagrada—. ¿Usted cree que es normal que en un país desaparezca la gente?

—Pero, Rosario, todos los gobiernos del mundo persiguen a sus opositores, sobre todo si estos escogen las armas. ¡Yo no sé de una sola guerrilla que ande suelta por allí con el beneplácito de las autoridades!

—¡Que se les juzgue si han cometido algún delito, pero que se les pueda ver! ¿Usted cree justo que yo no vea a mi hijo desde 1975? A nosotras pueden llamarnos las locas de Catedral, las locas de la Plaza de la Constitución, las locas del primero de septiembre, no me importa, no me importa; hemos llegado al límite, este es nuestro último recurso. No nos queda otra. Mire, al gobierno tal y como está, hay que arrancarle las cosas…

—Pero, Rosario, esta es una medida política, ¿quiénes las aconsejan políticamente?

—Nadie. Fui a ver al ingeniero Heberto Castillo hasta su casa. Me dijo que esperáramos al día del Informe a ver qué, insistió en que esta huelga era un error político, en que íbamos a frenar la amnistía; lo mismo advirtieron otras organizaciones y otros partidos, pero yo no podía detener ya a las demás mujeres, las ochenta y tres que aquí nos encontramos y que hace mucho queríamos entrar en huelga de hambre. ¡Algo teníamos que hacer por nuestros muchachos, Elena! ¿Qué no sabe usted que en Culiacán algunas madres de familia hacen una parada permanente frente al Palacio de Gobierno y no hay quién las mueva? El gobernador Alfonso Calderón Velarde les dijo: «Por mí se pueden quedar un año si quieren, aplástense ahí. A mí qué, yo no tengo a sus hijos». A ellas también podrían llamarlas las locas de Culiacán. ¿Qué más da? ¿Usted cree que con llamarnos locas nos quitan algo? ¡No hombre! Que nos digan cómo se les antoje. Las de Sinaloa tienen años preguntando por sus esposos, sus hermanos, sus hijos desaparecidos. Fueron a ver al comandante de la Novena Zona Militar y nadie les dio una respuesta. En México ni el jefe del Estado Mayor Presidencial, ni el procurador de la República, ni el presidente López Portillo les han podido decir por ahí te pudres. Ya basta, ¿no? Ya es mucho peregrinar, mucho aguantar. ¿Que el gobierno no podría darnos a los familiares una lista de los muertos, una de los que podrían salir, y, si pueden, cómo, en qué condiciones, si desean que vayamos a encontrarlos a otro país, etcétera?

La voz de Rosario ha subido de tono, se ha hecho más rápida, demandante y la esperanza que hay en ella me resulta intolerable. Desvío la vista, y tras de Rosario, veo de pronto en la pared la estela plateada de un caracol que sube por el muro de tezontle. ¿Qué diablos hace un caracol en pleno Zócalo sobre un muro rojo de la Catedral? Lo miro, me distraigo, descanso del dolor de Rosario, el caracol se desliza lentamente con su casa a cuestas, puedo ver su cabeza, sus cuernitos, avanza con dificultad, hace su camino, ¡cuánto esfuerzo, cuánto! ¿Cómo pudo llegar? Será porque es época de lluvias; su huella húmeda brilla al sol, es un cordón irisado; va derramando su baba, que no le pase nada. Recuerdo que un día saltó un chapulín junto al lavabo y cayó adentro, lo saqué, lo puse en el suelo; pensé: «termino de lavarme los dientes y lo bajo al jardín», pero entre tanto de un brinco fue a desnucarse contra el mosaico. Lo tomé entonces, pero ya era demasiado tarde y me reproché mi falta de oportunidad. Qué frágil es la vida de todo lo viviente; todo se juega en un segundo.

Y ahora este caracol solitario que sube incauto dirigiéndose quién sabe a dónde, que no le pase nada, que no le pase nada a nadie, que no todo sea una amenaza, que la vida no sea este dolor intenso, esta lucha babeante, esta mucosa que vamos dejando, huella y camino a la vez, camino ¿a dónde?, porque ya no sé si vale la pena morir por algo en este país, en este *mi* país, y sé que solo la muerte es real, solo la muerte es real, solo la muerte es real.

—Y ¿si están muertos?

Rosario de nuevo sacude la cabeza.

—Queremos sus cadáveres pero no fresquecitos, que no nos los maten ahora; que sepamos quién, cuándo, cómo y dónde nos los mataron.

Varias veces le he preguntado a Rosario por fría y por imprudente: «¿Y si está muerto?». Ella se defiende siempre. Miro a Rosario. Hace un año la palabra *muerto* le era intolerable. Ahora el dolor la ha transformado en una luchadora política. En 1977, Manuel Buendía le dijo que él estaba en condiciones de informarle que su hijo había muerto. Rosario pidió una prueba. Al no tenerla, ha seguido en su lucha. Cuando yo insisto, Rosario me habla del Campo Militar 1, cuenta que un preso liberado le mandó a decir que había visto a Jesús, que una gran cicatriz le atravesaba la cara, que lo trajeron de Monterrey espantosamente golpeado. Y sigue. Desde hace un año no tiene noticias, nada, pero ella cree, tiene fe, no se rinde. Y luego alega:

Esta gente del gobierno es muy fuerte, Elena, muy poderosa. Usted cree que si quisieran librarse de mí, ¿no lo habrían hecho? ¿Usted cree que no me dirían como se lo han dicho a otras: «Señora, usted tiene tres hijos más; le aconsejamos por el bien de sus hijos que deje esta lucha?». ¿No cree usted que podrían darme un mal golpe? ¿Machucarme cuando salgo de mi casa? Saben bien dónde vivo; durante días enteros se estaciona allí un coche sin placas con cuatro agentes de Gobernación. Por eso, sí creo que tienen a mi muchacho, si no, hace mucho que me hubieran obligado a desistir. Hay mil maneras de lograrlo. Si no me eliminaron antes, si me han dejado proseguir en mi campaña, fundar el Comité de Presos, Perseguidos, Exiliados y Desaparecidos Políticos, organizar manifestaciones, viajar y dar a conocer mi caso en ochenta ciudades de los Estados Unidos, va a serles mucho más difícil eliminarme ahora. Por estas razones, para mí muy poderosas, creo que tienen a mi muchacho.

Pero también, y eso no se lo digo a Rosario, cabe la otra posibilidad; dejar morir el asunto, darle largas y largas y largas, que pasen los días, los meses, los años, hasta que no haya una Rosario Ibarra de Piedra para moverlo y digan entonces: «Menos mal que se murió esta vieja tan terca», que todo se soslaye, se agote por inanición. Debe ser esta la tirada del gobierno, porque sacar a Jesús Piedra Ibarra ahora, después de cinco años, ¿acaso es posible? Sería la prueba irrefutable de que México es igual a las dictaduras latinoamericanas. Si sale *un* preso político, ¿por qué no cien, por qué no mil? Además, Rosario es ahora conocida internacionalmente; sacudió a las sesiones académicas de Amnesty International en Londres, la convocaron en Helsinki, en Bonn, en Berlín, en Estocolmo y ya no se diga en las ochenta ciudades norteamericanas cuyas universidades pagaron su pasaje; ¿podría enfrentarse el gobierno de López Portillo a una campaña internacional de esta magnitud, a las investigaciones de Jacoby, en La Haya, de los parlamentarios ingleses, someterse a un juicio como el de los dictadores de América Latina? ¿Sería justo para México?

Lo mejor es darle la suave, aderezarlo a la mexicana, dejar que las señoras cacareen su desgracia, hagan sus manifestaciones, atenderlas incluso (Rosario vio treinta y seis veces al expresidente Echeverría, quien siempre la trató con finura, la recibió, solícito y cortés, la remitió a Ojeda Paullada, quien siempre la reconocía, sonreía al tenderle la mano, fruncía el entrecejo mientras la escuchaba: «Licenciado, mi muchacho, mi muchacho, licenciado»). ¿Qué otra salida le queda al gobierno de México? ¿Qué táctica a seguir? Conceder la amnistía, sí, esto es factible, pero ¿resucitar a los muertos, hacer que aparezcan los desaparecidos? Porque si Jesús Piedra Ibarra es del sexenio de Echeverría, siguen desapareciendo campesinos y obreros. Los únicos cómplices de los políticos son el tiempo, el cansancio y la rendición de los familiares, que además, si no fuera por la fortaleza de espíritu de Rosario Ibarra de Piedra, ya se hubieran rendido.

—Entonces, está decidido, Rosario, ¿van a quedarse a dormir aquí?

—Sí, absolutamente. Como cierran las puertas de Catedral a las cinco, las más viejas dormirán adentro, las más jóvenes nos quedaremos afuera. (Sí, no las demás, no las otras, Rosario ha dicho las más jóvenes. Sí, ¿cuántos jóvenes no quisieran la juventud de ella para día domingo?). Hemos traído sarapes, no hay problema.

—¿No corren el riesgo de que les rompan la huelga?

—Sí, claro, porque en los últimos meses el gobierno ha roto todas las huelgas, a los del Istmo que la hacían frente a la ONU el gobierno los dispersó y los mandó para su casa.

(Ahora sí, tres mujeres se han parado junto a nosotras; una de ellas sonríe y al hacerlo enseña mucho las encías y son tan rojas que parecen dos pedacitos de sandía).

—Por eso —continúa Rosario— sería muy bueno que recibiéramos más apoyo popular, que se plantaran aquí e hicieran huelga con nosotros los representantes de organizaciones sindicales y de partidos. Mire usted, Elena, ¡cuántas somos! ¡Todas las que están allá en bolita son de Atoyac! Debería platicar con ellas.

—Rosario —se acerca Vicky Montes con su pelo largo, suelto sobre los hombros. Es algo así como la lugarteniente de la señora Piedra—. Dice el padre Pérez que no podemos quedarnos a dormir aquí.

Rosario reacciona inmediatamente:

—¿Por qué? ¿Quién lo prohíbe? ¿Qué ley? —Rosario ahora siempre blande la ley—. A ver, vamos. —Y se dirigen hacia unas enaguas negras y rosarios colgantes que aguardan amenazantes.

En la manifestación en contra de Díaz Ordaz, el 17 de abril de 1977, una mujer pequeña, más bien joven, con una abundante cabellera tirando al rojizo —abundante pero no larga—, se acercó a mí sonriendo:

—Tengo un hijo desaparecido.

—¿Desde el 68? —pregunté.

—Después, después.

Juzgué que se veía muy entera, que yo no podría decirlo con una sonrisa. Más tarde descubriría que la sonrisa es su arma de lucha, que la dispara dentro de un rostro que ella misma ha cincelado a lo largo de los cinco años de desaparición de su hijo, un rostro que va hacia los demás y se presenta casi entusiasta para que no lo rechacen, o si no, porque así es su naturaleza. Habría de llamarme unos días después, ya que en la marcha solicitó mi número de teléfono: «Yo soy la persona que la abordó, ¿se acuerda?», e inmediatamente dije sí, por la impresión contradictoria que me causó su vitalidad al lado de la noticia que proporcionaba. Hicimos una cita. Rosario traía un álbum familiar. En el álbum, al ver su sonrisa me di cuenta de que ahora sonríe sin alegría, para dar valor, para alentar al que habla, zas, sonríe, pero no es ese movimiento interno que aparece en las fotografías de su juventud, ese lento oleaje que viene subiendo, no, ahora Rosario sonríe rápido, pero no sonríe desde su infancia, desde la niña Rosario, desde la joven Rosario, no; a veces la sonrisa es más animosa que otras, pero eso es todo. A Rosario le rompieron todas las sonrisas dentro del cuerpo, se las molieron a palos, si Jesús, su hijo, resucitara, no volvería a ser la misma. El álbum sobre mis rodillas, fuimos hojeándolo lentamente mientras señalaba con el dedo y se detenía a darme explicaciones, en todas las fotografías aparecía el mismo niño Jesús Piedra Ibarra, que nos miraba con fijeza:

Mire, esta es del día de mi boda, aquí mi padre, mi madre, mis padrinos. Yo aquí de orgullosa mamá mostrando el perfil, ya estaba esperando, siempre me pongo muy gorda, lo quería desde antes de nacer, ¿no?, como todas las madres. Ya no me dio tiempo de llegar a la maternidad, afortunadamente mi marido es médico, aquí tenía media hora de nacido mi hijo; siempre tuvo la cabeza abombadita, muy bien hechecita. Cuando él nació compramos nuestro terreno y empezamos a construir nuestra casa. Vivimos por el rumbo del Cerro de la Silla; mire, aquí está antes de cortarle el pelo, mechudito y aquí, mírelo, pelón. Cuando cumplió cuatro años le regalamos un burrito: Platero.

Así, a vuelta de hoja, una fotografía tras otra, la madre va contando la historia de su hijo, ahora un joven de veinticuatro años, acusado de militar en la Liga 23 de Septiembre y desaparecido el 18 de abril de 1975. Desde entonces, la búsqueda es implacable. En las fotografías veo surgir a una familia compuesta del padre y de la madre, de cuatro hijos, María del Rosario, ahora psicóloga; Jesús, ahora desaparecido; Claudia Isabel, veterinaria, y Carlos, biólogo, dos mujeres y dos hombres. Si en una hoja montan a caballo, en la otra se paran en la playa frente al mar de Manzanillo, viajan, vienen a la capital en las vacaciones de Navidad, de Semana Santa, así como los citadinos vamos al mar; visitan San Juan de Ulúa y Chucho, el niño guerrillero, se retrata en la celda de Chucho, el Roto, su tocayo (¡cuántas cosas presagian siempre nuestro futuro!) y cada Navidad la pasan en Chichén Itzá, en Mazatlán, en El Sumidero, en Chiapas, en Acapulco, en Guadalajara, hasta en Disneylandia. Veo un Galaxy modelo 1970, muy nuevo, reluciente, y a Rosario Ibarra sonreír dentro de él, veo una casa espaciosa y rodeada de flores, veo perros que pasan muy serios, cachorritos también, juguetones, sus patitas en alto, sus orejas levantadas, su expresión interrogante; un chapoteadero que los padres construyeron para que los niños se refrescaran del calor de Monterrey, veo las caritas de los niños, parecen exigir que los haga uno feliz, así, a vuelta de hoja, miran, me miran: «Hazme feliz», y Chucho, siempre Chucho, gordito, vestido de charro, sentado en su recámara leyendo bajo los retratos del Che Guevara y de Emiliano Zapata, abrazando a su novia, con sus libros escolares bajo el brazo, sus rodillas picudas, subido a un árbol, de excursionista, echándose un clavado, comiendo sobre la hierba en un día de campo, su suéter azul amarrado a la cintura, riendo con todos los dientes, su joven vida entre las manos, su maravillosa vida por delante y lo que hará con ella. ¿De qué se llena la vida?, me pregunto, ¡cómo se va llenando poco apoco de ilusiones y de proyectos como papelitos de colores! ¡Qué incógnita la de este muchacho con sus ojos graves bien metidos dentro de sus cuencas, sus cejas tupidas bajo las cuales la mirada se hace más penetrante, más inteligente a medida que pasa el tiempo. Lo he mirado crecer a través de una veintena de fotografías, me simpatiza mucho lo que de él veo y más aún me simpatiza la voz siempre pareja de esta madre quien a veces ríe y exclama: «¡Pero mírelo qué retegordito estaba, qué retegordito!».

Es bonito ver levantarse a un ser humano. Rosario, en Monterrey, formó una familia de hijos sanos que iban estudiando, escogiendo carrera, el papá en la cabecera como en la lección de inglés: «*this is the father, he is a doctor, he works for the Social Security, his name is doctor Piedra, he is sixty years old, and this is the mother, and this is their house, the dog, the dining room*»; la mesa del comedor, el sofá, la puerta, un mundo bien protegido porque cuando los padres se aman las paredes de la casa siempre protegen. Ellos se miraban a sí mismos pero también miraban hacia afuera. Vivían su vida dentro de Monterrey pero también vivían la vida de su ciudad, sus vidas las hacía Monterrey. Su ciudad estaba integrada a sus vidas. ¿Cómo podría ser de otra manera? (Solo el *jet set* logra vivir en México como en París, como en Londres, como en Nueva York). Vivían las manifestaciones, las tensiones, la desigualdad, los odios. Rosario nunca buscó la indiferencia. Ella se llevaba a los cuatro tomados de la mano, a marchar. (Recuerdo a Elvira Concheiro decirme en el '68 lo que sufría porque sus hijos iban a las manifestaciones, la carita de Luciano su hijo, todavía un niño, Elvira retorciéndose las manos: «Es que yo les enseñé, yo los llevaba a protestar, a corear: "Fidel Velázquez, Fidel Velázquez, en esta lucha ya te chingaste", en vez de "Naranja dulce, limón partido". ¿Cómo iba yo a mantenerlos al margen de la vida de su país?»).

Los Piedra se levantaban temprano en la mañana: «mamá, mi jugo», «luego nos vemos», «a lo mejor no vengo a comer», el portazo; Rosario le sacaba el coche al doctor Piedra y lo dejaba con el motor andando, ponía su maletín en el asiento delantero: «nos vemos a la hora de comer; cuídate». Una vez, despachados los hijos a la escuela, Rosario echaba la ropa a la lavadora, discurría la comida, se despedía de la cocinera y libre de penas iba a montar a caballo. En esa casa las tareas no se quedaban sin hacer, ni las meriendas sin esa hora bonita en que se afloja el cuerpo y todas las voces se integran en una sola: la de la comunicación humana. Platicaban de lo que platican todas las familias; cómo les fue en la escuela, a qué cine irían el sábado, qué cara está la vida, qué malvado el presidente de la República, qué ricos los ricos, qué pobres los pobres, qué mentiroso Nixon, qué llorona Pat Nixon, en fin, todo lo que ustedes quieran y manden. Jesús Piedra Ibarra cursaba el tercer año de Medicina, era un buen estudiante, hacía deportes (equitación y karate), su novia se llamaba Laura, leía a Esquilo, le impresionó mucho el *Rey Lear* y poseía las nueve sinfonías de Beethoven conducidas por Herbert Von Karajan. Como todos los muchachos de su edad tenía inquietudes sociales, quería saber qué diablos hace uno sobre esta tierra, para qué serviría algún día, cuál era su identidad cultural, cuál su país, y esto mismo lo hacía valioso. No se conformaba como tantos con ser solo lo que los demás veían o lo que él veía de sí mismo en el espejo. Su destino lo haría él; no estaría siempre fuera. Claro, dependería en parte de las circunstancias exteriores como todos los destinos, pero él era de los hombres que se construyen a sí mismos. La Universidad siempre ha sido un semillero de ideas libertarias, pero la misma posición desahogada de la familia Piedra Ibarra lo hacía proseguir sus estudios normalmente. En su rumbo —el del Cerro de la Silla— acostumbran saludarse: «Buenos días, vecino, buenos días, vecina» y los vecinos lo querían mucho, las vecinas le decían a Rosario: «¡Qué bueno y qué educado es su muchacho!». «Con permiso, vecina, adiós, vecina». «Con permiso, Elena, voy a quitarle el álbum porque hemos llegado a la última hoja, mire usted a mi hijo aquí, qué fornido, qué alto se ve, y yo no soy una mujer alta ni fuerte».

De pronto, Rosario, en vez del álbum al que me había acostumbrado despliega sobre sus rodillas un cartel rojo y negro, tan grande que nos cobija las piernas a las dos y dice en letras rojas: «¡SE BUS-CAN!», y a renglón seguido aparecen las fotografías de Jacobo Gámiz García, aprehendido el 15 de marzo de 1974, en Acapulco, herido en una pierna; Jesús Piedra Ibarra, detenido en Monterrey el 18 de abril de 1975, salvajemente torturado, quien fue conducido a la Ciudad de México; Ignacio Arturo Salas Obregón, capturado en 1974, quien fue visto herido en el Hospital Militar; Javier Gaytán Saldívar, detenido por el ejército en noviembre de 1975, en Guerrero; y el licenciado César Yáñez Muñoz, ubicado la última vez en Ocosingo, Chiapas, en febrero de 1974.

Los buscan sus madres, padres, esposas, hijos, hermanos y sus familiares todos. Fueron detenidos por diferentes cuerpos policiacos y se ignora su paradero. Al igual que ellos hay muchos otros jóvenes desaparecidos. Si algún pariente tuyo se encuentra en circunstancias semejantes, por favor, envía datos y fotografías a las oficinas del comité o llámanos por teléfono, si es necesario, por cobrar.

Y firma el Comité Pro Defensa de Presos, Perseguidos, Exiliados y Desaparecidos Políticos.

A raíz de 1968 —dice Rosario—, en Monterrey se hicieron manifestaciones con frecuencia. Recuerdo especialmente la conmemoración luctuosa a un año del 2 de octubre; fue una marcha pacífica silenciosa, imponente. Mis hijos decidieron ir y yo los acompañé por temor de que fuera a pasarles algo; cuando vino Echeverría como candidato a Monterrey, Chucho mi hijo y un grupo de amigos salieron a gritar a la calle: «¡Abajo la farsa electoral!». La policía los agarró en la plaza Zaragoza y les pegó con varillas envueltas en papel periódico, sobre todo en el tórax. Regresó a la casa bien apaleado m'hijo.

Como otras ciudades de la República, Monterrey fue sacudida por los sucesos del 68. En la Universidad se organizaron comités de lucha, brigadas en las escuelas y Jesús Piedra Ibarra resultó electo junto a otros jóvenes activistas como uno de los más entusiastas. Era bueno para volantear, bueno para hacer pintas. En esos años cayó el gobernador Eduardo Elizondo, pero el hecho más grave en la vida política y social regiomontana fue el asesinato del industrial Eugenio Garza Sada. A raíz de ello se desató en Monterrey una persecución policiaca tremenda. A las siete de la noche del domingo 25 de noviembre de 1973, Rosario le pidió a Chucho que fuera a comprar un queso y una botella de aceite para la cena: «Llévate mi coche», le dijo. A las doce de la noche, Chucho aún no regresaba; quien llegó fue la policía: «Señora, su hijo tuvo un accidente y es preciso que vaya usted con su esposo a responder por los cargos en su contra a la Inspección de Policía». Allá, la policía les dijo que no había tal accidente sino un enfrentamiento a tiros entre estudiantes y policías uniformados en la calle de Álvaro Obregón, en el que resultó muerto un policía y que suponían que uno de los estudiantes era su hijo. El joven Chucho había escapado, andaba prófugo, el coche Galaxy, propiedad de su madre, presentaba cuatro impactos de bala. Dentro, estaban el queso y la botella de aceite. Al hijo jamás volvieron a verlo y el coche nunca les fue devuelto.

Esa misma noche —cuenta Rosario—, la policía entró a catear la casa; arrancaron de la pared el retrato del Che Guevara y dejaron el de Zapata, vaciaron los libreros buscando exactamente lo que ellos consideraban perjudicial o yo no sé qué cosa. Les pregunté: «¿Por qué no se llevan a Zapata que también era revolucionario?». Y respondieron que no. Hurgaron en su bibliotequita; en esos días, Jesús estaba leyendo a Esquilo. Tiraron a Esquilo, a Sófocles, a Shakespeare en el piso y todo lo que para ellos era subversivo: Marx, Engels, el diario del Che Guevara, todo eso se lo llevaron, así como unos suéteres gruesos y unos gorros y pasamontañas, porque como usted sabe, nosotros siempre hemos sido muy deportistas. Al ver el paquete de los libros, volví a decirles: «¡En este caso, deberían llevarse a la cárcel todas las librerías de México, porque en dondequiera encuentran ustedes esos libros!». También buscaron entre sus discos. A Chucho le gustaban mucho Vivaldi y Bach, así como la música popular mexicana, y se detuvieron en un corrido de Gabino Barrera, quien murió por la tierra. ¡También él les pareció sospechoso! Mi hijo tenía cerca de su escritorio una fotografía que apareció en *Siempre!* que le impactó y quiso guardar como testimonio de la maldad humana. Es un soldado norteamericano que ríe, con dos cabezas de vietnamitas en las manos, una cosa así tremenda. El policía la arrancó y la tomó como prueba. Después de esa noche, mi hijo ya no regresó nunca a la casa, la policía en cambio se metió sin orden de cateo, se llevó libros y prendas de vestir y los agentes me pidieron con insistencia quinientas M1. De dónde iba yo a sacarlas. Insistían en que yo debía tener en la casa quinientas M1. A partir de ese momento, empezamos a vivir en el horror mi familia y yo.

Rosario no supo nada de Chucho sino cuatro meses después, cuando la policía apresó al doctor Jesús Piedra Rosales, entonces de sesenta y dos años, para conducirlo a los separos de la Policía Judicial e interrogarlo a raíz de un asalto frustrado a un banco por el rumbo del Obispado. La policía le quitó todas sus identificaciones y pertenencias y le dijo: «Si no coopera, vamos a ir a tirarlo a otro estado. Nada nos cuesta». El doctor Piedra Rosales simplemente no sabía dónde estaba su hijo Chucho (y aunque lo supiera). Entonces, en unas celdas, conocidas por mal nombre como las Tapadas, le metieron tres veces la cabeza en agua llena de orines y de ácido para revelar fotografías, le rompieron la cuarta vértebra lumbar a fuerza de golpearlo y a empellones y a patadas lo aventaron de nuevo en la primera celda. Durante los interrogatorios, Luis Bueno Ramírez, miembro de la Policía Judicial, le advirtió:

—Mire, si no nos dice usted dónde está su hijo, allá afuera hay cuatrocientos hombres que tienen órdenes de matarlo donde lo encuentren.

—¿Con qué derecho? —preguntó el doctor Piedra—. Si ha cometido algún delito, apréhendanlo y júzguenlo.

—No, si aquí no se trata de derechos.

Después de su encarcelamiento, Piedra Rosales tuvo que permanecer en el hospital San José durante quince días; allí mismo, en el hospital, hizo la denuncia del atropello en su contra y como es un médico de prestigio, maestro de varias generaciones de universitarios (cátedra de biología y de embriología), los periódicos de Monterrey publicaron su protesta. Fue durante esos días de hospital cuando Rosario supo de su hijo por primera vez. La llamó por teléfono preguntándole por la salud de su padre. Meses más tarde, llamó a una carnicería a donde Rosario acostumbraba ir. Empezó a llamar con cierta periodicidad a su casa y se concretaba a decir «número equivocado», pero Rosario reconocía la voz.

Jesús Piedra Ibarra no se acercaba a la casa en la calle de Guayaquil en la colonia Altavista porque siempre estuvo vigilada, varias vecinas le advirtieron a Rosario que durante horas y horas permanecían estacionados coches sin placas en las calles adyacentes, y Rosario y todos los miembros de la familia Piedra Ibarra sintieron siempre que los seguían, hasta el día 18 de abril de 1975, en que la vigilancia cesó totalmente, lo cual les hizo temer por la vida de Chucho. «Algo grave le ha sucedido», se dijo Rosario. La mala noticia no se hizo esperar; el 30 de abril de 1975, en el periódico *El Norte* apareció la captura del peligroso guerrillero, miembro de la Liga 23 de Septiembre, por la calle Zaragoza, cerca de la Iglesia del Sagrado Corazón, a cargo del jefe de la Policía Judicial, Carlos G. Solana, quien ahora se ha retirado a Acapulco.

A raíz de la valiente denuncia del ciudadano Piedra Rosales, cuanto atraco, cuanto asesinato, cuanto robo hubo en Monterrey fue atribuido al miembro activo de la Liga 23 de Septiembre, joven de veinte años, Jesús Piedra Ibarra. Rosario se vino a México porque le dijeron que habían llevado a Chucho al Campo Militar 1, incluso en un periódico apareció la noticia de sus torturas, «muy golpeado, pero vivo».

Rosario Ibarra de Piedra alquiló un departamento en Paseo de la Reforma desde el cual podría salir con más o menos facilidad a todas las dependencias oficiales y se compró un plano de la Ciudad de México. No solo no conocía a nadie, ni siquiera sabía dónde se encontraban las Secretarías de Estado. ¿A quién recurrir? En Monterrey le dijeron que su muchacho estaba en el Campo Militar 1 y con ese único dato, esa rendija de esperanza, se vino y empezó a recorrer las calles, primero en taxi, pero al ver cómo se le iba el dinero, en camión, a pie. En Los Pinos, hasta los policías de guardia que la veían atravesar la avenida sintieron simpatía por esa figura solitaria (la sonrisa fija sobre el rostro que iba adelgazándose) que cada tercer día hacía acto de presencia. Rosario llevaba siempre algo de su hijo; su retrato en un medallón prendido a su blusa o en un talismán colgado de una cadena. Más tarde lo mandó imprimir en grande, a que abarcara todo su pecho, para ponérselo de camiseta. Y así fue a pararse a los actos públicos.

Cuando Echeverría depositó en el Monumento a la Revolución los restos de Villa, me coloqué junto a la viuda de Villa, doña Luz, y llevaba yo un retrato de mi hijo cosido sobre mi pecho, enmarcado con perlas sobre el vestido negro, y como el orador dijo que con este acto Echeverría le hacía justicia a un guerrillero, yo me acerqué al final y le dije al presidente: «Hágale justicia a este mi muchacho, que según ustedes también es guerrillero». Inmediatamente, Echeverría ordenó que se me atendiera, y así continuó mi eterno peregrinar de antesala en antesala.

En noviembre de 1976, un poquito antes de que Echeverría dejara la presidencia de la República, Rosario tuvo noticias de que su hijo estaba vivo con una enorme cicatriz que le atravesaba la cara, en el Campo Militar 1, y entonces se fue a ver al licenciado Echeverría.

Le dije —continúa Rosario—, yo quiero verlo, nada más quiero verlo, solo eso le pido, verlo, todas las madres pedimos eso, verlos. No sabemos qué fin se persiga con esa incomunicación. ¿Han quedado lisiados, están muertos, les quedan secuelas incurables, los han matado? ¿A qué se debe ese hermetismo tan tremendo a niveles oficiales? Júzguelos, si le parece poco la pena de muerte, implántela, que se implante la pena de muerte como en España, pero por lo menos Franco, cuando los mataba, entregaba los cadáveres a los familiares. Pero aquí andamos de cárcel en cárcel, de antesala en antesala, en un viacrucis interminable.

Nuevamente, Echeverría dio órdenes. De Los Pinos, Rosario pasó a la Procuraduría, a la Secretaría de Gobernación, a la Secretaría de la Presidencia.

Todavía el penúltimo día del sexenio de Echeverría —dice Rosario Ibarra— hablé con él nueve veces. Averigüé que iba a estar en el Campo Marte; allí se andaba retratando con los estudiantes más aplicados que traían sus medallas puestas; fue de grupo en grupo, platicó con los alumnos, y a cada grupo yo me le arrimaba: «Señor presidente, por favor, antes de irse, dígamelo, dígame por favor, quiero saber dónde está mi hijo, ya ni siquiera pido verlo, solo saber dónde está, cómo está». Solo me respondía: «Ahorita la atiendo, señora, ahorita la atiendo». No obtuve nada esa mañana. De allí me fui corriendo en un taxi a un acto en el Palacio de los Deportes, me colé y hablé con Ojeda Paullada, quien me reconoció, me saludó y me dijo: «Yo no tengo a su muchacho. Si quiere usted, vuelva a hablar con el señor presidente». Entonces volví a hablar con Echeverría y me dijo que iba a hablar con Ojeda Paullada, y se me fue. Unos compañeros lo agarraron del brazo y le dijeron: «Señor presidente, el caso de la señora Piedra, por favor», y respondió: «Hay que hablar con el procurador». «Pero si acabamos de hablar con él y dice que usted...». «Hay que hablar con él, señores», y se fue. En la noche acudí a Bellas Artes y como último intento le di a Echeverría una fotografía de mi hijo con todos los datos por detrás. Acababa yo de hablar con mi esposo por teléfono y me contó que se sentía un poco mal y que por lo menos le sacara yo a Echeverría la verdad, si nuestro hijo estaba vivo o muerto. Y así se lo pregunté: «Dígame, por favor, si está muerto», y me respondió: «Eso yo no lo sé. Vamos a investigar, hay que hablar con el procurador». Esperé a Ojeda Paullada, pero este me dijo no saber nada, y a su vez me remitió con un funcionario menor, y así me fueron remite y remite con funcionarios secundarios para que me acompañaran. Eso sí, siempre me trataron con cortesía, se comisionaban unos a otros licenciados para que me atendieran, les explicara mi caso, relatara lo mismo una y otra vez, una y otra vez, una y otra vez, y ellos escuchaban, fruncían el ceño, todos los funcionarios ponían la misma cara, y nada, nada, nunca una respuesta.

Después del departamento en el Paseo de la Reforma, alquilé uno en Tlatelolco porque me pareció más céntrico y de allí fui, ya conociendo el camino, a la Secretaría de la Presidencia, al Campo Militar 1 en un recorrido tan frecuente que hasta los colocadores de coches de Los Pinos todavía hoy me conocen, así como los porteros y asistentes de todas las antesalas gubernamentales, quienes me aconsejan: «usted espérese», «usted métase», «usted dígale, ahorita está adentro, no vaya a creer que no está, que no la engañen». «Ahorita sale su secretario particular, usted agárrelo del brazo a la pasada». «No se vaya, dentro de media hora puede pescarlo, yo se lo aseguro».

Yo sigo yendo y viniendo, hago lo imposible, lo haré hasta que muera. Un hijo de Echeverría me dijo *chanceándome*: «Señora, es usted más terca que una mula coja». Moriré terca, no puedo ser más que terca, aunque mi hijo esté muerto, tercamente seguiré, para que vuelvan los demás, aparezcan los otros jóvenes, que también son Jesús, mi hijo, mis hijos.

Yo me pregunto —al oír a Rosario— cómo un joven acosado, que no puede llegar a su casa sitiada por la policía, que lee en los periódicos que su padre de sesenta y dos años ha sido bárbaramente torturado, ¿CÓMO NO VA A VOLVERSE GUERRILLERO? Si a un profesionista distinguido, un maestro universitario —con veintisiete años de antigüedad—, un hombre respetado dentro de su comunidad se le puede, como al doctor Piedra Rosales, torturar impunemente, ¿qué será de todas aquellas personas que no tienen siquiera conocimiento de lo que son las leyes, que no pueden plantear sus problemas, que se expresan mal, que desconocen el español, que han sido eternamente pateadas y relegadas? El propio José López Portillo dijo que la impotencia genera violencia; ¿y la impotencia de todo mexicano no actúa a la larga como un detonador que desata la violencia? ¿No sucedió lo mismo con Lucio Cabañas, Genaro Vásquez Rojas y Florencio Medrano Medares, que agotaron todos los cauces legales? ¿No es así con los miles de campesinos que vienen al Distrito Federal, al Departamento Agrario, no les resuelven nada y regresan a invadir tierras, machete en mano? La Declaración Universal de Derechos Humanos, de la cual México es signatario, considera esencial que los derechos humanos sean protegidos por un régimen de derecho —y el nuestro lo es— a fin de que el hombre no se vea compelido al supremo recurso de la rebelión contra la tiranía y la opresión.

En nuestro país no solo se viola la Constitución, sino también los derechos humanos. En vez de ser una gran central de energía, somos una incubadora de inconformes y de frustrados. El joven Jesús Piedra Ibarra estaba conforme con su suerte y con su vida, estudiaba, amaba a su familia y a su patria. ¿Qué le ha dado en cambio su país? Una burocracia infame, una policía cruel, unos jueces corruptos y la absoluta imposibilidad de hacerse oír, de hacerse ver porque el gobierno de México ni siquiera le da la oportunidad de comparecer ante un tribunal que lo someta a juicio. La situación de Jesús Piedra Ibarra es la más intolerable: es un desaparecido. Por lo tanto no existe, y si vive, la policía puede hacerlo desaparecer mañana si se le da la gana, decir que murió en cualquier enfrentamiento, tirarlo en la primera zanja. El muchacho de veintitrés años está totalmente indefenso, si vive, como lo suponen sus padres y lo exigimos todos, está incomunicado y no solo eso, su situación es la de los presos en las tinajas de San Juan de Ulúa. Nadie sabe cuál es su condición física, si está enterado de que su madre lo busca, de que muchos mexicanos se indignan contra un procedimiento degradante de la persona humana. En México, solemos horrorizarnos por los crímenes de Pinochet, los de Videla, las desapariciones en Uruguay, en Guatemala, en El Salvador, pero nada hacemos a favor de los cuatrocientos ochenta y un desaparecidos en nuestro país, hombres que se encuentran en cárceles clandestinas y que no tienen, como la familia Piedra Ibarra, la posibilidad de hacerse oír, algunos por ignorancia, la mayoría por temor, por conformismo, porque son muchos los familiares de los presos campesinos que se limitan a rezar y los pocos que se atreven a presentarse ante las autoridades locales, son amedrentados.

Recuerdo que las primeras veces que Rosario vino a la casa en la Cerrada del Pedregal núm. 79 traía regalos, que una tortuguita para mis hijos Paula y Felipe, que flores para mí, que pan dulce para todos. Participaba en la vida familiar, platicaba con los niños. Un día a la hora de la comida se metió a la cocina y guisó machaca con huevo, otro, aplacó a Guillermo exasperado, se puso a contarle de esto y de lo otro mientras yo la escuchaba yendo del comedor a la cocina. Rosario quería darse a querer y lo hacía con las armas consabidas: las de la amabilidad, el «Buenos días, vecino, buenos días, vecina», acostumbrado en Monterrey, las pequeñas ofrendas que han de granjearse el «muchas gracias, no se hubiera molestado». Escuchaba conversaciones que estaban a mil años luz de su interés, de aquello que la había traído a la casa: su hijo Jesús.

En un momento oportuno trataría el tema, entre tanto, se amoldaría, paciente: «Sí, niño, sí, la tortuga en el jardín se te puede perder porque como es chiquita y su caparazón es cafecito se te puede confundir con la tierra, y entonces sí, no la vuelves a ver. Mejor déjala aquí en su cajita, tráele su pasto, lechuga». «Sí, niña, sí, yo tengo dos hijas que alguna vez fueron como tú pero ahora ya están grandes y me ayudan mucho». «Mire, Elena, no le haga caso a su marido, va a ver cómo se le pasa». Allí estaba Rosario consecuentándonos a todos y yo ansiaba que no se fuera, porque desde niña y como ilusa que soy, siempre creo que las soluciones van a venir desde afuera.

A lo largo de estos últimos cinco años, he visto transformarse a Rosario, convertir sus departamentos del Paseo de la Reforma y de Tlatelolco (floreados, de carpetitas tejidas y lámparas de buró) en su cueva en la colonia Condesa, todas las paredes tapizadas con los carteles de los hijos desaparecidos, letreros de «Se buscan», de «Libertad a los Presos Políticos», fotografías amplificadas, periódicos murales, letreros en inglés, en francés, recortes de periódicos alemanes y suecos. ¡Adiós, colchas de color pastel y figuritas de porcelana! En el cuchitril hay dos cuartos, en total cuatro camas, más el sofá de la sala para que allí pernocten las compañeras, madres o esposas o hermanas de otros desaparecidos que vienen de Guerrero, de Sinaloa, de Monterrey. La cafetera casi siempre está prendida, las tazas en el pequeño fregadero muy a la mano para tenderlas a los que van entrando. Rosario ofrece, anima, cuenta, no desmaya nunca. Entran madres y padres de desaparecidos, estudiantes, simpatizantes, periodistas de México y del extranjero, militantes de los partidos políticos de izquierda, trabajadores, muchachos que de pronto aparecen (porque sí aparecen), muchachas que la policía suelta después de la tortura y que Rosario acompaña a levantar un acta.

Rosario ya no viene a verme con regalos, jamás pregunta por el marido, por los niños, y no es que no piense en ellos, es que esa etapa ya pasó. Primero en México inició su búsqueda llevando la misma vida burguesa que acostumbraba en Monterrey. Era indispensable que la aceptaran. Cuando iba a ver a los distintos funcionarios lo hacía con el atuendo apropiado, bien peinada, la bolsa, el collarcito, los tacones, la organización externa que tranquiliza a los demás. Tomaba taxis. Esperaba en las esquinas. Esperaba en las antesalas. Sonreía. Sonreía siempre, no levantaba la voz, formulaba bien sus pensamientos, repetía su historia sin exaltarse para que los encumbrados la atendieran como a señora decente: «Pase usted, señora, entre usted a mi despacho». Enrebozada, trenzuda, nadie la hubiera atendido; he aquí uno de los frutos de nuestra benemérita revolución. «Señora, por favor, entre usted». «Muy pronto aprendí a no llorar ante ellos, Elena, casi desde la primera entrevista, para no darles ese gusto, para que no pudieran decir: "Esta pobre mujer no está en sus cabales"».

Desde nuestro primer encuentro pude percatarme de cuán herida estaba; en sus ojos afloraban las lágrimas pero ella las retenía en un ejercicio de quién sabe cuántos días, cuántas noches. Cualquier mínima esperanza por absurda que parezca (un muchacho que sale y cuenta que en el Campo Militar 1 supo de un Jesús con una cicatriz en la cara) es para ella la razón de un día más, la de no dejarse ir, de ejercer sobre sí ese trabajo continuo, diría yo de encauzamiento del dolor, de entrega a la busca de ese hijo probablemente herido de por vida. No es que Rosario ahora ande vestida de mezclilla, no, su aspecto exterior es el mismo, quizás más estilizado. No es que no acuda a las oficinas de gobierno, es la manera como lo hace.

Rosario ya nunca dice la palabra *maricón* porque los homosexuales, el Frente Homosexual de Acción Revolucionaria (FHAR) y el grupo Lambda, muy concretamente, la han apoyado y se han unido a sus marchas. Ningún resabio «pequeñoburgués» en sus diálogos con los demás, ningún afán de posesión, ningún deseo de sobresalir. Rosario está incendiada. Arde. Toda la noche. Arde como lámpara votiva. Nunca he visto un ser tan absolutamente trabajado por el sufrimiento como Rosario, pero trabajando en el sentido de que la ha pulido, la ha adelgazado hasta ser casi puro espíritu, pura fuerza de voluntad vuelta hacia el hijo. Probablemente siempre ha llevado en sí todo lo que ella es ahora, no obstante es en estos últimos años que Rosario deshijada, deshojada de Jesús, se ha hecho a sí misma con la dura materia del ausente: la soledad, la desesperación, el amanecer sin nadie, las antesalas que terminan a las doce de la noche cuando ya el señor secretario bajó por su elevador privado, los camiones que no pasan, y el «ahora cómo me voy», el pretender abordar hasta al presidente de la República entre guaruras y *walkie-talkies*, pisotones y el empujón definitivo: «Hágase a un lado, señora, muévase», en fin, todo el aplastante costal de angustias que carga una madre de hijo desaparecido, el fardo común a todas, a Vicky, a Concha, a Celia, a Eva, a Delia, a Elena, a Margarita, a María Eugenia, a Carmen, a Marta, a Teresa, tal y como lo confirma el joven actor del Sindicato de Actores Independientes, Fernando Gaxiola:

> Mi hermano Óscar César estuvo tres años preso en Culiacán, de los diecisiete a los veinte años, y aunque esto afectó a mi madre, Marta Murillo de Gaxiola, podía visitarlo en la cárcel cada semana, pero ahora que está desaparecido, mi madre se consume en vida; lo único que quiere saber es si está vivo, si está muerto, qué es lo que pasa, qué es lo que las autoridades han hecho con él.

Fernando escribió: «A mi hermano deshojado y cautivo que se debate en una cárcel clandestina de este país».

I
Desapareció de pronto
en una avenida de doble sentido o sin sentido
con sol o sin sol yo no estaba
así de pronto…
ay viento que no lo maten por si ves su muerte
llévate su nombre como sello en tus talones
y déjalo prendido en todas partes en cada casa monte piedra o cabeza
acongojada
en cada hermano que no encuentres a la mano
recoge su Gaxiola y repítelo por calles
callejones andariegos repletos de sudor y llanto
di que hay un Óscar César deshojado y cautivo
con su celador injertado en el costado
ya no reces ya no reces madre corazón en fango ya no.

II
Cuatro autos de oculta procedencia
mutilaron ese andar estudiantil
ese libro febril a flor de puño
las culatas se estrellaron en la cara
y los golpes cayeron como truenos
de sangre en la caja de tu cuerpo
carcajada en mano te esposaron tu derrota
tres años de presidio no bastaron para ellos
ahora te desaparecen no sé si para siempre
tu nariz será un río de Tehuacán con gas
por donde navegará hasta lo que no sabes
a fuerza de manguera envuelta en los nudillos
que se estrella en tu anatomía
dirás nombres y ocasiones que no aprendiste
en tu carrera frenada a electrodos de picana
tu enamorada testicular
que no lo maten viento
que no lo maten por si ves su muerte
grita ráfagas de su nombre polen
y que germine en los oídos
que todos sepan que en este país
descongelaron la muerte institucional
que la represión en carro antena
cabalga desfasando risas escolares.

III
Tres años de prisión no pagaron tu culpa
ahora te tienen amordazado en un cuartucho insalubre
ay Campo Militar 1 hogar o tumba de mi hermano
responde si está contigo si tiene vida
hasta cuándo serás habitante carcelario
hasta cuándo fraternal te abrazaré la sangre
espero que no seas un peregrino nauseabundo
con tus neuronas trituradas bajo el brazo.
                                    (28 de febrero de 1978)

9

MARTA LAMAS

Ícono del feminismo latinoamericano[10]

Si me propusieran definir a Marta Lamas diría que llegó antes.

—Paso por ti a las cuatro.

—Pero Marta, la función es a las cinco.

—Si, pero hay que llegar antes.

¿Qué significa llegar antes? Amanecer alerta es llegar antes. Pensar en los demás es ser puntual. Reina de sí misma, Marta encaja perfectamente en el apotegma: «La puntualidad es la cortesía de los reyes». Marta se acuesta cuando se mete el sol y amanece a las cinco cuando clarea el día y el mundo apenas abre los ojos. Dentro de la quietud de su casa en Tlacopac se sienta frente a su computadora, un gato en sus rodillas y otro en su hombro. Arriba duerme Diego, su único hijo, alto y estirado en una cama en la que apenas cabe. Diego es su compañero de vida, su testigo, su otro yo, su vida misma, el único que algún día le hará falta. Porque Diego hace falta. Diego Lamas es un hombre alto parecido a Marta en su innata elegancia, amante de los gatos y amante de las amigas de Marta con quienes come dos veces a la semana, los martes y los viernes. Diego despliega toda su creatividad en su pintura en la que naturalmente retrata a gatos que lo miran, gatos acróbatas, gatos que acechan. Todas las amigas de Marta nos hemos beneficiado con un retrato suyo, lleno de poesía y de sentido del humor. Diego ya ha expuesto su obra y también se ha volcado en el cine de terror, afición que comparte con su mejor amigo Pablo Guiza y Acevedo, con Boris Karloff y con los hermanos Adams.

---

[10] Este ensayo no ha sido publicado antes, se escribió para este libro.

Mi trabajo es atender a Diego, el hijo de Marta; tener su departamento limpio, sus cosas personales en orden y lo hago con todo gusto.

Marta es muy amable y educada. Nos ha acostumbrado a darnos siempre un lugar especial y como sus empleadas nos considera mucho.

Le agradezco de corazón todo lo que ha hecho por mí y por mis hijas.

Su apoyo y cariño me animan a seguir adelante.

Vicenta Sánchez Felipe

Una conferencia de Susan Sontag, en febrero de 1972, en la Escuela de Ciencias Políticas de la UNAM actuó como detonador de un joven feminismo mexicano y Marta Lamas, de veinticuatro años, nunca imaginó que a partir de ese momento su vida daría un giro de ciento ochenta grados. (Digo «joven feminismo» porque ya se habían manifestado Juana Gutiérrez de Mendoza, Elvia Carrillo Puerto en Yucatán, Concha Michel, Amalia Caballero de Castillo Ledón, Adelina Zendejas, Palma Guillén, Marcela Lagarde). Alta, esbelta, guapa y con el pelo alborotado, Marta Lamas se abrió paso entre otras mujeres cuando Marta Acevedo anunció: «Si quieren asistir a una reunión feminista pongan sus datos». Marta no dudó en escribir nombre, dirección y teléfono y acudió mucho tiempo antes de la hora (con su inveterada costumbre de la puntualidad) a la reunión privada con la autora de *Against interpretation*, la extraordinaria pensadora Susan Sontag.

Marta Acevedo, autora del mejor suplemento para niños de México: *UnDosTres por mí*, publicado los domingos en *La Jornada*, el cual ganó el premio de UNICEF en 2003, inició el llamado «pequeño grupo», una forma de afirmar que «lo personal es político», con María Elena Sánchez, Guadalupe Zamarrón y Rosa Marta Fernández, al que luego se sumarían Lucero González, Sara Sefchovich y otras.

En los setenta, Marta y yo coincidíamos en muchas cosas. Éramos jóvenes que en el pequeño grupo, descubríamos que lo personal es político después de haber militado en movimientos donde lo político era público y lo personal, privado.

A Marta desde un principio le interesó el tema del cuerpo propio y lo sigue trabajando desde hace cuarenta y cinco años. Fue la primera del grupo de feministas en hablar sin inhibiciones frente a auditorios mixtos en la UNAM, en la Casa del Lago, en Chapingo o en universidades de los estados mostrando los mecanismos de poder de lo privado. Esa desenvoltura para hablar y la enorme capacidad que ha tenido para explicar con sencillez, asuntos complejos, le han ganado a lo largo de estos años, múltiples espacios.

Expresarse con música fue otra novedad en los inicios del movimiento de las mujeres, era algo que compartíamos con singular alegría. Marta compuso varias canciones muy graciosas y atinadas, y las cantaba con los dos grupos que formó: Las Leonas, primero, que por arte de magia se convirtieron tiempo después en Las Moscas Muertas.

El tema del aborto convocó a mujeres de otros grupos feministas y trabajamos juntas sobre su despenalización: en 1976 entregamos un proyecto de ley a la Cámara de Diputados sobre lo que nos parecía justo nombrar como «maternidad voluntaria»; Jaime Sabines, entonces diputado por el PRI, lo recibió azorado; no tuvo resonancia el hecho, muy posiblemente las cuartillas fueron a parar al bote de la basura. Aún no estaba representado ningún partido de izquierda en la Cámara que se arriesgara a tomar el tema. Marta perseveró notablemente en los esfuerzos a favor de la despenalización del aborto, que planteó como derecho fundamental de las mujeres. En 1991, fundó GIRE, una de las primeras ONG que se dedica a la promoción y defensa de los derechos sexuales y reproductivos; posteriormente, la multiplicación de este tipo de organizaciones vino a modificar la forma de hacer política: la militancia se convirtió en un trabajo profesional. En la lucha por la despenalización del aborto, GIRE renovó el discurso, insistió en que principios democráticos como la libertad de conciencia, el laicismo y el derecho a la intimidad y privacidad, se juegan en la despenalización del aborto.

Marta ha contribuido definitivamente a enriquecer el debate en torno al aborto. A lo largo de una década desplegó estrategias que llevarían a una reforma a favor de la despenalización en el año

2000. Tres años después, con varias organizaciones ciudadanas presentó ante diputados de la Asamblea Legislativa, una propuesta muy bien estructurada que anulaba la condición de delito del aborto durante los primeros tres meses de embarazo. Veintisiete años después de iniciada la lucha en el '76, se logró en el DF lo que habíamos pretendido para todo el país.

Además de GIRE, la militancia de Marta ocupa otros espacios. En 1990 funda *Debate feminista*, una herramienta única de consulta para documentar lo que se refiere al cuerpo y lo social, una revista de más o menos cuatrocientas páginas, que durante veinticinco años salió semestralmente. No en balde el nombre: lo que Marta pretendía era que la revista sirviera para debatir, en el plano teórico, temas clave del movimiento feminista internacional. Es significativo que el último número de *Debate...* incluya un balance del aprovechamiento que el neoliberalismo ha hecho del feminismo. Después de cincuenta números, Marta deja de editar la revista y el Programa Universitario de Estudios de Género de la UNAM continuará la edición bajo la dirección de una mujer que desempeñó desde el principio un papel clave, Hortensia Moreno.

La divulgación de la perspectiva de género ha sido otra preocupación de Marta: sus artículos en *Proceso*, el espacio televisivo en *El mañanero,* con Brozo, los talleres en distintos ámbitos y su cátedra en el ITAM y en la UNAM dan cuenta de ese incansable afán. Sería difícil entender el feminismo en México sin la participación decisiva de Marta Lamas, quien ha sabido poner a favor de una causa su energía, su inteligencia, su sentido del humor.

Marta Acevedo

Según Ana Luisa Liguori —antropóloga que dirigió durante doce años la Fundación MacArthur de México y ahora trabaja en la Fundación Ford—, el pequeño grupo acostumbraba reunirse una vez a la semana a hablar de sus vivencias personales. Sus integrantes habían participado en movimientos como el de los maestros y el de los ferrocarrileros pero allí encontraron la solidez para explicarse el mundo y las herramientas para el cambio. La experiencia duró cinco años y luego siguieron reuniéndose con la psicoanalista argentina Marie

Langer, autora de *Maternidad y sexo*. Hoy siguen viéndose semanalmente como amigas para hablar cosas personales y políticas.

Ana Luisa Liguori recuerda:

Todas nosotras consideramos que Marta es nuestra mejor amiga. Yo me siento de su círculo íntimo. Inclusive compramos un departamento en un edificio de la calle de Tabasco en la colonia Roma porque la idea era envejecer juntas. En ese departamento funciona actualmente el Instituto de Liderazgo «Simone de Beauvoir» (ILSB), que es otra gran victoria de Lamas. Allí se dan cursos y conferencias, talleres, programas de formación y se hacen exposiciones. Patricia Mercado y ella lo fundaron.

Muy pronto, Marta llegó a la conclusión de que era indispensable apoyar un fondo económico para grupos de mujeres. Lucero González lanzó Semillas y Marta fue parte de la Junta Directiva, y convenció a su madre que dejara en su testamento una importante cantidad de dinero para Semillas. Con Patricia Mercado también fundó GIRE y Equidad de Género. Marta tiene un capital político enorme que ha puesto al servicio del feminismo, y también ha invertido su herencia personal. Es para mí la figura emblemática del feminismo en México. Recuerdo que había un solo colegio de Bioética, en la Universidad Anáhuac, ultraprovida, y Marta decidió que a México le hacía falta un colegio de bioética progresista. Obtuvo el apoyo de investigadores de altísimo nivel, como Ruy Pérez Tamayo, Rubén Lisker, Rodolfo Vázquez y Arnoldo Kraus, e impulsó su creación.

En un artículo, Marta Lamas relató su primer encuentro con Marie Langer, en 1974, que le hizo exclamar: «Ya sé a quién me quiero parecer cuando envejezca». ¿Qué le había fascinado? Su «sentido del humor, su radicalismo, su manera tan libre de hablar». Quienes conocemos desde hace décadas a Marta sabemos que esa descripción le venía bien a ella ya en aquellos tiempos. Con los años, la militancia en centros de apoyo a mujeres, en la reflexión y la lucha institucional, el uso creativo del psicoanálisis y la antropología para esas causas, fue volviéndola no menos radical sino capaz de una comprensión sutil de la potencialidad de esas tareas, los intersticios en los cuales hacerlas avanzar y los riesgos.

Uno de sus emprendimientos más admirables —la dirección de *Debate feminista*— muestra que esa visión y esa política complejas se logran abriendo la mirada a la diversidad de enfoques con que se trata en nuestro continente y en los otros el abuso y las violencias contra las mujeres. También prestando atención a la vez a los testimonios y las estadísticas, el arte y la literatura, incorporando a los hombres al pensamiento y la acción. Por eso, consiguió hacer de esa revista la más profunda y consistente sobre feminismo en español y a la vez un lugar estimulante, indispensable, para repensar casi cualquier asunto de las culturas contemporáneas.

Crítica agudísima de la Iglesia, Marta cuestionó también intentos de hacer del feminismo una secta: el *mujerismo*. Pensadora laica de doctrinas revolucionarias, utopista con tácticas reformistas eficaces, sigue siendo capaz de lograr resultados políticos y legales, movilizar contra las poderosas tendencias conservadoras de gran parte de la sociedad y los políticos mexicanos. Pocos saben como ella estar en las calles, ser coherentes cuando se cabildea con diputados y hablar en un programa televisivo de gran audiencia conducido por un machista. Muchos hombres hemos aprendido con Marta a ser solidarios con el feminismo y a concebir la política sin estereotipos, sin inercias complacientes.

Néstor García Canclini

Escribir acerca de amigas o amigos vivos implica escribir sobre uno mismo. Tarea fácil cuando la mirada regresa y recuerda episodios fundamentales. Faena bella cuando el regreso aviva el presente; los legados de los amigos son parte del esqueleto personal.

En mi esqueleto figura Marta: su voz sembró en mí, décadas atrás, inquietudes y preguntas cuya síntesis encuentran representación en la palabra hambre. Hambre como vacío y como pregunta. La insatisfacción de Lamas —el vacío en busca de materia, las preguntas en pos de respuestas afirmativas o negativas—, provienen de su compromiso con algunas de las incontables víctimas de impunidad, corrupción y abandono. Aunque sus esfuerzos fundamentales los ha encaminado a buscar justicia en el tema del aborto, su mirada y su corazón abarcan al otro, a los otros, a personas desvalidas y maltratadas.

Marta contagia: su vacío y sus preguntas tocan, avivan, mueven. Justicia, verdad, solidaridad y equidad son algunos de sus valores; los esparce, los reclama. Sus llamadas y disecciones obligan. Provocar y sembrar dudas en una nación tan desigual como la nuestra es ético. Lamas suma las cualidades anteriores. Uno de sus genes codificó rebeldía; otro le otorgó el don de ser contestataria. Leer sus publicaciones da cuenta de su apego por justicia y verdad. El recuento previo ha hecho de ella figura necesaria en México.

No trazo el camino de Marta. La evoco desde el presente a partir del recuerdo y de su figura imprescindible. Resumir su vida es sencillo. Bregar por la ética laica y diseminarla donde sea necesario ha sido su apuesta. Durante su largo periplo, muchos, yo entre ellos, le debemos a la Lamas nuestro compromiso con la verdad. Eso es mucho. Eso lo sabe el esqueleto con el cual se camina.

Arnoldo Kraus

Catedrática en la UNAM y en el ITAM (da clases desde hace dieciséis años), Marta Lamas se identifica con sus estudiantes como lo hará más tarde con los televidentes los jueves en el programa *El mañanero*, de Brozo, y en la revista política *Proceso*. Marta se mueve en distintos ámbitos con disciplina y con gracia.

Desde el día de la conferencia de Susan Sontag, Lamas participa en el feminismo mexicano que habría de culminar en la legalización del aborto en la Ciudad de México, una lucha en la que —aunque participarían miles de personas— ella destacó tanto. En febrero de 2012, el gobierno capitalino de Marcelo Ebrard inauguró la Clínica Especializada para la Salud de la Mujer «Marta Lamas», en la colonia Anáhuac de la Delegación Miguel Hidalgo, donde se practican abortos legales.

Marta Lamas tiene la cualidad de fijarse objetivos claros y trazar rutas para cumplirlos. Eso que se escribe fácil no lo es. Todos conocemos a infinidad de personas cuyas metas loables nunca se harán realidad. Marta es una muestra de lo contrario. Por ejemplo, trabajó durante años por despenalizar el aborto y, sin duda, fue uno de los motores fundamentales para que hoy en la Ciudad de México no solo sea legal durante las primeras doce semanas del embarazo, sino para que pueda ejercerse en las mejores condiciones de salud posible. ¿Cómo lo logró? Con una argumentación que conjugó la dimensión ética (el derecho a decidir), el problema de salud pública (las miles de mujeres que abortaban en condiciones de salud ínfimas) y las obligaciones de un Estado laico (por las fuertes resistencias de la Iglesia). Incluyó en su causa a médicos, abogados y activistas, entró en contacto con legisladores, convenció a las direcciones de algunos partidos, al jefe de gobierno del DF, de tal suerte que tejió una coalición amplia —no sectaria— en torno a una causa relevante.

Marta tiene carácter, formación, inteligencia. Es una polemista afilada, sabe barajar sus argumentos y desmontar los de sus adversarios. Es incansable y ocurrente (tiene entera disposición para romper con los gastados cartabones del quehacer político). Pero además, tiene muy bien afinadas su capacidad pedagógica (explica, explica, explica), sus artes persuasivas, sus fórmulas de seducción. Es una *activista* hiperinformada y una clara descendiente de la ilustración. La revista *Debate feminista*, que durante años dirigió, es quizá la enciclopedia de ese movimiento que trastocó para bien las relaciones entre hombres y mujeres —haciéndolas igualitarias—, que ayudó a escindir la sexualidad de la reproducción, que multiplicó los márgenes de autonomía de las mujeres, y súmenle ustedes.

José Woldenberg

Marta Lamas nace en la Ciudad de México el 11 de septiembre de 1947, dos años después de que sus padres de origen argentino se instalaran en esta ciudad:

Raúl Prebisch, el conocido economista recomendó a mi papá a don Luis Montes de Oca, ministro de Hacienda en ese sexenio, para echar a andar el Banco Inmobiliario, que haría préstamos de viviendas para trabajadores. Mi papá tenía veinticinco años, mi mamá veintitrés y venían solo por unos cuantos años.

En 1950 nace su hermano Horacio que habrá de morir el 26 de mayo de 2004 a los cincuenta y cuatro años.

Su formación es la de una típica «niña bien»: colegios privados, clases de equitación y piano, hasta que finalmente canjea el piano por la guitarra, a la que puede cargar a donde sea. Estudia Antropología en la ENAH cuando su padre, Adolfo Lamas Calviño —*self made man* y banquero— hubiera deseado que se formara en alguna universidad privada. A la niña Marta, los frecuentes viajes a Argentina le muestran dos realidades: en Buenos Aires, le permiten ser una más del montón, salir sola al parque, jugar con sus amigos; en México, sobresale entre sus compañeros por lo alta y rubia, su seguridad en sí misma, su ironía, su risa y su buena voz para cantar. En México, la atienden una nana y un chofer; le impiden andar sola en la calle y su mamá tiene mucho miedo de que le pase algo.

A la niña le resulta difícil conciliar el desasimiento y la pobreza de la Ciudad de México con sus indígenas descalzos tan distintos a los *pibes* de la europeizada Buenos Aires, que en los años cincuenta resplandece como la ciudad más importante, la más civilizada de Sudamérica. «Buenos Aires es idéntica a París», exclaman los visitantes.

¿Cómo acomoda una niña ese contraste? ¿Por qué hay tanta diferencia entre unos y otros? ¿Por qué la sirvienta de uniforme y delantal aguarda de pie y el ama de casa se mantiene a distancia? ¿Por qué la nana no usa los mismos vestidos que su mamá? ¿Por qué la tratan de forma por demás distinta a la hija del empleado de su papá? ¿Por qué el jardinero baja la mirada cuando ella le dirige la palabra?

Toda su infancia le inquietarán las preguntas en torno a la desigualdad social.

Inicia la primaria en el Colegio Francés de San Cosme pero un día regresa a casa hablando mal de los judíos y su padre, que tiene amigos judíos, decide sacarla: «Esta niña va para afuera del colegio de monjas». Entra al Mexico City School, pero cuando sale de primaria, sus padres, temerosos de la escuela mixta, la inscriben en el Margarita de Escocia, un colegio del Opus Dei, en Polanco, cercano a su casa de Tres Picos. Ahí cursa el primer año de secundaria y mitad del segundo. Marta es una alumna rebelde, se trepa a los árboles, juega bromas pesadas a sus compañeras y sus peores calificaciones son en conducta. La expulsan porque contesta con excesiva franqueza —uno de sus rasgos de carácter más evidentes— un cuestionario sobre los aciertos y los defectos de la escuela.

A partir del segundo de secundaria estudia en la Escuela de la Ciudad de México junto a compañeros judíos e hijos de refugiados españoles. Es allí, en el último año, cuando Francisco Carmona Nenclares, su profesor de Doctrinas Filosóficas, les enseña marxismo. Marta siente que le descorren una cortina y entiende la explotación y la lucha de clases. En el curso de Carmona Nenclares, encuentra la respuesta a las interrogantes que la atormentan, regresa a su casa feliz, la voz de su maestro es una verdadera epifanía para entender la lucha entre ricos y pobres.

Entretanto, lee a todas horas, en inglés y en francés, poesía y novela, pero también repasa tratados de política y de sociología; lee desde niña, bajo la mirada de una madre severa, Marta Encabo:

> Mi mamá siempre me decía: «Tú eres inteligente»; nunca me dijo eres bonita, lo intelectual era lo que le importaba, que sacara buenas calificaciones, que hablara bien, que escribiera bien y también que me arreglara bien porque ella, como buena porteña, era muy arreglada.

Marta Lamas es larga y ondulada, tiene una fina cara de caballo, y una cabellera de muchacha.

Conviven en ella las adicciones paralelas de los chocolates y el feminismo.

Es una comedora impune de chocolates, que no hacen ningún estrago en sus formas juncales.

Y es una feminista radical, en el sentido raigal de la palabra, sin que esa raíz de savia equitativa, dura y justa, haya amargado su cabeza ni endurecido su corazón.

Su entusiasmo es del tamaño de su fe: inextinguible. Y su disposición al activismo político, intelectual o callejero, propio de su causa, se parece mucho en ella a la sencilla alegría de estar viva y tocarse con el mundo.

Hay una inteligencia alerta y desafiante bajo sus maneras suaves y amorosas; y hay el saber oscuro de la pérdida y del amor fatal, bajo la alegría y el entusiasmo que acompañan su persona.

Sabe todo lo que hay que saber de la bibliografía feminista y de la mirada indomada de los gatos.

Si no fuera mi amiga de toda la vida, habría hecho a Martha Lamas personaje de alguna de mis novelas. Quizá todavía.

Héctor Aguilar Camín

Marta lee sentada al lado de su hermano Horacio; lee revistas que llegan de Argentina como el *Billiken*, lee sin parar a veces toda la noche con una lámpara bajo las sábanas; descubre a Jorge Luis Borges y al guapísimo Adolfo Bioy Casares, que tanto habrá de gustarle a la mexicana Carmen Boullosa, lee a Balzac, *El proceso,* de Kafka, y finalmente, a los diecisiete años viaja a Israel, a un kibutz, aunque solo tiene cien dólares y una guitarra. Tras varias aventuras para poder pagar su viaje y comer, empuña su guitarra y en la primera esquina canta «Cielito lindo» y «Juan Charrasqueado». La miran con sorpresa pero su voz convence y logra sobrevivir cantando. Permanece en el kibutz casi medio año, hasta finales de 1965. Desde entonces, ante cualquier problema, Marta levanta su voz y canta. Abre la ventana y canta, sale a la calle y canta, conduce su automóvil y en los altos los pasajeros de otros vehículos vuelven la cabeza y le sonríen porque canta a voz en cuello.

Ordeñar vacas, lavar platos, trapear, cocinar, planchar, hacer camas y barrer los dormitorios, todas las tareas del kibutz las descubre Marta Lamas en Israel. Trabajar con las manos no hace sino reforzar una de las virtudes que mejor la identifican: la disciplina. De regreso en México, en 1966, con su guitarra bajo el brazo, entra a la Escuela Nacional de Antropología e Historia y al año, en 1967, hace su primer trabajo de campo.

Durante cuarenta años he visto a Marta Lamas pasar de feminista militante y vociferante a espléndida teórica del género, de gestora de asuntos a generadora de proyectos colectivos y creadora de instituciones y publicaciones, de intelectual y académica a presencia política formidable en el panorama nacional. Es la única feminista en México que conjuga con seriedad esos muchos planos, que por lo general se dan separados, y eso es muy importante porque la lucha por las mujeres requiere de todas esas capacidades y modos de acción.

En algunas de esas etapas caminamos juntas, en otras no. No por desacuerdos ni diferencias en cuanto al objetivo, sino más bien en cuanto al modo de interpretar ciertas situaciones, de seguir a ciertos intelectuales y, sobre todo, al tipo de población a quienes apuntar para conseguirlo. Paradójicamente, dichas diferencias y desacuerdos han surgido por seguir el consejo de la propia Marta Lamas en uno de sus libros, según el cual lo que nos hace falta es hacer nuevas preguntas y ver las cosas desde otros ángulos.

Pero nada de esto me ha impedido nunca ni me impide ahora, tenerle enorme cariño y admiración y agradecerle lo que hace por las mujeres y por el país nuestro tan sufrido.

Sara Sefchovich

Lucero González, su amiga de más de cuarenta y ocho años, la conoce a finales de 1967 porque Jacques Gabayet, maestro de Ciencias Políticas en la UAM, marido de Lucero y padre de sus dos hijos, la invita a reuniones en su casa, en la colonia Florida. Los jóvenes Mario Solórzano Foppa —el hijo de Alaíde—, Juan David Alvarado, Felipe Leal, Chema Calderón, Eligio Calderón eran amigos de Jacques. Lucero, quien vino de Oaxaca a estudiar a la Ciudad de México a los quince años, descubre en Marta Lamas a una mujer cálida y fascinante.

Ha sido una amistad entrañable a prueba de todo. Uno de los afectos más profundos fuera de mi familia, Marta Lamas ha estado conmigo en las buenas y en las malas. Cuando estoy triste, la primera en llegar a rescatarme es ella; lo mismo sucede en los momentos difíciles: el parto, la enfermedad, la muerte de un ser querido. No sé qué lugar tengo yo en el corazón de Marta pero sé que es muy calientito.

Diego Lamas Encabo, el hijo de Marta Lamas, que ya tiene cuarenta y seis años, habría de hacerse gran amigo «como primos hermanos» de Jerónimo y Natalia, hijos de Lucero y Jacques Gabayet; compartían una casa en Tepoztlán y años más tarde Lucero habría de fundar Semillas, que apoya proyectos de mujeres marginadas y marginales en sus derechos humanos, económicos, sociales, políticos y culturales. Semillas busca la cooperación nacional e internacional y construye una base de donantes, un fondo feminista que ayuda a mujeres alfareras, tejedoras, artesanas en veintitrés entidades de la República Mexicana.

Menciona Lucero:

Hemos hecho de todo, periódicos, revistas, libros, programas de radio, teatro, televisión y lo que ahora se llama *performance*. Tradujimos canciones de feministas italianas, Marta sacó su guitarra y cantamos en el Monumento a la Madre, afuera de la Casa del Lago, afuera del Auditorio Nacional, y esa lucha nos unió.

Marta Lamas es un cometa. Por más que su andar apacible y su voz suave disimulen el viento que la arrastra, lo cierto es que tiene un torbellino dentro del alma que esconde en un cuerpo de apariencia frágil y voluntad sin sombra.

Atadas al hilo de su cauda, Marta tiene siempre una colección de causas inauditas, inquebrantables, radicales. Y no deja pasar un instante sin atraer a ellas lo mejor de cada persona que la rodea. Movida por el afán, sin alardes, que ha puesto en la urgencia de reivindicar los derechos de las mujeres, Marta no solo ha sido una pionera sino una incansable y tenaz feminista. Pasa el tiempo y no olvida, no abandona, no da por ganadas las batallas. Una y otra vez vuelve sobre el derecho a elegir, sobre la urgencia de que muchas otras tengan las oportunidades que solo tenemos algunas, sobre el deber de recordar que no todo está ganado. A lo largo de la vida ha encontrado muchos modos de hacer volar proyectos que parecían imposibles, deseos que se consideraban prohibidos, ideas que no por silenciadas eran inextinguibles.

Con Marta, la pelea contra cada injusticia es siempre urgente. Y no se detiene para pedir, de la misma manera en que no se detiene para dar. Es de una generosidad cabal de la que no hace alarde y con la que ha sabido acompañar cuanta necesidad ajena ha vuelto propia. Es apasionada y valiente como el aire. Verla vivir es un consuelo y un reto. Todo es posible, menos darse por vencida.

Cosas que se dan por sabidas y que cuenta en su haber sin hacer cuentas: Creadora y sustento de *Debate feminista*, el libro semestral que durante veintidós años ha puesto sobre nuestra conciencia una reflexión extraordinaria cada vez. Su tenacidad sin sosiego ha hecho posible el Instituto de Liderazgo «Simone de Beauvoir», la Sociedad Mexicana Pro Derechos de la Mujer y el cumplido proyecto Semillas, que procura fondos de donantes individuales, de fundaciones y empresas con el fin de financiar a grupos de mujeres organizadas en proyectos que promuevan el conocimiento, apropiación y ejercicio de sus derechos.

Ángeles Mastretta

Mucho antes de integrarse al movimiento feminista, la inquietud por las causas sociales ya era una de las grandes preocupaciones de Lamas, como la llaman muchas seguidoras. Durante el 68, en la Escuela de Antropología, Marta asistía a todas las asambleas al lado de Javier Mena, un líder muy guapo, tres o cuatro años mayor que ella y como Marta era de las que tenían coche salía con él a hacer pintas. Javier es el padre de su hijo Diego. El 2 de octubre en la Plaza de las Tres Culturas, un soldado no la dejó pasar, le dio un culatazo en la rodilla que le rompió el menisco y la salvó porque si no la detiene, la hubieran encarcelado con los demás compañeros.

Marta conoce muy bien el México marginal porque ella misma se viste de prostituta y aguarda en una esquina mientras acompaña a las trabajadoras sexuales y realiza una investigación que luego será su tesis de maestría *La marca del género. Violencia simbólica y comercio sexual.*

Me dejó con la boca abierta —dice Jesusa Rodríguez, la actriz y la activista más importante de nuestro país— que Marta tuviera el valor de vestirse de sexoservidora e ir a pararse en una esquina, muy pintada, muy enseñadora y corriera el riesgo de que la levantaran solo porque quería averiguar cómo funciona el mundo del sexoservicio en las calles de la Ciudad de México. Cuando la conocí me deslumbró: «Órale, ¿es capaz de jugársela hasta ese grado?». ¿Cómo era posible que una hija de ricos que yo creía frívola, tonta e indiferente fuera curiosa e interesada hasta ese grado por la situación de los demás y el dolor de mucha gente? Descubrí que no era una hija de ricos que está haciendo antropología sino una mujer con muchas agallas dispuesta a todo. La adoro, para mí es una amiga insustituible.

Mi memoria es más que flaca pero desde luego recuerdo el papel pionero de Marta Lamas en la *nacionalización* del feminismo moderno en México. Lecturas de avanzada y provocaciones, mil de las buenas, así como la elaboración de un discurso que iba más allá de lo inmediato que eran la represión y el acoso del gobierno a lo que quedó del movimiento estudiantil después de Tlatelolco, le dieron a aquel feminismo un lugar especial que el feminismo actual debe reconstruir como memoria viva.

Para Marta y otras destacadas participantes de entonces, como María Antonieta Rascón o Marta Acevedo, el camino que abrieron fue duro y hostil, poco amable, pero se volvió ruta transitable y de obligado recorrido para la izquierda que pugnaba por volverse fuerza política nacional. Esa ambición quedaba trunca sin el feminismo pionero que como pocas protagonizó y protagoniza la inagotable Marta Lamas.

Rolando Cordera

Patricia Mercado, hoy secretaria de Gobierno de la ciudad que encabeza Miguel Ángel Mancera y, en 2006, candidata a la presidencia de la República por el partido Alternativa Social Demócrata y Campesina del cual fue presidenta, cuenta que conoció a Marta Lamas desde que ella estaba en el PRT, el Partido Revolucionario de los Trabajadores:

Tenía dieciocho años y acababa de llegar de Sonora a la Ciudad de México atraída por la cuestión feminista y formamos un grupo de mujeres universitarias en el que las líderes más destacadas eran Marta Lamas, Marta Acevedo, Susana Vidales y Lucero González. De inmediato me di cuenta de que Lamas era la que más sobresalía, la que más destacaba, la más admirada. También sobresalía en un grupo llamado Las Leonas, que cantaba canciones feministas. Después fueron Las Moscas Muertas. Luego, a raíz del sismo de 1985 un grupo de feministas decidimos apoyar a las costureras que esperaban a que les entregaran el cadáver de alguno de sus familiares fuera de las fábricas derrumbadas de San Antonio Abad y formamos la coordinadora feminista MAS (Mujeres en Acción Sindical). Ahí nos enganchamos Marta y yo, y comprobé su gran capacidad innovadora, su bagaje intelectual que sigue siendo tan fuerte. Para mí era como una luz que yo tenía que seguir y empezamos a trabajar juntas. Marta y yo nos queremos mucho y es una amistad muy relacionada al trabajo, a las causas, a la idea de poner en acción algo, yo con ella, ella conmigo. Marta me ayudó a formarme: «Lee esto, habla con esta gente, escucha lo que están diciendo allá». Sin Marta yo no estaría en donde estoy. No siempre pensamos igual. Ella nunca pide lo que no puedes dar, es una regla en la amistad, ni ella ni yo. Siempre me ha acompañado aunque no ha estado totalmente de acuerdo conmigo, por ejemplo, en mi candidatura a la presidencia. Vivimos muy juntas el primer intento de despenalizar el aborto en Chiapas, en 1990. Y en 1991 gané la beca McArthur y esa beca sirvió para arrancar GIRE (con María Consuelo Mejía y Marta). Luego Marta Lamas convenció a Frances Kissling de darle la dirección de Católicas por el Derecho a Decidir a María Consuelo, que es muy creativa.

Trabajar para Marta es un privilegio, como su asistente personal estar cerca me permite constatar su compromiso en todo lo que participa, es incansable y admirable.

Marta es un importante referente del feminismo, de temas de salud reproductiva, de equidad de género; su compromiso social siempre a favor de las mujeres.

Son tantas sus actividades, todas importantes como ser maestra e investigadora del Programa Universitario de Estudios de Género de la UNAM, solo por mencionar su interés en preparar a futuras generaciones.

Su dedicación y entusiasmo son mi ejemplo no solo en el trabajo.

Ha sido mi apoyo incondicional en momentos difíciles y en los de felicidad siempre conmigo también.

Admiro su inteligencia, generosidad, es alegre, sincera, honesta, leal, una gran amiga.

Una persona excepcional en mi vida, mi cariño y gratitud por siempre.

Patricia Ramos (secretaria de Marta Lamas)

María Consuelo Mejía, militante política colombiana que perteneció al M-19 al lado de la escritora Laura Restrepo, hoy por hoy directora de Católicas por el Derecho a Decidir —autora de *Catolicadas*, que aparece en Televisa los jueves en el programa *El mañanero*—, trabajó en un centro de salud para la atención del embarazo no deseado en Colombia y pudo darse cuenta de la miseria sexual de las mujeres, víctimas de relaciones asociadas a la violencia. Vino a México a hacer su maestría en Estudios Latinoamericanos en la UNAM y a convertirse en asistente de Pablo González Casanova durante dos años para documentar movimientos sociales en México:

Estuve quince años en el Centro de Investigaciones Interdisciplinarias en Ciencias y Humanidades trabajando en temas relacionados con la mujer y la democracia, la mujer y la participación política. Fue una buena experiencia porque me vinculé con los movimientos indígenas a raíz del proyecto de González Casanova de documentar los nuevos movimientos sociales en México. Él decía: «Más allá del movimiento obrero, está el movimiento por la diversidad sexual, el movimiento feminista, el movimiento indígena».

Me marcó la experiencia en el Centro de Salud Reproductiva y regresé a México a buscar a Marta Lamas porque quería fundar un centro semejante en México. Sara Sefchovich intentó conectarme con ella por un año hasta que finalmente nos encontramos en la Gandhi en abril de 1991. Ella quedó fascinada con la idea y empezamos a trabajar juntas desde ese momento. Marta ha sido mi mentora, mi gurú —así le digo aunque no le gusta— mi amiga entrañable. Ella me formó en el feminismo, en el activismo político feminista y hemos podido trabajar con mucha armonía; aprendí mucho de ella (y sigo aprendiendo) a pesar de algunos desencuentros. Nos queremos mucho, nos unen muchas cosas del trabajo, de las causas que compartimos, pero nos une sobre todo el amor por los gatos y a nuestros hijos. Marta siempre está presente en los momentos difíciles, yo sé que cuento con su apoyo incondicional, y sus consejos —que he seguido casi siempre— han sido cruciales para mi vida, para que yo pueda estar donde estoy hoy. Su solidaridad y su generosidad no tienen límites. Me siento muy privilegiada de ser su amiga.

Marta Lamas fue parte de la dirección colectiva de la primera revista feminista de la segunda ola en México *fem.* (1976), que dirigían Alaíde Foppa y Margarita García Flores y en cuya redacción nos encontramos a Carmen Lugo, Isabel Fraire, Marta Acevedo, Elena Urrutia. Hacer una revista feminista en México era punto menos que imposible. ¿Quién iba a comprarla? ¿Quién iba a distribuirla? ¿Qué librerías la aceptarían en su catálogo?

Creo que ciertamente *Debate…* es el producto de un grupo, de una actitud, de las distintas formas de pensamiento que cristalizan o descristalizan en relación a la perspectiva o las perspectivas feministas; pero que también *Debate…* es el producto muy directo de la obsesión, la monomanía, la terquedad, la ambición metonímica y metafórica de Marta Lamas; que no es posible regatearle méritos; a veces uno llega, si la trata de una manera frecuente, a proyectos de asesinato, tengo que ser sincero, pero una vez que transcurre esa intención «benévola», tiene uno que rendirse a la evidencia.

Marta Lamas ha hecho muchísimo, ha sido constante, ha planteado perspectivas, ha reunido gente muy dispar, ha integrado sobre la marcha distintos equipos de trabajo, ha centuplicado su energía, ha tomado las causas que nadie pensaba adoptables, también algunas que se pensaban adoptables, y ha sido en todo momento un ejemplo, un ejemplo *a contrario sensu*, y un ejemplo en el sentido más panorámico del término.

Creo que *Debate…* es un esfuerzo colectivo, pero que *Debate…* también es el producto de ese colectivo que se llama, unívocamente, Marta Lamas, y la verdad le rindo un homenaje, que espero ustedes no divulguen porque no lo volveré a sostener en público.

Carlos Monsiváis (XV Aniversario de *Debate feminista*)

223

Su labor editorial es incansable: en 1987 impulsa la creación de *Doble Jornada*, el primer suplemento feminista en el diario de izquierda *La Jornada*, con Sara Lovera, y en 1990 funda *Debate feminista*, la gran revista académica hoy considerada una de las publicaciones pioneras en Latinoamérica. Marta Lamas tuvo la claridad de decir: «Necesitamos un instrumento que hable de feminismo no solo a las mujeres sino a los académicos y a los políticos», y así fundó la revista *Debate feminista*, que duró veinticinco años (cincuenta números) en la primera etapa que ella dirigió. Ahora la revista pasó a la UNAM y en su segunda etapa la dirigirá Hortensia Moreno.

Conocí a Marta en Madrid —dice Marta Ferreyra (actual secretaria de Equidad del PUEG de la UNAM)— y me hizo confiar en mí. Si ella cree en alguien, le devuelve una mirada de mucha confianza. Me impresiona cómo organiza y cómo impulsa a la gente. Crea liderazgo no solo político sino personal. Su libro *El largo camino hacia la ILE. Mi versión de los hechos*, publicado por la UNAM, es un manual de lucha política. En él aprendo cómo tienes que pactar con gente que no quieres, bajar tus expectativas, ponerte de acuerdo con quienes no coincides.

Marta Lamas va de una clase a una conferencia, de una charla a un simposio, de un foro universitario a una protesta en el Zócalo. Camina al lado de los gays y las lesbianas, los comunistas y los marginados. A veces, en las marchas, en los anfiteatros, cuando toma la palabra para defender a las mujeres, la insultan, la esperan para echarle jitomatazos o tirarle botellas de plástico vacías, pero en cuanto empieza a hablar todo mundo guarda silencio: «Lo que todos queremos es que no haya más abortos», y su voz suena fuerte en un auditorio hostil.

Recuerdo a Marta entrando a la Asamblea del DF en abril de 2007. De un lado, los fanáticos del «derecho a la vida» le gritaban insultos y le arrojaban botellas de agua purificada (no sé si bendita). Del otro, los que estamos porque las mujeres pudieran interrumpir sus embarazos antes de las doce semanas, la vitoreamos como la figura que representa, desde mediados de los años setenta, Marta Lamas: la defensora de los derechos civiles en México. No existe otra igual por su capacidad de argumentarle a la cara a los católicos más intransigentes, explicar la defensa de las mujeres (elegir lo que quieran hacer con su cuerpo, sobre su sexualidad, y en contra de la violencia) no solo como un asunto de salud pública sino como esencial para la democracia republicana. Flaquita, despeinada, con sus lentezotes, Marta representa en la cultura mexicana no solo a las feministas y su largo camino de medio siglo hacia la igualdad, sino la persistencia, la consistencia de seguir adelante, levantándose de las derrotas y sabiendo que cada victoria implica cuidarla y profundizarla en la conciencia de lo que nos queda como nación. Esa mañana de abril del 2007 fue aplaudida de pie por legisladores y el público. Yo fui uno más que la reconoció como la figura visible de una lucha de millones.

Fabrizio Mejía Madrid

Aline Davidoff, expresidenta del Pen Club y autora de la novela *El sueño correcto*, afirma que para ella fue muy emocionante conocer a una mujer como Marta Lamas:

Marta es una enorme lectora. Descubrir libros con ella es un placer, descubrirle libros a ella un gran reto. «Mira, Marta, este autor que no conoces». Sabe muy bien qué le gusta y qué no le interesa. El mundo es infinito y es un alivio saber que hay pequeñas partes que no le interesan. Por ejemplo, no quiere ir ni al mar ni al campo, igual que Monsiváis. Compartimos un espacio ahí en la UNAM, el Seminario de la Modernidad, y la he visto mucho. Me asombra porque habla con humor, con ligereza, con todas las cualidades de un gran libro. Marta es una infusión de energía en cualquier proyecto que le entusiasma, quizá por eso es una líder, alguien capaz de echar a andar a toda la caballería.

Marta Lamas ha desarrollado un sentido de la oportunidad envidiable para cualquier político y, como digo, ha sabido desenvolverse con un activismo feminista sin concesiones y con una argumentación eficaz. Pero también es cierto que hace tiempo Marta Lamas viene construyendo, apoyándose en la antropología, el psicoanálisis y la ética, una concepción feminista robusta y propositiva. Me atrevería a decir que no es la teoría la que ha orientado su activismo, sino su activismo el que ha ido construyendo una teoría modo.

Rodolfo Vázquez

Maricarmen de Lara, cineasta feminista, directora de películas como *Decisiones difíciles, La herida de Paulina, No les pedimos un viaje a la luna* y *Las que viven en Ciudad Bolero* y la maravillosa *¿Más vale maña que fuerza?* sobre futbolistas y boxeadoras, recuerda:

> Cuando Ana Luisa Liguori me invitó a las comidas de Marta, en 1990, emprendimos actividades ligadas a la mujer a lo largo de veintitantos años. Hicimos una mezcla de documental y ficción y documentales sobre el aborto. También grabé varios de sus conciertos de Las Moscas Muertas, que es ese otro perfil de Marta, una Marta que se desata y no le teme al ridículo. Sus shows de Las Moscas Muertas han sido un éxito como también sus comidas que a mí me parecían más atractivas cuando iban Beatriz Paredes, Jesusa Rodríguez y Liliana Felipe.

Soy su cocinera y me gusta hacer platillos que se le antojen y ofrecerle, siempre que llega cansada, un tentempié como una sopa de sémola o unos frijoles de olla o algo que le guste mucho como las costillitas a la *barbecue*.

También cocinar para ella y sus amigas en las comidas de los martes y viernes lo hago con entusiasmo pensando en que coman rico.

Agradezco a Marta por todo su apoyo y el cariño que me demuestra me hace ser una mejor persona y siempre hacer mi trabajo con entusiasmo.

Ofelia Sánchez Felipe

Marisa Belausteguigoita (quien hizo su doctorado en estudios culturales en Berkeley y fue la apasionada directora del Programa Universitario de Estudios de Género de la UNAM) explica que además de estratega, Marta Lamas es mediadora. Levanta su voz no solo en la plaza pública sino en la academia. Su actuación en ambas partes resulta muy poco común. Pocos logran destacar tanto en la cultura como en la política. También sobresale en el papel increíble que hace con Víctor Trujillo, Brozo, el Payaso Tenebroso. Hace seis años que aparece en *El mañanero* y para llegar antes se levanta a las 4:30

de la madrugada. La mayoría de las feministas protestaron: «No se te ocurra ir con ese misógino». Afortunadamente, no le hizo caso a una sola de las feministas y aprovechó sus veinte minutos semanales los jueves para hablar con Brozo de lo que le importa, como por ejemplo de Nestora Salgado, la comandante de la policía comunitaria injustamente encarcelada. También Marta Lamas llevó *Catolicadas*, de María Consuelo Mejía y Católicas por el Derecho a Decidir, que resultó un *hit* de enormes alcances. Desde hace cinco años tiene una plaza en el Programa Universitario de Estudios de Género y trabaja en la frontera entre el activismo y la academia. Fundó con Carlos Monsiváis y Alejandro Brito el suplemento *Letra S* dentro del diario *La Jornada*.

Marta Lamas es una combinación extraordinaria de calidad académica, compromiso social y capacidad organizativa, junto con una generosidad humana a toda prueba, son las características que hacen de Marta Lamas no solo una gran intelectual del feminismo mexicano sino un ser humano entrañable. A estas cualidades se le agregan su espíritu felino, siempre autónomo y a veces arisco, que la convierten en cómplice desde las albarradas más recónditas de una realidad cambiante y dura como la mexicana.

A Marta la conocí hace más de veinte años, gracias a Carlos Monsiváis. Compartimos con él y con GIRE muchas travesuras, iniciativas, batallas, encuentros y hasta desencuentros como suele suceder en una relación intensa. Siempre queda en ella esta parte felina y observadora que heredamos del gran Carlos y el afecto que respeta las diferencias para privilegiar las enormes coincidencias.

Jenaro Villamil

Otro triunfo muy importante de Lamas —según Marisa Belausteguigoita— es que teje vínculos, sabe muy bien trenzar a la gente. Si tú eres académica y quieres pasar al activismo hay costos. Tus colegas piensan que has *chafeado*. Si pasas del activismo a la academia, van a sentirse traicionados porque las activistas son de batalla. Marta ha pasado de la academia al activismo, del activismo a la academia y ha generado un lenguaje nuevo porque logra dotarlo de un acento y una gramática conceptual elaborada pero que se entiende. Tiene muy buen trato con ministros de la Suprema Corte, pero también lo tiene con prostitutas. Me gusta muchísimo que nunca habla con adjetivos y términos hechos como *patriarcado*, no usa conceptos estereotipados incapaces de dar una idea la complejidad de las cosas, al contrario, es totalmente creativa.

A Jesusa Rodríguez le choca que Marta Lamas sea conciliadora, cualidad que festejan sus múltiples amigas:

Yo soy lo contrario de la moderación. Ella es concertadora y yo no puedo soportar ir a ver a Arely Gómez o a Isabel Miranda de Wallace aunque ella diga: «Va a servir si vamos a ver a la juez Olga Sánchez Cordero». Yo digo que no, que Arely Gómez y la Miranda de Wallace son mellizas, no van a hacer nada. Martin Luther King decía que el pensamiento moderado puede hacer más daño que el pensamiento radical o extremista y Marta es moderada. Por eso no coincido con Lamas en eso de conciliar, pero me gana el cariño porque yo la quiero por encima de todo lo que haga.

La columna *Argüende*, de Jesusa Rodríguez y Liliana Felipe —su actual «esposa» según Wikipedia—, fue sin duda alguna la más leída de *Debate feminista*. Jesusa es una de las figuras de la izquierda más sobresalientes, inesperadas y polémicas de México. Si Jesusa es flamígera y estrepitosa, si toma la palabra aunque no se la den, si se yergue, arrebatadora y escandaliza a todos, Marta es clásica y *mosca muerta* como se lo enseñó su condición social. A puro *chinga quedito* ha ido ganando sus grandes batallas sociales, nada menos que la legalización del aborto en un país como México en el que noventa y tres millones de un total de ciento doce millones son católicos. Si Jesusa se para frente a un funcionario, lo interpela, lo crucifica, Marta intenta convencerlo con sus buenos modales y un argumento irrebatible. Ningún grito, ninguna palabra altisonante en su discurso. Sus colores son el gris, el beige, el negro. Todo lo que Lamas viste es de muy buena calidad, sacos de la gamuza más fina, bolsas argentinas de piel, zapatos y botas italianas, blusas francesas, relojes suizos, suéteres de *cashmere*, pero llega un momento en que una ya no ve cómo está vestida de tanto acostumbrarse a su severidad. Usa aretes diminutos, sus joyas son tan discretas que desaparecen. Imposible que el buen gusto sea estridente, los grandes costureros franceses coincidirían con su perfeccionismo imperturbable.

Soy la persona que me encargo de tener su habitación en orden, arreglar su ropa y tener cuidado de no revolver sus papeles. Tengo en común con ella que amamos a los gatos, así que sus gatos son como si fueran míos también.

Todo mi agradecimiento por su apoyo no solo a mí sino a toda mi familia.

Su trato me anima a hacer mi trabajo con cariño y gusto para que ella pueda hacer el suyo sin preocuparse y saber que todo va a estar bien en su casa.

Francisca Miguel Nicolás, *Francis*

Cuando menos lo piensa uno, ahí está Marta de pie, *mosca muerta* o activista a medio ruedo, capote en mano enfrentando a los toros bravos de todas las ganaderías. Mucho más reflexiva que cualquiera, ha logrado con su templanza y su maravillosa obstinación lo que ninguna de nosotros ha alcanzado.

(…) Conocí a Marta Lamas en el bar El Hábito, en una presentación de *Debate feminista*. Me invitaron a presentar sin conocerme. Me importa este punto porque sucedió después de que me hicieron el honor de publicarme un texto en el que hablaba del psicoanálisis, de París y de Cortázar. El texto giraba alrededor de dos frases que creo han marcado cada vez los encuentros más importantes de mi vida: los definitivos, los fundamentales. Los inevitables. Los que son «un destino». Esos sin los cuáles sería difícil explicar lo que una ha vivido, elegido, amado: «Todo encuentro es un producto del azar y la necesidad» y «La casualidad no existe».

Me saludó una mujer que me pareció interesantísima. Me encantaron sus cabellos rizados, pero creo que sobre todo me pasmaron sus ojos. Los ojos de Marta me recuerdan una frase que escribió Arthur Miller para describir a Marilyn Monroe: «Era la mujer con los ojos más tristes de este mundo». Y los más dulces, también, agregaría yo. Solo he conocido a dos personas con esos ojos, con esa mirada: Marta y mi mamá. Son como un imán. Una podría perderse en ellos con un deseo infinito de indagarlas, protegerlas, abrazarlas en no sé qué sitios ocultos. En tantos espacios de lo no dicho.

[…] Marta es una mujer brillante. Admiro muchísimo su inteligencia, su disciplina, su generosidad, su manera de imaginar proyectos como molino de viento, su creatividad. Es una amiga muy solidaria. Yo había vivido doce años fuera de México y nunca en la Ciudad de México, no tenía ningún vínculo amoroso con la ciudad y me costaba mucho trabajo. La primera Ciudad de México que conocí fue la suya. Me la ofreció con una generosidad enorme. No solo sus entrañables mesas de amigas, el espacio de *Debate feminista*, el proyecto de creación del Instituto «Simone de Beauvoir», sino la calles que ella amaba. Una ama una ciudad sobre todo por las personas que va amando en ella. Una primero ve las luces de la ciudad en la noche y nadie la llama desde esas luces, no le significan. Luego va identificando rostros, nombres que habitan una lucecita por acá, otra por allá. Se va creando la más afortunada de las experiencias de la vida: la geografía amorosa. La primera lucecita que se encendió para mí fue la suya.

[…]«¿Me quieres, Marta?» «No más que a mis gatos». Primero me sorprendió esa respuesta y luego la entendí muy bien. Además de a sus gatos, Marta adoraba y adora a Monsiváis. A su hijo Diego, que heredó su mirada y que es un hombre cada vez más dulce[…].

Me encanta escucharla con sus amigas hablar de esas épocas, como si sus narrativas y el cariño que les tengo me permitieran acceder por procuración a esos años donde el anhelo de sororidad irrumpía —ya nombrado y trabajado— en la vida de decenas de miles de mujeres en el mundo. Son muy distintas entre ellas, y sin embargo, allí están alrededor de la mesa, tan entrañables las unas para las otras. Juntitas y solidarias.

A Chanequita la conoció cuando Marta era muy joven y Diego un niño pequeño. Me enteré después que Chane le dijo a Marta la misma frase que ella me dijo a mí tantos años después: «No sé si tengo lugar para una amiga más». Por suerte, sí lo tuvo.

[…] Marta sigue siendo uno de los grandes amores de mi vida, pero algo en mí habrá madurado y me confrontó a la realidad y a mis limitaciones. Ella es así de fuerte y es así de frágil, y ni la pócima mágica existe, ni Marta tendría el menor interés en beberla. Es más, le van a salir ronchitas si me lee. Y su presencia —«la casualidad no existe»—, su voz, sus palabras, todo lo que me enseña, todo lo que admiro y me divierte muchísimo en ella estaba escrito en eso que llamamos «destino». No tengo la menor duda. En los capítulos del destino donde se escriben las pasiones más luminosas, más arduas. Las pasiones inevitables. ¿Acaso habrá de otras?

Marta tiene los ojos más tristes y más nostálgicos de este mundo. ¿Ya se lo dije?

María Teresa Priego

Los domingos, Marta Lamas suele invitarnos a Raquel Serur y a mí a comer a algún restaurante de la avenida Revolución o de avenida de la Paz en el sur de la ciudad. A veces, cuando Raquel no puede, vamos solas las dos. Apenas prueba su platillo. Marta come migajón de pan, yo como la costra de sus bolillos, una crema de alcachofas, un filete con papas, una ensalada de palmito, un pastel de chocolate con helado de vainilla, todo ello regado con un buen vino tinto chileno, generalmente Casillero del Diablo. Marta pide una Coca-Cola que jamás termina. Antes, a la hora de la cuenta, peleábamos, ahora ni siquiera hago el esfuerzo al igual que jamás lo hicieron Carlos Monsiváis o Carlos Fuentes, que siempre se levantaba al baño cuando aparecía «la dolorosa». (En los últimos años, Fuentes se compuso un poco, Monsiváis nunca).

Raquel Serur cuenta que cuando el filósofo y polítólogo, el gran pensador Bolívar Echeverría, su marido, enfermó en Nueva York y tuvieron que operarlo a corazón abierto, Raquel, sola, se aterró. Sus dos hijos pequeños, Carlos y Alberto, dependían totalmente de ella y afuera del departamento universitario se ensañaba contra ellos un invierno feroz.

Carlos, mi hijo, dijo: «¿Qué vamos a hacer si le pasa algo a mi papá?». «No le va a pasar nada a tu papá, todos vamos a estar bien», pero en el fondo estaba aterrada. De pronto recibí una llamada de México de Marta Lamas (que fue de las primeras alumnas de Bolívar en la ENAH): «Voy para allá». No éramos tan amigas. Yo estaba deprimida, Bolívar también, los chicos ni se diga, Carlos tenía doce y Alberto no llegaba a los catorce. Yo no tenía a nadie conmigo y no sabía qué hacer con tanto peso. La recojo en el aeropuerto, Bolívar ya estaba internado y Marta frente a su cama de hospital le dice: «Oye, Bolívar, necesito que me escribas un texto para *Debate feminista*». «Es que me van a operar ahorita, no puedo», «No, no, no es para ahora, te operan y dentro de ocho días lo escribes durante tu convalecencia…». Lo echó para adelante. Yo lo vi, Bolívar respondió: «Okey, sí, si es para dentro de ocho días sí me comprometo». Lo enganchó y me dio un gusto enorme. Entonces, fuimos por mis hijos a la casa, me pidió que descansara, a ellos los trepó al coche y se los llevó de *shopping* y en la tienda les dijo: «Compren todas las cochinadas que su madre no los deja porque su madre es muy austera» y aquellos pues felices, compraron chocolates, todo lo que yo racionaba. Estaban en la edad de que empiezan a entrar las hormonas al cuerpo y les dice: «Pues ahora compren todas las revistas pornográficas que quieran porque seguro su mamá no los deja». Me acompañó durante la operación, se quedó al postoperatorio y cuando regresó a México me dije: «yo quiero ser su amiga para siempre». Desde entonces creo en los ángeles. Cuando regresamos a México la busqué de inmediato y todos los domingos cenábamos Bolívar, Monsi, Marta y yo durante muchos años. Después se volvió comida con Chema y Lilia Pérez Gay y Elena y Rolando Cordera, Jenaro Villamil y Jesús Ramírez.

Me atrevo a creer que la relación más amorosa de Marta fue la que mantuvo a través de veinte años con Carlos Monsiváis, fallecido el 19 de junio de 2010. A partir de las siete de la mañana, a veces antes, Monsi acostumbraba levantar su teléfono en la mesa de noche y llamar a Marta, a Iván Restrepo, a Chema Pérez Gay, a sus sucesivas parejas y a veces a mí. Amanecer con él era una dicha porque oír sus carcajadas alentaba al más recalcitrante. Iván Restrepo y Nelly Keoseyán aún lo extrañan, como lo hace el único sobreviviente de esa época del *México en la Cultura*, Vicente Rojo.

A Monsiváis y a Lamas los unió su pasión gatuna quizá porque ambos tienen algo de felinos. Los nombres de los gatos de Marta son comunes y corrientes, pero los de Monsi están indisolublemente ligados a la vida política nacional. Se llaman Pío Nonoalco, Nana Nina Ricci, Chocorrol, Posmoderna, Fetiche de Peluche, Fray Gatolomé de las Bardas, Carmelita Romero Rubio de Díaz, La Monja Desmecatada (Desmi), Mito Genial, Ansia de Militancia, Miau Tse Tung, Miss Oginia y Miss Antropía, Caso Omiso, Zulema Maraima Gelo, Voto de Castidad (Votito), Catzinger, Peligro para México (Peli) y Coopelas o Maúllas (Copi).

En la imagen, una mujer abraza a un gato.
La mirada de él: afilada, brillante, aguda.
La mirada de ella: afilada, brillante, aguda.
Hasta aquí las semejanzas.
La mirada de él: indiferente.
La mirada de ella: cálida, solidaria, amorosa.

Esta es una de mis fotos favoritas de Marta Lamas. Aunque antes debería decir que Marta Lamas es una de mis personas favoritas. Una de las personas —de las poquísimas personas— que funcionan como ancla en mi vida. O como brújula. O como ambas. Y muchas cosas más. Porque allí donde está Marta se está bien. Porque allí donde está Marta está lo correcto, lo ético, lo comprometido. Porque allí donde está Marta se puede seguir imaginando un mundo otro; más equitativo, más justo. Porque allí donde está Marta la utopía vuelve a ser un sueño posible. Porque allí donde está Marta se sabe que a la utopía se llega trabajando, imaginando, creando, construyendo, todos los días. Desde antes del amanecer, rodeada de periódicos, de libros, de papeles (y de gatos, claro), Marta trabaja, imagina, crea, construye, para llegar a la utopía. Esa es una de mis anclas en la vida. O de mis brújulas. O ambas. Y muchas cosas más. Desde antes del amanecer, absolutamente todos los días, Marta trabaja, imagina, crea, construye. Como si fuera uno de esos veintidós justos que, según la tradición judía, sostienen cotidianamente el universo. Marta Lamas, sin duda, sostiene cotidianamente el universo. Y, cálida, solidaria, amorosa, crea un hogar para todos nosotros. Para todas nosotras. Para todxs nosotrxs.

Sandra Lorenzano

La pasión desmedida que comparten Monsi y Marta por los gatos se extiende a Julieta Campos y a Marie Jo Paz, entre otros intelectuales. (Sergio Pitol, gran amigo de Monsi, ama a los perros).

En 1976 Alaíde Foppa y Margarita García Flores fundan la revista *fem.* y después de leer un artículo de Marta, Luis Javier Solana la invitar a ser editorialista en *El Universal*. Un martes, a la hora de la comida, suena el teléfono. Diego, su hijo, contesta con la orden de que «hablen más tarde», pero grita entusiasmado: «¡Te habla Monsiváis!». Marta toma la bocina: «Me gustó tu artículo. A ver cuándo platicamos». Casi al punto del desmayo, Marta intuye que esa llamada cambiará su vida. Se hace amiga no solo de Monsiváis sino de un trío temible: Sergio Pitol, Luis Prieto y un Monsi insospechado y desatado.

En *fem.* Monsiváis publicó por primera vez en 1978 una crítica de *El lugar sin límites,* de Ripstein. En su «Nueva salutación del optimista», también en *fem.*, evaluó el movimiento feminista que capitanea Marta, quien se sintió realizada y colocó fotografías de Monsi de cuerpo entero y a todo color en la sala, en el comedor, en la recámara, en el estudio de su casa, en los cuatro baños y en la cocina.

A finales de los setenta, Marta y Carlos participaron juntos en conferencias y actos públicos. «No soy tímida, pero Carlos inhibe», apunta Marta.

En el foro «¿De quién es la política? La crisis de representación: los intereses de las mujeres en la contienda electoral», el plato fuerte resultó la discusión entre Monsiváis y Beatriz Paredes, con los comentarios de Laura Carrera, Ana Lilia Cepeda, Amalia García, María Angélica Luna Parra y Patricia Mercado.

A Monsiváis le preocupaba la casi nula información sobre el sida y decidió hacer un suplemento que dirigiría Alejandro Brito. ¿Qué nombre ponerle? Monsiváis propuso: «Letra S». «¿Por qué?», «Por sida, solidaridad, sexualidad, síndrome, sudor, sociedad, sangre, sexo seguro, salud, secreción, sexo servicio, sistema, sarcoma, seropositivo, saliva, solución, suero, síntoma, semen, soledad, suplemento, sanidad, sufrimiento, suministro, saber». *Letra S* apareció en noviembre de 1994 en *El Nacional* y en agosto de 1996 pasó a *La Jornada,* de la cual Monsi fue fundador.

Inteligente, apasionada, lúcida e irreverente, Marta Lamas es quizá la figura más singular del feminismo mexicano. Participa lo mismo en *performances* callejeros de protesta que en debates de altos vuelos. Y es quizá esa mezcla de activismo iconoclasta y riguroso trabajo intelectual —indisociables en su caso—, la que viste su singularidad.

Es una feminista atípica que no se toma muy en serio su papel. Apasionada por la teoría y el trabajo intelectual, no comulga con las posturas del feminismo doctrinario. Lo de ella es la reflexión crítica y el intercambio de opiniones, y no la defensa a ultranza de posturas intransigentes y sectarias. Por lo mismo, es una intelectual antisolemne a quien le aburren los discursos hechos y las luchas carentes de imaginación y de sentido del humor.

Marta Lamas también es toda una estratega política, basta revisar el proceso que llevó a la aprobación de la interrupción legal del embarazo en la Ciudad de México en 2007, liderado en buena medida por ella, para probarlo. El cambio de estrategia, de discurso y de interlocutores, ideado por ella y un pequeño grupo de feministas, permitió destrabar la discusión pública que se movió del «a favor o en contra» del aborto, a la cuestión de «¿quién debe decidir?».

Obsesiva en su pasión, Marta también se ha interesado vivamente por otras causas aliadas al feminismo. Es la feminista buga más solidaria con el movimiento gay, lésbico, transexual y transgénero mexicano. Al lado de Carlos Monsiváis, es quien más ha impulsado la reflexión teórica y política sobre el tema a través de sus escritos y de publicaciones de otras y de otros autores, como el mismo Monsiváis en la revista *Debate feminista* y otras publicaciones. Uno de los productos más destacados de esa labor es la publicación del libro *Que se abra esa puerta*, que integra todos los escritos de Carlos Monsiváis sobre la diversidad sexual y la cultura gay en México.

Además, Marta Lamas también ha impulsado la formación de liderazgos jóvenes LGBT a través del Instituto de Liderazgo «Simone de Beauvoir», creado por ella, y ha participado activamente en la formación de organizaciones de gays, como la asociación Letra S, Sida, Cultura y Vida Cotidiana, espacio desde donde ha participado y refrendado su compromiso en la lucha contra el sida y la homofobia.

Su interés antropológico en el tema de la diversidad sexual la llevó a dedicar su tesis de posgrado al tema de la transexualidad, aportando reflexiones clave sobre esa identidad de género ignorada largamente por la academia en México.

En el activismo gay, en donde me incluyo, Marta Lamas ha significado toda una inspiración, un ejemplo de actitud y de congruencia. Leerla estimula el apetito intelectual, escucharla entusiasma y anima a la acción.

¡Pero qué más puede decir un incondicional de su musa intelectual sin arriesgarse a despertar malevolencias!

Alejandro Brito

En 1995, Carlos gana el Premio Xavier Villaurrutia, Jesusa y Marta acuden al Centro Cultural San Ángel. Se instalan en la segunda fila atrás de Marie Jo y Octavio Paz. Después del célebre debate Paz-Monsi, muchos creían que Paz y Monsi no volverían a hablarse. «Por eso, la presencia de Paz era un homenaje a su crítico», concluye Marta.

En 1997, al ganar Cárdenas la jefatura de gobierno de la Ciudad de México, Monsi y Marta se precipitan al Zócalo a festejar con él. Ahí Marta se dio cuenta —como antes Iván Restrepo— de que caminar en la calle con Carlos era igual a hacerlo con un *rockstar*.

Monsi tuvo una enorme participación en el quehacer feminista de Marta. Consejero áulico, proponía y analizaba los materiales por publicar en *Debate feminista*. Su maledicencia no tenía límites y procuraba encender la capacidad crítica y hasta la crueldad de sus oyentes. Todos le seguíamos la corriente y Marta lo protegió de sí mismo hasta sus últimos días.

Marta vivió su enfermedad de más de seis meses como una tragedia personal. Cuando supo que Monsi tenía diabetes, le compró dulces y galletas sin azúcar que iba a recoger a una pastelería especial en un lugar superlejano. Cuando vio que el sistema eléctrico de la recámara monsivaisiana era demasiado deficiente (porque los gatos se lo habían comido) se preocupó por enviar a un ingeniero que le hiciera una instalación prodigiosa de cables y lámparas adecuadas. Si Monsi la hacía esperar hasta las cuatro de la tarde para ir a comer los domingos, Marta, como la de Cristo, aguardaba su llamada sentada al lado del teléfono. Monsi participó en todas sus luchas feministas y la acompañó a varias de sus reuniones de trabajo. Lo que Monsi decía era ley para Marta Lamas. En un país de machos, Monsi resultó un gran feminista. En México, hasta los niños creen que la mujer es la reina del hogar. Recuerdo que mi hijo Felipe, de diez años, en alguna ocasión en que Marta y yo invitamos a la casa a Gisèle Halimi, que disertaba sobre el empoderamiento de las francesas, pero mucho más sobre las ventajas de la cama redonda la más apta para las mil posturas del amor, mi hijo se encerró en su cuarto y sobre la puerta pegó un edicto. «Fuera, mujeres, hombre trabajando». Cuarenta años después es el papá-esclavo de Inés y Carmen, sus dos hijas, y el Diógenes de Pablo, quien cuenta con los mismos diez años que él cuando marcó su territorio contra el feminismo.

En el Hospital de Nutrición, durante los dos meses en que Monsi nunca recuperó el conocimiento y Marta y yo pasamos a terapia intensiva con tapabocas, una bata blanca, botas de tela y la cabeza cubierta, su dolor no tuvo límites. Cuando él —ya sin anteojos— no reconocía a nadie a pesar de que Omar, su último amor, dolido hasta los huesos, aseguraba que a él le había apretado la mano, Marta ya de por sí muy delgada, enflacó siete kilos. Fueron días de miedo que Marta vivió hasta el fondo sin quejarse y sin pedir que se apartara de ella ese cáliz. Creo que después de la pérdida de sus padres, jamás había sufrido tanto como ahora porque años después todavía llora esta pérdida.

Hablar de Marta Lamas es hablar de un universo muy amplio. À lo largo de su vida ha abordado diferentes temas de manera profunda e inteligente, siempre analizando, proponiendo y llevando a cabo lo que se propone. Se le puede ver como intelectual, activista, investigadora, escritora, periodista. Sin embargo, aunque ya se ha hablado de sus cualidades tan conocidas: solidaria, generosa, etc., deseo hablar sobre la Marta Lamas amiga de Carlos Monsiváis.

Conocí a Marta hace muchos años cuando presentó a Susan Sontag; era una joven que impresionaba porque a pesar de su edad ya se veía en ella a una feminista brillante. Sin embargo, fue en casa de Carlos en donde realmente la conocí, y no porque la tratara sino porque oía continuamente su nombre, le contestaba seguido el teléfono, su voz era inconfundible. Llegaba a ver a Carlos sola o con alguna amiga o amigo. De las últimas veces que la vi, antes de que Carlos se enfermara, la recuerdo con Bolívar Echeverría y Raquel Serur, creo que vieron en esa ocasión alguna película, reían sin cesar, se divertían mucho. Sentía mucha familiaridad con Marta.

Fue cuando Carlos se enfermó cuando más cercana me sentí a Marta; lo que más recuerdo son sus visitas siempre discretas, oportunas, afables y cariñosas, apoyaba a Carlos en todo lo que podía y podía mucho y le consentía toda clase de caprichos, porque, aunque no se crea, Carlos era caprichudo y consentido. Estaba pendiente de lo que necesitara o a ella se le ocurría llevarle algo más para que pudiera estar lo más cómodo posible; recuerdo que un domingo la encontré en el patio de la casa de Carlos con Mito Genial, el gato de Carlos que más la quería, Carlos estaba dormido y ella se salió para no molestarlo. Cuando lo comenté con Carlos él me dijo que Marta era un ángel para él, y realmente Marta lo fue.

Siempre me sentí identificada con Marta por las causas que defendía y por el valor y la inteligencia con que abordaba temas difíciles en el periódico o en la televisión. Como diría Carlos, la heroica Marta con su indispensable revista *Debate feminista*. ¡Cómo no admirar a Marta si ha logrado tantas cosas para las mujeres, si ha sido tan generosa en la lucha por causas sociales, si ha tenido un liderazgo tan importante en la lucha de las mujeres por lograr una igualdad de derechos!

Pero deseo agregar algo más sobre Marta, para mí muy significativo. Cuando era inminente la muerte de Carlos, en especial Carlos Bonfil habló con mis hermanos y conmigo y también Marta me habló, ya no había nada qué hacer. Marta le habló al entonces rector de la UNAM, Dr. José Narro, y este amablemente habló con mi hermano Rubén y conmigo sobre la situación de Carlos. Cuando terminó el Dr. Narro y se fue le hablé a Marta, lloré con ella como con nadie más y ella lloró conmigo, sabía que ella me entendía y entendía a la familia en esa situación tan triste y dolorosa. La sentí solidaria, comprensiva y además sabía que a ella también la inundaba la tristeza y el dolor que nos embargaba a la familia de Carlos. Después de la muerte de Carlos, me encontré con el bolígrafo con el que estaba escribiendo Carlos antes de entrar a terapia intensiva, lo guardé con el fetichismo que solemos guardar algún objeto significativo y entonces pensé que esa pluma solo podría ser para una persona: Marta Lamas, así que le di el bolígrafo con todo el cariño y la gratitud que mis hermanos y yo le tenemos.

Podría seguir hablando de muchas ocasiones en que su generosidad y solidaridad se han hecho patentes, pero sé que mi punto de vista es muy personal aunque refleje a la Marta que todos conocemos.

Beatriz Sánchez Monsiváis

En 1999 a petición de Marta escribí *La herida de Paulina*, un libro que publicó Plaza y Janés y que ni siquiera encuentro en mi librero. Marta me pidió volar a Mexicali con Isabel Vericat para tratar el tema de Paulina, una niña de quince años que había sido violada y a la que se le negó el aborto. A mi mamá, que era superreligiosa, se le pararon los pelos de punta. La pasé muy mal durante esa semana en Mexicali. Me espantó la miseria en la que viven los migrantes de otros estados que no logran cruzar la frontera a Estados Unidos y se hacinan en el horno que es Mexicali, la suciedad y el abandono de las colonias más pobres y el hecho de que a los hombres en torno a la familia de Paulina les pareciera normal trabajar una vez al mes o cada tres meses como *réferis* en los partidos de futbol. Hacía un calor aún más horrible que lo horrible de la situación no sé si la de Paulina o la de los mexicalenses.

Además de la academia, los seminarios, las conferencias, los viajes a congresos, los libros y la edición, Marta adora el teatro y la música que la han acompañado desde que empezó su activismo porque está convencida de que son una manera eficaz de transmitir ideas políticas. No duda en cambiar la letra a canciones reconocidas y cantar a toda voz su «Querrerque del aborto»:

> Mujer que quiere abortar,
> está expuesta a dos peligros
> está expuesta a dos peligros
> mujer que quiere abortar.
> que pierda fácil la vida,
> y a la cárcel vaya a dar,
> aparte de lo carito
> que el chiste le va a costar.

Oí hablar de Marta por vez primera en la década de 1970. El debate feminista que ella abrió fue valiente e inteligente y cambió muchas cosas en este país de machos. Me sacudió darme cuenta de que muchas de las críticas que las feministas mexicanas —Marta en particular— le hacían a las lógicas patriarcales tenían que ver con mi forma de ver el mundo y debo confesar que, en más de un sentido, me obligaron a cuestionarme y a corregir ciertas conductas.

Mi amigo Carlos Monsiváis adoraba a Marta; era su cómplice y la defendía con vehemencia. En más de una ocasión hablé con ella sobre temas que me resultaban difíciles y espinosos, como la paternidad y el aborto, y siempre me sorprendió su claridad y su buen juicio.

Sus ideas me convencían, pero no sabía yo hasta qué punto eran importantes los derechos de la mujer que Marta defendía hasta que me tocó enfrentarme a una de estas situaciones.

Con frecuencia, a los ateos se nos olvida el peso que tienen en nuestra sociedad los prejuicios y la religión y no valoramos los alcances del pensamiento conservador; del mismo modo, a veces olvidamos el valor curativo y terapéutico de la verdad y la razón.

Hace tiempo, después de años de intentarlo, mi esposa Rocío y yo quedamos embarazados. Estábamos felices pues anhelábamos ser padres. Después de algunos meses, la felicidad se tornó en tragedia ya que unos análisis de laboratorio mostraban que el producto venía mal; tenía una severa malformación. El médico, un prestigioso ginecólogo, nos habló con claridad de lo que enfrentábamos: nuestra hija tendría hidrocefalia; jamás podría caminar ni controlar esfínteres; tendría que ser sometida cada año, o cada dos años, a operaciones dolorosas y su expectativa de vida sería corta. Cuando le planteamos la posibilidad de suspender el embarazo, el médico ya no fue tan claro, pero sí muy contundente: para él, esa no era una opción; nuestra obligación era resignarnos a nuestra suerte y traer al mundo a una personita para que sufriera, día tras día, un infierno sin esperanza.

Mi mujer y yo estábamos destrozados y llenos de dolor. Llamé a Carlos Monsiváis y él nos sugirió que habláramos con Marta Lamas y le contáramos nuestra situación. Ella nos escuchó con paciencia y atención; nos habló con franqueza y con cuidado, pero sin anestesia. Tenía pleno conocimiento de causa y su discurso era coherente, sólido y profundo. Sus planteamientos eran incuestionables y de una ética impecable. Su intervención fue, para nosotros, terapéutica y convincente. Con el corazón en la mano, pero con certeza, Rocío y yo suspendimos el embarazo.

Hoy, Rocío y yo tenemos dos hijas maravillosas; tenemos una familia sana.

Con frecuencia, en mis momentos de mayor felicidad, cuando mis hijas me hacen sentir muy orgulloso, me acuerdo de Marta y le doy las gracias. Quiero que lo sepa.

Sin lugar a dudas, los católicos y los grupos provida tienen razón cuando dicen que los abortos son traumáticos y dolorosos. Lo son. Creo que nunca he llorado tanto ni sentido tanto dolor como en aquellos días. Para la mujer y para el hombre, los abortos son traumáticos. Lo que los hace aún más terribles es la persecución de aquellos que, echando mano de una mentalidad medieval, buscan castigar a una mujer en uno de sus peores momentos de desgracia.

La despenalización del aborto en la Ciudad de México es, ese sí, un triunfo de la vida, la salud y la razón. Eso también se lo debemos, en gran medida, a Marta y a sus compañeras. Debemos todos darles las gracias por el sufrimiento ahorrado.

A los que dicen defender la vida les pido que nos dejen vivir la nuestra. Además, les sugiero que escuchen menos a su cura y que abran los oídos a lo que Marta Lamas, Gabriela Rodríguez y las feministas mexicanas les tienen que decir en materia de salud, de esperanza y del derecho a la felicidad.

El Fisgón

Lejos del rigor académico, Marta no tuvo miedo de subirse al escenario de El Hábito junto a Mariana Winocur y Blanca Rico, Las Moscas Muertas, para provocar al público con canciones eróticas y feministas. Luego se sumarían Catalina Pereda, Graciela Martínez y Carmen Giménez Cacho.

También comparte su tiempo con amigas que no necesariamente coinciden con su postura ideológica pero en todas deja huella. Las comidas de los viernes reúnen a mujeres como Chaneca Maldonado (quien le dio a Marta su primer trabajo en 1972 en la agencia de publicidad McCann Erickson), Raquel Serur, Aline Davidoff, Marta Ferreyra, Hortensia Moreno, María Teresa Priego, Marta Acevedo, Sara Sefchovich, Patricia Mercado, María Consuelo Mejía, Susana Vidales, Mali Haddad, Maricarmen de Lara, Ana Luisa Liguori, Lucero González, Paula Mónaco y otras que vienen de paso o están de visita en México como Jean Franco o Mariela, la hija de Raúl Castro. Los martes recibe a Marisa Belausteguigoitia, Sandra Lorenzano, Ana Güezmes, Blanca Rico, Gabriela Cano, Araceli Mingo y Denise Dresser, quien en varias ocasiones ha vivido en su casa.

Marta, mi Marta. La de los argumentos implacables. La del feminismo inteligente. La que convoca, participa, alienta, impulsa. En cuya mesa amplia, frondosa, generosa, se reúnen las mujeres más interesantes de México a conversar de todo, desde lo sublime hasta lo trivial. Esa mexicana ejemplar que ha pavimentado el camino y removido los escollos para tantas mujeres que vienen detrás, las que no se dicen feministas pero están donde están por la lucha —incansable y valiente— de Marta. Y esa amiga incondicional que en momentos cuando he recibido golpes que son «como de la ira de Dios», parafraseando a César Vallejo, me ha acogido en su casa durante meses. Mi único reclamo: su pasión por los gatos, a los cuales prefiere por encima de un montón de personas. Espero no ser de esas. Para Marta mi amor, siempre.

Denise Dresser

Desde su punto de vista, la teoría es la sirvienta de la práctica política y así abarca la corporalidad como su simbolización, tanto psíquica como social. Como antropóloga, ella está claramente endeudada con esa disciplina y el psicoanálisis por su aportación al conocimiento de la simbolización de las diferencias sexuales que sostienen la formación de las subjetividades. Donde se aparta de muchos otros teóricos es por medio de su insistencia en que la comprensión de la teoría es vital para la acción política apropiada.

Jean Franco (*Feminism. Transmissions and Retransmissions*)

El recuerdo más emocionado que tengo de Marta Lamas data de abril de 2014. Marta ofreció su compañía a la familia Haro Poniatowska y viajamos en grande a Madrid con la ilusión y el descreimiento de Sancho Panza. Tomamos las dos el mismo avión de Iberia, el mismo día y a la misma hora. Salimos en Primera y regresamos en Primera (para mí la primera vez). Todo en ese viaje me sucedía por primera vez y tenía que estar lista para un acontecimiento de primera. Marta se preocupó desde el primer instante: «¿Qué vas a decir? ¿Cómo lo vas a decir? ¿Qué te vas a poner?». De por sí, mi contacto con la realidad no es de los mejores y los días transcurrieron en un ajetreo enloquecido y fuera de control, al menos del mío —hoja de papel volando—. «¿Qué vas a decir?». Cuando leí a Marta y a Raquel Serur un primer discurso de agradecimiento, se les cayeron los ojos al suelo del horror porque pretendía yo ser una doctora en letras. «No, Elena, ni se te ocurra». En Madrid nos alojamos en el Hotel Lusso Infantas en la calle de Infantas al lado de la Secretaría de Cultura. Mis nietos se convirtieron en elevadoristas y se la pasaron *sube y baja* del techo al sótano pero el gerente jamás dejó de sonreírnos. Metí unas cuantas patas pero menos de las que Marta preveía. Al terminarse la serie de eventos en los que Marta demostró su aguante y su sentido del humor, regresamos a México de nuevo en primera clase salvo con más peso en la maleta por el gigantesco tomo de terciopelo rojo y letras de oro de *El Quijote*. Marta dobló su abrigo, lo guardó y se acomodó en el asiento del pasillo y yo en el de la ventanilla. Cerré los ojos no recuerdo cuánto tiempo (era la primera vez que lo lograba en cinco días) y cuando los abrí, Marta ya no estaba junto a mí. La emprendí por el pasillo creyendo verla en cada pasajero hasta que finalmente la encontré en los últimos lugares en la cola del avión (muy cerca del baño) al lado de Felipe, mi hijo, y tres de mis diez nietos. Marta había decidido cederle su asiento a cada uno de los niños durante las doce horas que dura el vuelo. Sus largas piernas encogidas bajo el asiento de enfrente, su camisa impoluta y su voz sonaron como campana: «Estoy comodísima», sonrió. Carmen Haro Buxade, la más pequeña de mis nietas, no solo resultó beneficiaria del *reposet* y de la cobija destinada a Marta, sino que por su propia simpatía —iniciada hace nueve años— recibió la invitación del capitán para viajar en la cabina de mando. Cuatro horas más tarde, cuando la película en la pantalla personal estuvo al rojo vivo, Inés, la nieta mayor vio completita *Lo que el viento se llevó* y se zampó la cena de Marta, la comida de Marta, el refrigerio de Marta y el desayuno de Marta, quien me explicó con una sonrisa que le gustaban más los raviolis en celofán de la clase Turista y que como ella no bebe le da lo mismo un Beaujolais que una Coca. Semejante prueba de amor me dejó marcada de por vida. Concluí que Marta —además de llegar antes— es de las que ceden su lugar. Los últimos serán los primeros dice el Evangelio según San Carlos Monsiváis. Con todo lo que Lamas le aguantó a Monsiváis y todo lo que me ha apoyado a mí, tengo la absoluta certeza de que San Pedro le abrirá las puertas del Paraíso mientras Monsi y yo nos tatememos en el infierno.

No solo las mujeres la rodean y admiran, Carlos Monsiváis era su amigo entrañable y su mejor interlocutor; José Woldenberg la considera una polemista afilada como pocas; para Jenaro Villamil es una combinación extraordinaria de calidad académica y compromiso social y, para Fabrizio Mejía Madrid, Marta no solo representa a las feministas sino al compromiso y a la constancia en cualquier lucha emprendida.

Desde mi perspectiva, Marta Lamas nació por y para la polémica. Por sus venas corre la emulsión de la controversia. Como antropóloga, escritora, periodista y activista social, Marta está hecha para el debate. Su presencia formal como analista en *Proceso*, allá por los días finales de 2002, nace precisamente de su involucramiento en una intensa polémica con Javier Sicilia, Carlos Monsiváis y Gustavo Esteva que se dio en sucesivas ediciones de la revista. Basta evocar el título de una de sus aportaciones a aquella discusión: Mujeres: el debate. Cito aquí para ilustrar el espíritu controversial de Marta Lamas el último párrafo de aquel artículo, mismo que refleja la esencia de su obra indispensable titulada «El largo camino hacia la ILE. Mi versión de los hechos»:

«La resistencia de las mujeres ante el índice flamígero y las excomuniones hablan de que aunque sean considerados pecados, los derechos sexuales y reproductivos son un paso imprescindible en su proceso de liberación... Por eso, en una sociedad donde el cuidado y la responsabilidad de los hijos es un asunto individual, y tanto el Estado como las iglesias se desentienden de las cargas económicas y emocionales que implican los hijos, lo justo es que las mujeres tengan los medios para elegir voluntariamente la maternidad...».

Esa es Marta Lamas, la polemista.

Rafael Rodríguez Castañeda

En el México corrupto en el que nos ha tocado vivir, Marta Lamas es un fenómeno único. Comprometida hasta el tuétano con una causa que a no pocos resulta incómoda ha llegado más lejos de lo que nadie podía prever. Sus convicciones, su valentía, su disciplina, su inteligencia y su ironía no solo la definen como defensora de los derechos de la mujer y de las minorías sexuales sino que la coronan como una digna e indómita Adelita del siglo XXI a la que —seguramente— (una generala de la Revolución) admitiría entre su tropa.

La Sra Marta: desde el primer día que empece a trobajar en su cosa vi la diferencia del troto a mi persona vi la amabilidad la decencia que nunca avía sentido con otras personas con los que avía trabajado. La Sra Marta desde el principio me apoyo a mi y a mi familia a mis hijos principal mente. La Sra Marta es una persona que se quita la comida de la boca para dársela al quien lo necesite. Para mi y mi familia es un ángel que nos mando dias y para todos los que vivimos con ella en su cosa, eso es la Sra Marta para mi un Angel.

Alejandro Fabián Cabrera (chofer de Marta)

Josefina Bórquez o Jesusa Palancares de Hasta no verte Jesús mío *con Elena Poniatowska.*

Josefina Bórquez o Jesusa Palancares, heroína de la novela
Hasta no verte Jesús mío.

Con las Adelitas de la Revolución deberíamos repensar la frase que gritamos cada 15 de septiembre y que recuerda a los héroes de la patria.

«Me voy a vestir de hombre a ver si me va mejor».
Muy bravas, algunas se cortaban las trenzas y echaban su sombrero
para adelante para que no les vieran lo mujer en los ojos.

Las soldaderas viajaban subidas en el techo del vagón
porque los caballos debían resguardarse. La pérdida de una yegua
era irreparable, la de una mujer, ¡quién sabe!

*Nellie Campobello fue la única mujer que destaca en
la literatura de la Revolución y está a la altura de los novelistas
que figuran en el canon oficial.*

*A Josefina Vicens le importaba más lo que pasara a su alrededor
que estar pegada a una máquina de escribir:
«Canjeo la máquina de escribir por la vida», solía decir.*

*Solo dos títulos le bastaron a Josefina Vicens para lograr la inmortalidad
dentro de las letras mexicanas:* El libro vacío *y* Los años falsos.

La autora de El libro vacío *demostraba con su actitud frente a la hoja en blanco que la escritura es un trabajo serio. Aquí está con Elena Poniatowska.*

Las palabras y la vocación literaria de Rosario Castellanos la convierten en la precursora intelectual de la liberación de la mujer en México.

La vida de Rosario Castellanos es el mejor alegato para que todas las mujeres que tienen alguna vocación creativa sigan adelante y crean en sí mismas.

Desde muy pequeñas, las mujeres se preparan para abandonar el campo y conseguir una mejor calidad de vida en la ciudad, trabajando para una patrona.

En México se les llama criadas porque han sido criadas dentro de la hacienda o la casa de la ciudad, criadas como criaturas, amamantadas por los patrones.

Rotos los lazos con el pasado campesino, la situación de la sirvienta es semejante a la de la nube: flota en el aire, sin nada de qué agarrarse, sin rumbo y sin futuro.

Las mujeres de la servidumbre no pertenecen ni a su casa, ni a la del patrón, ni tampoco a la fábrica, ni a la cultura mexicana que, ni por equivocación, las ha tomado en cuenta.

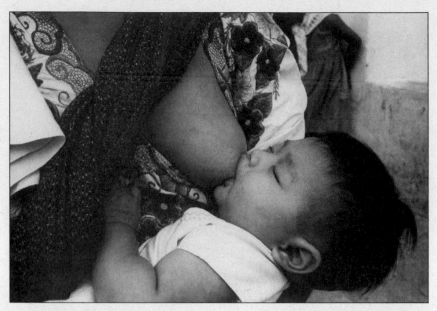

*En el campo a los padres no les alcanza para mantener a sus hijos,
por eso los mandan como corderos a la ciudad: «porque
a los patrones les conviene que el pobre sea su sirviente».*

*Mientras la patrona va al salón de belleza a peinarse bajo un casco secador,
el lujo de la muchacha es el lavadero, donde desenreda su cabello.*

Alaíde Foppa se ha convertido en el símbolo de la lucha
de las latinoamericanas contra la infamia de la desaparición.

La incansable lucha de Rosario Ibarra de Piedra representa a todas las mujeres mexicanas que siguen en la búsqueda de sus desaparecidos.

La vida de Rosario ha sido marcada por el sufrimiento, pero este la ha pulido, la ha adelgazado hasta ser casi puro espíritu, pura fuerza de voluntad vuelta hacia su hijo.

Marta Lamas, con su guitarra bajo el brazo entra a la Escuela Nacional de Antropología e Historia y a partir de ahí comienza su interés por el feminismo.

Al lado de Carlos Monsiváis, Marta Lamas reflexionó teórica y políticamente acerca del movimiento gay, lésbico, transexual y transgénero mexicano.

La lucha de Marta Lamas ha sido acompañada por muchas mujeres más que comparten un mismo ideal y una misma voz.

Diego, su único hijo, es su compañero de vida, su testigo, su otro yo, su vida misma, el único que algún día le hará falta.

Las mujeres seguirán luchando, por su cuerpo, por sus hijos,
por su libertad, sin importar qué tan arduo sea el camino.

«Ni una periodista asesinada más», las mujeres marchan en el Zócalo para alzar la voz por los feminicidios de periodistas.

La postura de las mujeres que conforman el grupo Católicas por el Derecho a Decidir revela una faceta liberal necesaria en la religión.

ÍNDICE